Windows 98

Michel Pelletier

Publié par Simon & Schuster Macmillan (France)
19, rue Michel Le Comte
75003 PARIS
Tél : 01 44 54 51 10

Auteur : Michel Pelletier

Mise en pages : Andassa

ISBN : 2-7440-0400-6

Table des matières

Introduction

Alors que de nombreux utilisateurs de Windows 95 commencent tout juste à bien connaître leur interface graphique, une nouvelle version est sur le point de voir le jour ! Que les futurs utilisateurs de Windows 98 se rassurent, cette nouvelle version est le prolongement logique de la précédente. Divers éléments ont été modifiés ou ajoutés pour reconnaître les nouveaux matériels. Et aussi pour faciliter l'utilisation, améliorer la robustesse et la rapidité d'exécution de l'interface graphique la plus répandue.

Windows 98 reprend le "look and feel" de Windows 95, mais cette nouvelle mouture innove dans de nombreux domaines. Les utilisateurs de Windows 95 ne seront donc pas déroutés : ils sauront immédiatement utiliser les éléments essentiels de l'interface, comme le menu **Démarrer**, la barre des tâches et les divers accessoires de base fournis avec Windows 95.

Cet ouvrage s'intéresse à tout ce qui fera de Windows 98 le système d'exploitation le plus utilisé dans les années à venir. Si vous vous sentez prêt à affronter le futur, tournez les pages, vous ne le regretterez certainement pas.

Chapitre 1

Avant de commencer

Au sommaire de ce chapitre

- Configuration requise
- Installer, démarrer et quitter Windows 98
- Le Bureau de Windows 98
- L'aspect des fenêtres Windows 98
- Les noms de fichier longs
- La souris et le clavier
- Lancer et fermer une application
- Passer d'une application à une autre
- Quitter une application qui ne répond plus
- Les multiples aspects de la barre des tâches
- Réduire/afficher toutes les fenêtres en une seule opération
- Réorganiser les icônes sur le Bureau

- Le système d'aide de Windows
- Le menu Démarrer, centre stratégique de Windows

Pour bien travailler, vous devez posséder de bonnes bases. En parcourant ce chapitre, vous découvrirez un ensemble de techniques simples, mais fondamentales qui seront utilisées en permanence dans Windows 98.

Pourquoi passer à Windows 98 ?

Si vous venez d'acquérir un Pentium II, un K6, un 6X86 MMX ou une autre bête de course fraîchement fondue, vous souhaiterez certainement obtenir le meilleur de votre machine et des périphériques. Ne pestez plus devant le "manque de reconnaissance" de Windows 95. Cette version de Windows date de... 1995. Et à l'époque, il était impossible de connaître à l'avance les périphériques qui existeraient trois ans plus tard, c'est-à-dire aujourd'hui.

En adoptant Windows 98, vous ouvrez la possibilité de piloter des périphériques et cartes utilisant le meilleur de la technologie. A titre d'exemple, et bien entendu à condition que votre PC soit équipé en conséquence, vous pourrez utiliser :

- **Le bus USB (*Universal Serial Bus*).** Très prometteur, il permettra de connecter jusqu'à cent vingt-huit périphériques série sur un seul port. Rapide et performant (jusqu'à 1,5 Mo/s), ce mode de communication devrait se généraliser pour de nombreux périphériques dans les années à venir.
- **Le bus graphique AGP (*Accelerated Graphics Port*).** Il permettra aux cartes graphiques d'exprimer toute leur puissance sans être limitées par la relative lenteur du bus PCI.
- **Le standard ACPI (*Advanced Configuration and Power Interface*).** Particulièrement utile sur les portables, il permettra de mieux gérer la batterie et de mettre en veille l'ordinateur pour redémarrer en quelques instants lors d'un événement extérieur tel que la réception d'un fax ou l'appui sur une touche du clavier (technologie *OnNow*).

- **Les DVD-ROM et DVD-RAM (*Digital Video Disc*).** Très attendus, ils permettront de lire et de stocker une très grande quantité d'informations sur un support identique à celui des actuels CD-ROM.
- **Plusieurs écrans.** Afin d'augmenter la taille de l'affichage et travailler en parallèle sur deux ou plusieurs applications.

Si, de plus, vous vous sentez internaute dans l'âme, n'hésitez plus, Windows 98 est fait pour vous. Il intègre en effet tout ce dont vous avez besoin pour vous connecter simplement et rapidement au réseau des réseaux. Ainsi, l'assistant de connexion réduit à l'extrême le paramétrage de la couche logicielle nécessaire à toute connexion au Net. Vous pourrez aussi tester sans abonnement et sans limitation de durée les possibilités du Net, grâce au Kiosque France Télécom.

Vous hésitez encore ? Eh bien ! sachez que, pour couronner le tout, Windows 98 est bien plus robuste que son prédécesseur et encore plus simple à utiliser. Vous apprécierez entre autres :

- la possibilité d'utiliser le simple clic de la souris dans le Poste de travail et l'Explorateur ;
- les nombreux assistants qui viennent vous prêter main forte dans toutes les opérations délicates qui nécessitaient auparavant de sérieuses compétences techniques ;
- le prolongement quasi naturel de votre disque dur par une véritable manne d'informations provenant du Web ;
- l'outil de mise à jour active, qui permet de charger les pilotes de périphériques d'un simple clic ;
- les outils de vérification système susceptibles de diagnostiquer aisément la plupart des problèmes courants et d'effectuer les corrections nécessaires sans intervention extérieure ;
- le convertisseur **FAT32**, qui permettra de mettre à jour votre ancien système de fichiers afin d'accélérer toutes les opérations de lecture/écriture disque et de gagner jusqu'à 50 % de place disque, et ce, sans aucune compression.

Je pourrais poursuivre cette liste pendant de nombreuses pages, mais je suppose que, si vous avez cet ouvrage entre les mains, c'est parce que vous avez franchi le pas. Félicitations ! Plus vous avancerez dans cet ouvrage, et plus vous vous apercevrez que vous avez fait le bon choix.

Que faut-il pour utiliser Windows 98 ?

Pour Microsoft, Windows 98 est l'occasion de remettre à niveau tous les utilisateurs de Windows en proposant une seule mise à jour pour les systèmes 3.1, 3.11, 95, 95.a et 95.b. Les futures mises à jour non majeures se feront de façon transparente par le Web (pour peu que vous soyez connecté). Il en découlera une parfaite homogénéité de tous les ordinateurs fonctionnant sous Windows 98.

Si vous souhaitez acheter un PC, nul doute que Windows 98 est la solution la mieux adaptée. Parfaitement à l'aise avec les nouveaux matériels, cette version de Windows possède de nombreux raffinements non négligeables, en particulier si vous avez l'intention de vous connecter sur le réseau mondial.

Pour que Windows 98 déploie toute sa puissance, n'hésitez pas à voir grand : optez au minimum pour une carte à base de Pentium MMX 166 dotée de 16, voire de 32 Mo de mémoire vive. Plus la quantité de mémoire sera importante, plus Windows se sentira à l'aise. Vu le faible prix actuel des mémoires (moins de 1000 F pour 32 Mo), n'hésitez pas à opter pour un ordinateur contenant 32 Mo ou à équiper votre ordinateur actuel.

Installer Windows 98

Insérez le CD-ROM de Windows 98 et lancez le programme d'installation INSTALL.EXE. Cette opération peut se faire indifférement depuis MS-DOS, Windows 3.X ou Windows 95.

Phase 1

Le programme **Microsoft ScanDisk** est lancé automatiquement. Il vérifie les lecteurs de disque dur afin de déceler toute anomalie qui pourrait nuire à l'installation de Windows 98.

Phase 2

Après avoir franchi cette étape avec succès, l'assistant d'installation vous demande d'indiquer le dossier d'installation de Windows (**C:\Windows** par défaut). Quatre installations vous sont proposées :

- **Par défaut.** Cette option est adaptée à la plupart des ordinateurs de Bureau ou familiaux.
- **Portable.** Windows est installé avec les options propres aux ordinateurs portables.
- **Minimale.** Seuls les composants obligatoires de Windows sont installés afin de préserver l'espace disque.
- **Personnalisée.** Les utilisateurs avancés peuvent choisir précisément les composants qu'ils désirent installer.

Choisissez l'une de ces quatre options et suivez les conseils de l'assistant. Vous serez en particulier amené à créer une disquette de démarrage qui vous dépannera lorsque Windows 98 refusera de se lancer lors de la mise sous tension de l'ordinateur. Après avoir créé la disquette de démarrage, placez-la en lieu sûr en espérant que vous n'aurez jamais à vous en servir…

Lorsque les fichiers du nouveau système d'exploitation ont été copiés sur le disque dur, l'ordinateur redémarre. Soyez patient, ce premier redémarrage met à jour les fichiers de configuration de la machine et s'avère très laborieux.

Phase 3

L'assistant entreprend maintenant de détecter les périphériques plug-and-play connectés sur votre ordinateur. Ici encore, armez-vous de patience …

Parfois, l'indicateur qui indique la progression de la détection s'arrête pendant une durée prolongée et le disque dur n'est plus en activité. Redémarrez votre ordinateur pour reprendre le processus de détection où il a échoué. Lorsque la détection du matériel plug-and-play est terminée, vous devez redémarrer votre ordinateur.

Phase 4

Les périphériques détectés dans la phase précédente sont maintenant installés.

Pour certains périphériques non plug-and-play, l'assistant d'installation peut vous demander d'entrer manuellement un ou plusieurs paramètres.

Phase 5

L'installation de Windows 98 se termine par la définition du fuseau horaire, la création du Panneau de configuration, l'installation du menu démarrer et des autres éléments propres à l'interface graphique. Un dernier redémarrage, et vous voilà prêt à utiliser Windows 98.

Démarrer et quitter Windows 98

Le démarrage de Windows 98 ne pose aucun problème, puisqu'il est automatique. Mettez simplement votre ordinateur sous tension, et patientez. Après une attente plus ou moins longue (qui dépend essentiellement de la puissance de l'ordinateur et de la quantité de mémoire vive utilisée), une boîte de dialogue de bienvenue s'affiche (voir Figure 1.1).

Sous le label **SOMMAIRE**, plusieurs options permettent de vous familiariser avec votre nouveau système d'exploitation :

- **Inscrivez-vous.** L'option **Inscrivez-vous** permet d'enregistrer votre copie de Windows 98 et ainsi de profiter des avantages réservés aux seuls utilisateurs enregistrés. Après avoir accompli cette formalité, vous serez informé des nouveautés concernant

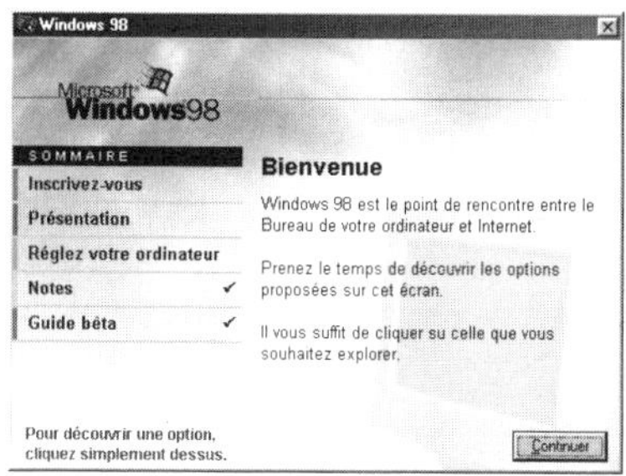

Figure 1.1 : La page d'accueil de Windows 98.

votre interface graphique, vous pourrez optimiser le fonctionnement de votre système en téléchargeant les derniers pilotes et fichiers système et vous aurez accès à une assistance technique en ligne pour répondre aux questions que vous vous posez sur le fonctionnement de votre nouveau système. Pour pouvoir vous enregistrer, vous allez devoir fournir un ensemble de renseignements (tels que le nom et l'adresse de la personne ou de la société qui a acheté la version de Windows 98 que vous êtes en train d'utiliser) à un assistant. Ce dernier établit un inventaire de système (processeur, mémoire, espace disque, réseau, carte son, etc.) et communique par modem ces informations à Microsoft. Après quelques instants, vous faites partie des heureux utilisateurs enregistrés…

- **Présentation.** Ce guide multimédia est une précieuse source de renseignements pour tous les utilisateurs de Windows 98. Si vous débutez en informatique, l'option **Les bases de l'informatique** vous présentera les notions de base nécessaires pour démarrer d'un bon pied avec votre nouvel équipement. Si vous êtes un ancien utilisateur du système d'exploitation Windows 3.x, l'option **Présentation de Windows 98** vous proposera un ensemble de leçons très progressives pour bien débuter avec votre nouvelle interface graphique (lancer un programme, utiliser l'Explorateur de fichiers, rechercher des informations sur le disque, bien utiliser la barre des tâches, se connecter sur Internet, etc.). Enfin, si vous provenez du monde

Windows 95, l'option **Nouveautés** vous présentera tous les petits plus qui font toute la différence entre les versions 95 et 98 de Windows.

- **Réglez votre ordinateur.** Cette option donne accès à un assistant de réglage qui permettra d'accélérer le fonctionnement de votre ordinateur (voir Figure 1.2). Nous reviendrons en détail sur cette possibilité dans la section "Réglage de Windows" du Chapitre 5.

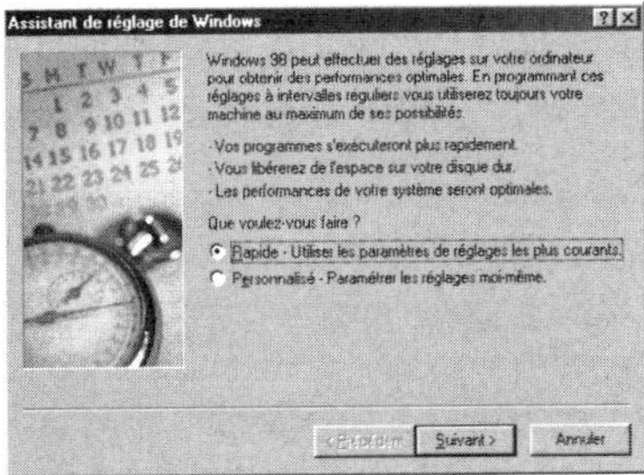

Figure 1.2 : L'assistant de réglage de Windows.

Cliquez sur la case de fermeture de l'écran de bienvenue pour commencer à travailler avec Windows. Une boîte de dialogue vous demande si la page d'accueil doit être affichée lors du prochain démarrage de Windows 98. Tant que vous ne connaîtrez pas le fonctionnement de base de Windows 98, je vous conseille de valider l'affichage de la page d'accueil à chaque session de Windows. N'ayez crainte, si vous répondez par la négative, vous aurez toujours la possibilité d'accéder à la page d'accueil de Windows 98. Deux méthodes vous sont offertes.

Première méthode :

1. Cliquez sur **Démarrer**.
2. Sélectionnez l'entrée **Exécuter**.

3. Entrez le mot **`welcome`** dans la boîte de dialogue **Exécuter** et validez (voir Figure 1.3).

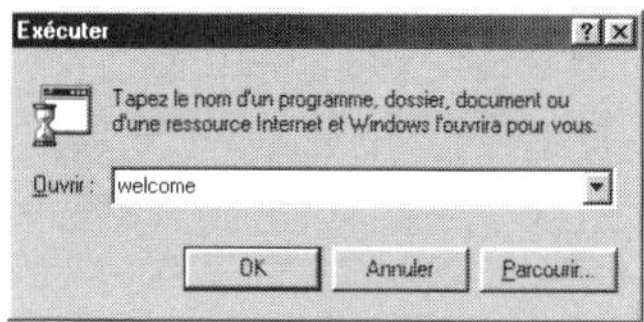

Figure 1.3 : Accès à la page d'accueil de Windows 98.

Deuxième méthode :

1. Cliquez sur **Démarrer**.
2. Sélectionnez **Programmes**, **Accessoires**, **Outils système** et **Page d'accueil Windows**.

Pour quitter Windows, cliquez sur **Démarrer** et sélectionnez **Arrêter**. Une boîte de dialogue intitulée **Arrêt de Windows** est alors affichée (voir Figure 1.4).

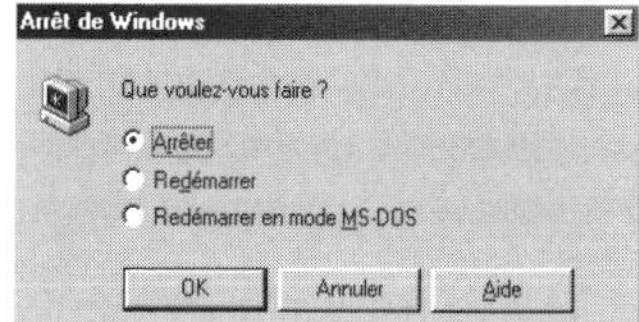

Figure 1.4 : La boîte de dialogue Arrêt de Windows.

Sélectionnez :

- **Arrêter.** Au bout de quelques instants, Windows vous indique que l'ordinateur peut être arrêté.
- **Redémarrer.** Cette option est parfois utile lorsqu'une application se bloque et déstabilise le système.
- **Redémarrer en mode MS-DOS.** Certains programmes MS-DOS ont du mal à fonctionner sous Windows 98.

Dans le menu **Démarrer**, remarquez l'option **Déconnexion** qui permet de démarrer une nouvelle session de Windows 98 sous un nom d'utilisateur différent. Cette commande est intéressante lorsque l'ordinateur est utilisé par plusieurs personnes. Chaque personne peut ainsi personnaliser l'aspect du Bureau selon ses propres goûts. Nous reviendrons sur cette possibilité dans la section "Définir un profil utilisateur" du Chapitre 2.

Le Bureau de Windows 98

Le terme **Bureau** désigne l'arrière-plan de l'interface graphique. Il occupe la totalité de l'écran lorsque aucune application n'est ouverte (voir Figure 1.5). Généralement de couleur verte, il présente :

- Dans la partie inférieure : une **barre des tâches** dans laquelle apparaissent le bouton **Démarrer**, plusieurs icônes en rapport avec Internet, les icônes des applications ouvertes, une icône de contrôle de volume, et l'heure système.
- Dans la partie gauche : un ensemble d'icônes qui donnent accès aux applications et accessoires le plus souvent utilisés.
- Dans la partie droite, une barre d'outils appelée "barre des chaînes" qui donne accès à divers canaux d'informations prédéfinis. Nous reviendrons sur cette caractéristique dans la section "Les chaînes Active Channel" du Chapitre 11.

Sans aucune intervention de votre part, Windows propose un certain nombre d'icônes de base.

Le Poste de travail correspond à votre ordinateur. Il donne accès, entre autres, aux lecteurs de disques et de disquettes de votre ordinateur et du réseau (s'il existe), au Panneau de configuration, aux files d'attente des imprimantes installées, aux comptes Internet et au dossier des tâches planifiées (voir Figure 1.6).

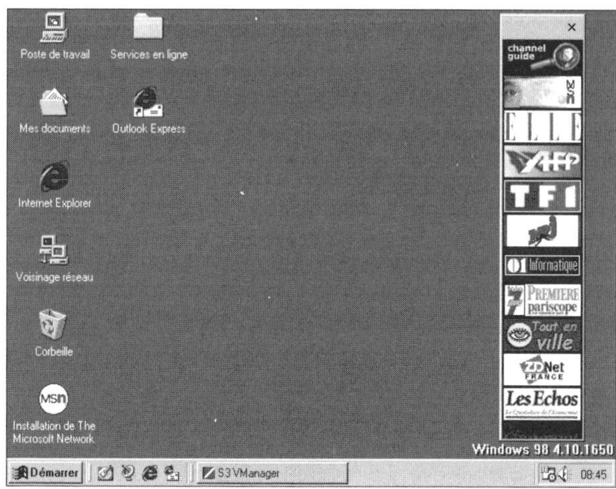

Figure 1.5 : Le Bureau de Windows.

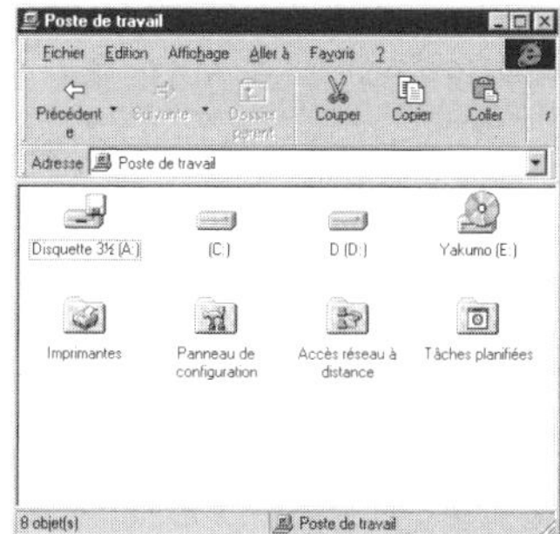

Figure 1.6 : Le Poste de travail de Windows 98.

L'icône **Mes documents** donne accès au dossier de même nom (voir Figure 1.7). C'est un endroit privilégié pour stocker les divers documents que vous manipulerez sur votre ordinateur. A titre d'information, le dossier **Mes documents** est aussi accessible à partir du menu **Démarrer** : sélectionnez **Documents** puis **Mes documents** dans le menu **Démarrer**.

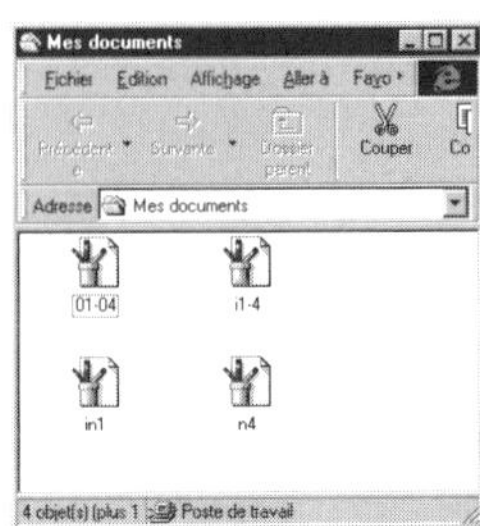

Figure 1.7 : Dans cet exemple, le dossier Mes documents contient quatre images MS Paint.

L'icône **Internet Explorer** donne accès au navigateur Web Internet Explorer 4.0 (voir Figure 1.8) qui fait partie intégrante de Windows 98. Cet outil permettra de surfer très simplement sur le Web. Reportez-vous à la section "Internet Explorer 4.0" du Chapitre 11 pour savoir comment le paramétrer et l'utiliser.

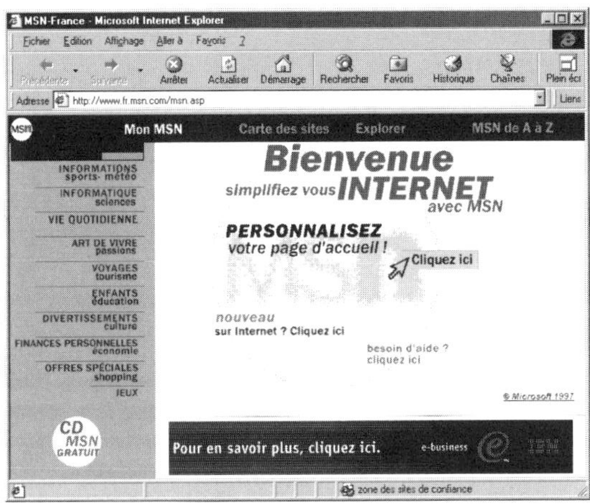

Figure 1.8 : La fenêtre d'Internet Explorer 4.0.

L'icône **Voisinage Réseau** donne accès aux ressources partagées du réseau local (disques, lecteurs de CD-ROM, imprimantes, etc.). Dans l'exemple de la Figure 1.9, l'ordinateur local a pour nom **Mm**, et un autre ordinateur de nom **K6** fait partie du même groupe de travail. L'icône **Réseau global** donne accès aux autres groupes de travail (s'ils existent).

Si **Mm** et **K6** ne faisaient pas partie du même groupe de travail (supposons que **Mm** appartienne au groupe **Ssm** et **K6** au groupe **Lk**), un double-clic sur l'icône **Réseau global** afficherait les informations de la Figure 1.10.

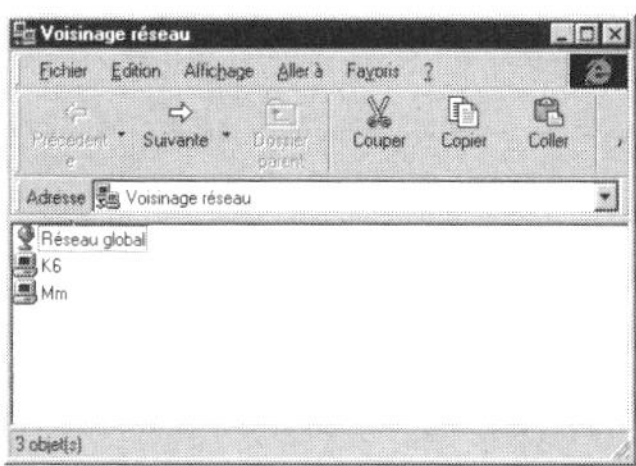

Figure 1.9 : La fenêtre Voisinage réseau.

Rappelons que le nom du groupe de travail et le nom de l'ordinateur sont choisis sous l'onglet Identification de la boîte de dialogue Réseau.

Lorsqu'un fichier ou un dossier n'a plus aucune utilité, jetez-le en déplaçant son icône (du Poste de travail ou de l'Explorateur de fichiers) vers celle de la **Corbeille**. Nous reviendrons en détail sur l'utilisation de la Corbeille dans la section "La Corbeille" du Chapitre 4.

Si le Bureau n'est pas visible, vous pouvez aussi cliquer du bouton droit sur le dossier/fichier à supprimer et sélectionner Supprimer dans le menu contextuel.

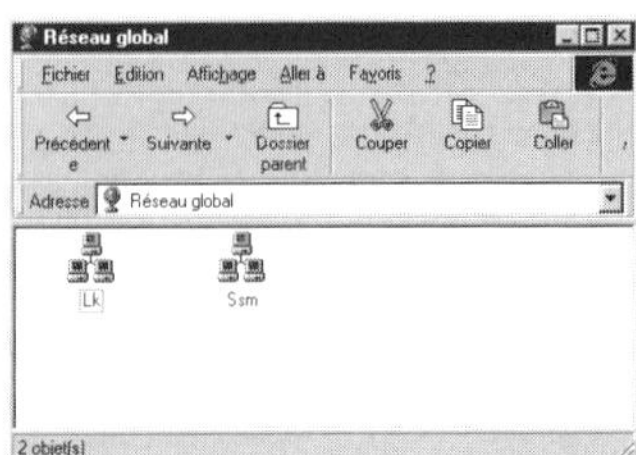

Figure 1.10 : Deux groupes de travail sont accessibles dans le réseau global.

L'icône **Services en ligne** donne accès au dossier du même nom (voir Figure 1.11). Ce dossier permet de configurer Windows pour accéder aux services en ligne **AOL** (*America On Line*), **Compuserve**, **Le Kiosque France Télécom** et **MSN** (*the MicroSoft Network*).

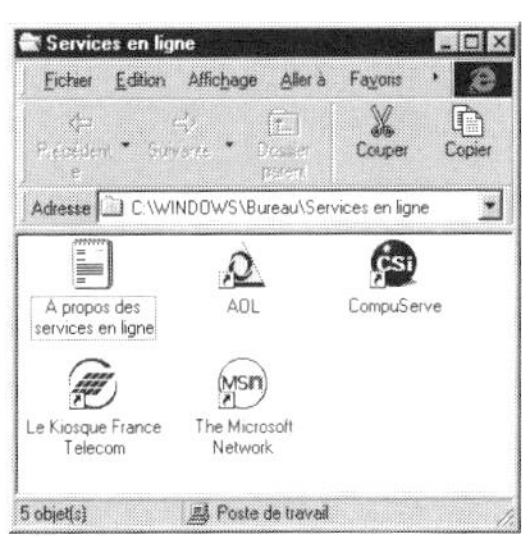

Figure 1.11 : Le dossier Services en ligne.

Bien entendu, Windows 98 ne vous limite pas à ces quatre prestataires de services Internet, mais il permet de commencer à tester le Net sans avoir à demander le kit de connexion à un fournisseur d'accès. Une possibilité intéressante est offerte par France Télécom : en utilisant le kiosque, il n'est pas nécessaire de s'abonner. Vous pouvez vous connecter sans aucune limitation de durée. La seule limitation est la vitesse des connexions qui plafonne à 28,8 Kbps. Vous en saurez plus en consultant la section "Un cas à part, le Kiosque France Télécom" du Chapitre 10.

L'icône **Outlook Express** donne accès à l'application du même nom qui gère le courrier électronique et les groupes de nouvelles. Vous en saurez plus à ce sujet en consultant la section "Outlook Express" du Chapitre 11.

Le Bureau de base est assez austère. Comme vous le verrez dans la suite du livre, il est très simple de le personnaliser. Vous apprendrez, entre autres, à choisir une image de fond d'écran, à déplacer et à cacher la barre des tâches, à modifier l'aspect des icônes, ou encore à opter pour une solution globale en choisissant un thème de Bureau.

L'aspect des fenêtres Windows 98

Les applications Windows s'exécutent dans des fenêtres qui peuvent occuper une partie ou la totalité de l'espace de travail. Quelle que soit l'application utilisée, l'aspect de la fenêtre est à peu près identique (voir Figure 1.12).

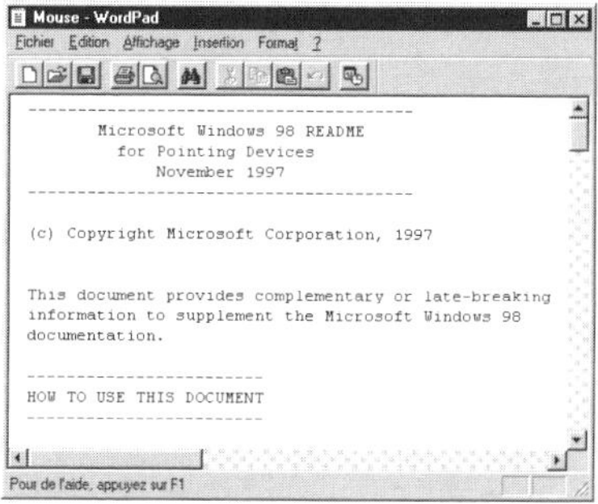

Figure 1.12 : Une fenêtre Windows 98.

Dans la partie supérieure de la fenêtre, la **barre de titre** indique le nom du document en cours d'édition et celui de l'application. Ici, le fichier **Mouse.txt** est édité dans l'application WordPad.

Dans la partie droite de la barre de titre, trois icônes permettent respectivement de **réduire** ou de **fermer** la fenêtre de l'application et aussi de l'agrandir en plein écran.

Au-dessous de la barre de titre, une **barre de menus** donne accès aux commandes de l'application. On y retrouve presque toujours les menus **Fichier**, **Edition** et **?**.

Au-dessous des menus, une **barre d'outils** facilite l'exécution des commandes les plus courantes. Pour connaître la fonction d'une des icônes de la barre d'outils, il suffit de la pointer pendant quelques instants. Une bulle d'aide s'affiche au niveau du pointeur et un texte plus explicite apparaît dans la barre d'état.

La partie centrale de l'application est réservée au document en cours d'édition. Pour agrandir la fenêtre, vous pouvez utiliser les **barres de défilement** horizontale et verticale.

Enfin, dans la partie inférieure de la fenêtre, la **barre d'état** donne des renseignements sur l'état de l'application. On y trouve généralement un court texte précisant les actions qui peuvent être entreprises à un instant donné, ou la fonction de l'objet situé sous le pointeur. Dans les applications qui manipulent du texte, l'état des touches spéciales du clavier (***Verr Maj***, ***Verr Num*** et ***Insert***) est souvent précisé.

Les noms de fichier longs

Tout comme Windows 95, Windows 98 permet d'utiliser jusqu'à 255 caractères pour les noms de fichiers (et non huit comme dans Windows 3.x). Par exemple, "Rapport de stage version 3 du 16/2/98" est un nom de fichier valide.

Si Windows 98 supporte les noms de fichier longs, ce n'est pas le cas pour toutes les applications Windows. En particulier, les applications 16 bits que vous utilisiez dans Windows 3.1 ou 3.11 sont toujours limitées à huit caractères.

L'exemple ci-après montre comment sont affichés les noms de fichier longs dans une application 16 bits (voir Figure 1.13).

La plupart des applications 16 bits fonctionnent sous Windows 98. Mais il est fortement déconseillé de les utiliser pour manipuler des fichiers : si vous copiez ou déplacez des fichiers ou des dossiers dont le nom dépasse huit caractères, ils seront irrémédiablement tronqués ! Les erreurs qui peuvent en découler sont parfois catastro-

phiques. A tel point qu'il est recommandé de n'utiliser que des gestionnaires de fichiers 32 bits dans Windows 98.

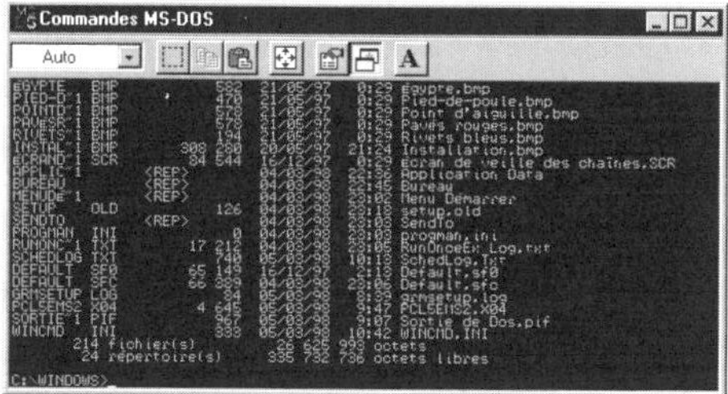

Figure 1.13 : La commande MS-DOS DIR affiche une version 16 bits tronquée et une version 32 bits intégrale des noms de fichier longs.

Certains caractères ne peuvent pas être utilisés dans les noms de fichiers : \, |, ?, :, *, ", < et >.

La souris

La souris est le périphérique par excellence sous Windows. Vous pouvez l'utiliser pour cliquer, double-cliquer, cliquer du bouton droit, déplacer une icône ou une fenêtre, ajuster une fenêtre, etc.

Voici quelques-unes des techniques qui peuvent être utilisées :

- **Clic.** Pour sélectionner l'objet pointé, cliquez du bouton gauche de la souris sur :
  - Une des icônes de la barre de tâches, vous ferez passer en avant-plan la fenêtre de l'application correspondante.
  - Un bouton dans une boîte de dialogue ou une barre d'outils, vous activerez la fonction correspondante.
  - Une barre de défilement dans une application, vous déplacerez la fenêtre de visualisation dans le document en cours d'édition.

– Un menu ou une liste modifiable, vous afficherez les commandes correspondantes. Un autre clic permettra de sélectionner l'une d'entre elles.

- **Double-clic.** Pour lancer une application à partir du Bureau, du Poste de travail ou de l'Explorateur.
- **Clic du bouton droit.** Affiche un menu contextuel qui dépend de la zone ou de l'objet pointé. Par exemple, un clic sur le Bureau, vous donne accès à un ensemble de commandes destinées à gérer celui-ci : alignement des icônes, définition d'un nouveau raccourci, propriétés du Bureau, etc. Autre exemple, si vous cliquez sur un fichier dans le Poste de travail, vous avez accès à diverses commandes liées à ce fichier : ouverture, couper, copier, supprimer, renommer, propriétés, etc. (voir Figure 1.14).

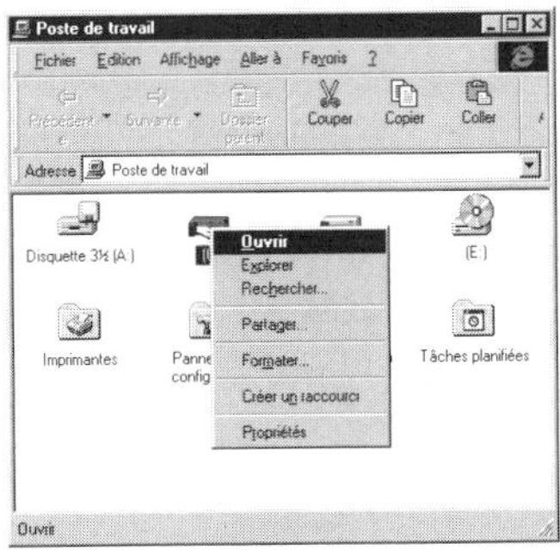

Figure 1.14 : Un clic du bouton droit sur une unité de disque dans le Poste de travail.

- **Glisser-déplacer.** Pour déplacer ou ajuster une fenêtre, jeter un fichier dans la Corbeille, créer un raccourci sur le Bureau, imprimer ou envoyer un fax depuis le Poste de travail ou l'Explorateur, etc. (voir Figure 1.15).

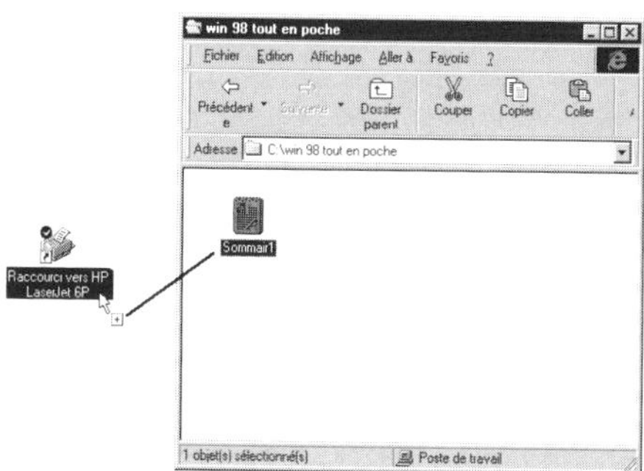

Figure 1.15 : Impression d'un fichier Word par un glisser-déplacer vers l'icône de l'imprimante.

Le clavier

La souris est certes très pratique, mais elle demande une attention soutenue de son utilisateur. Le tableau ci-après vous dévoile certaines combinaisons de touches qui feront gagner du temps à tous ceux que la souris agace par sa lenteur.

Environnement	Action	Raccourci clavier
Insertion d'un CD-ROM	Annulation de l'autorun pendant l'introduction du CD	*Maj*
Poste de travail/Explorateur	Annulation de la dernière opération	*Ctrl-Z*
Poste de travail/Explorateur	Boîte de dialogue Propriétés	*Alt-Entrée*
Poste de travail/Explorateur	Boîte de dialogue Rechercher	*F3*
Poste de travail/Explorateur	Copie des fichiers/dossiers sélectionnés	*Ctrl-C*
Poste de travail/Explorateur	Copie et effacement des fichiers/ dossiers sélectionnés	*Ctrl-V*

Environnement	Action	Raccourci clavier
Poste de travail/Explorateur	Déplacement de la sélection dans la Corbeille	***Suppr***
Poste de travail/Explorateur	Dossier parent	***Retour Arrière***
Poste de travail/Explorateur	Effacement définitif de la sélection	***Maj-Suppr***
Poste de travail/Explorateur	Renommer un élément	***F2***
Poste de travail/Explorateur	Sélection de toutes les entrées	***Ctrl-A***
Quelconque	Basculer entre applications	***Alt-Tab***
Quelconque	Clic sur Démarrer	***Ctrl-Echap*** **ou** ***Alt-D***
Quelconque	Réduction de toutes les fenêtres ouvertes	**Clic sur la barre des tâches, puis** ***Alt-M***
Un objet Windows quelconque	Menu contextuel	***Maj-F10***
Une application Windows quelconque	Aide interactive	***F1***
Une application Windows quelconque	Fermer la fenêtre ***Ctrl-F4***	
Une application Windows quelconque	Quitter un programme	***Alt-F4***

Il n'est pas nécessaire de retenir tous ces raccourcis clavier. Mémorisez ceux qui correspondent aux actions les plus utilisées. Votre productivité s'en ressentira immanquablement.

Lancer une application

Lorsque vous installez une nouvelle application dans Windows 98, une ou plusieurs entrées sont créées dans le menu **Programmes**, accessible à partir du bouton **Démarrer**.

Pour lancer une nouvelle application, la méthode la plus conventionnelle consiste à :

1. Cliquer sur **Démarrer**.
2. Sélectionner **Programmes**.
3. Repérer et sélectionner le groupe où a été installée la nouvelle application.
4. Cliquer sur l'icône de l'application.

Bien qu'universelle, cette méthode devient vite fastidieuse quand le nombre d'applications installées est important. Si la nouvelle application doit être utilisée souvent, vous avez intérêt à en créer un raccourci sur le Bureau. Voici comment procéder.

Cliquez du bouton droit sur **Démarrer**. Sélectionnez **Ouvrir**. Double-cliquez sur l'entrée **Programmes**, puis sur le dossier contenant l'application pour laquelle vous désirez créer un raccourci. Pointez l'icône de l'application. Maintenez gauche enfoncé et faites glisser cette icône sur le Bureau. Relâchez de la souris. Un menu contextuel est affiché. Sélectionnez **Créer un ou plusieurs raccourci(s) ici** (voir Figure 1.16).

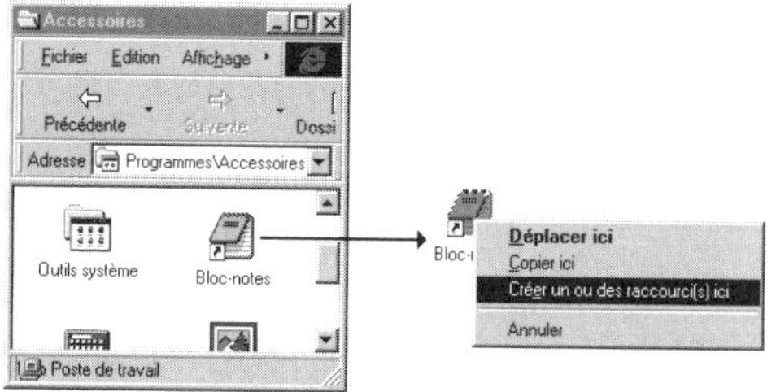

Figure 1.16 : Définition d'un raccourci pour l'accessoire Bloc-notes sur le Bureau.

Une icône de raccourci représentant l'application est placée sur le Bureau. Remarquez la petite flèche sous l'icône. Elle indique qu'il s'agit d'un raccourci et non de l'application elle-même (voir Figure 1.17).

Figure 1.17 : Cette icône de raccourci n'est pas une icône d'application.

Si, par la suite, vous désirez alléger le Bureau de Windows, vous pouvez sans crainte placer l'icône de raccourci dans la Corbeille ou la supprimer définitivement. L'application sera toujours accessible à travers le menu **Démarrer**.

Il est vrai que le Bureau est bien pratique pour définir des raccourcis. Mais ne vous laissez pas aller jusqu'à recouvrir toute sa surface. Trouvez au contraire le juste équilibre entre le menu Démarrer et le Bureau. Reportez-vous aussi à la section "Les multiples aspects de la barre des tâches" dans ce chapitre pour créer une nouvelle barre d'outils afin de soulager le Bureau.

Fermer une application

Pour fermer une application, plusieurs possibilités s'offrent à vous :

- Cliquer dans la case de fermeture située dans la partie supérieure droite de la fenêtre de l'application.
- Cliquer sur **Quitter** dans le menu **Fichier** de l'application.
- Appuyer simultanément sur les touches ***Alt*** et ***F4***.
- Cliquer du bouton droit sur l'icône de l'application dans la barre des tâches, et sélectionner **Fermeture**.

Quelle que soit la méthode utilisée, un message vous invite à enregistrer le document en cours d'édition si des modifications ont été effectuées depuis la dernière sauvegarde (voir Figure 1.18).

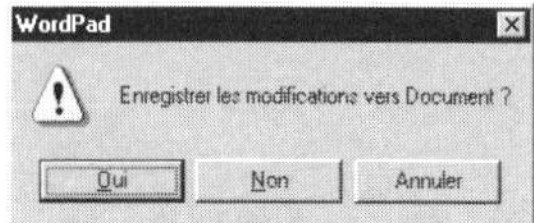

Figure 1.18 : Tentative de quitter WordPad sans sauvegarder le document courant.

Les méthodes de fermeture citées ici concernent les applications Windows. Pour quitter une application MS-DOS exécutée dans une fenêtre, la technique est différente. Consultez le Chapitre 3 pour avoir plus d'informations à ce sujet.

Passer d'une application à une autre

Windows 98 est un système d'exploitation **multitâches**. Il autorise donc l'exécution simultanée de plusieurs applications. Celles en cours d'exécution sont repérées par une icône dans la barre des tâches. Une seule application peut se trouver en avant-plan, son icône apparaîtra alors enfoncée dans la barre des tâches (voir Figure 1.19).

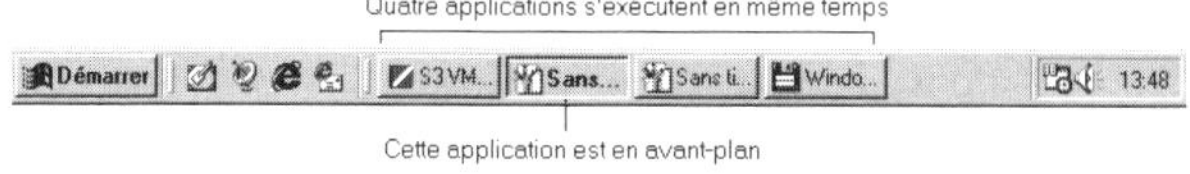

Figure 1.19 : Repérage de l'application en avant-plan.

Les entrées au clavier et les actions effectuées avec la souris concernent toujours l'application en avant-plan. Pour faire passer en avant-plan une des applications en cours d'exécution, il suffit de cliquer sur son icône dans la barre des tâches.

Le raccourci clavier ***Alt-Tab***, qui est toujours utilisable dans Windows 98. Pour faire passer une autre application en avant-plan sans utiliser la souris, maintenez la touche ***Alt*** enfoncée et appuyez autant de fois que nécessaire sur la touche ***Tab***. Lorsque l'icône de l'application est encadrée, relâchez la touche ***Alt***. Le basculement est immédiat.

Quitter une application qui ne répond plus

Parfois, il arrive qu'une application se bloque. Son contrôle par des moyens conventionnels est alors impossible. Pour tenter mettre fin sans dommages pour les autres applications en mémoire, appuyez simultanément sur les touches ***Ctrl***, ***Alt*** et ***Suppr***. Une boîte de dialogue intitulée **Fermer le programme** s'affiche (voir Figure 1.20).

Figure 1.20 : Liste des applications en cours d'exécution.

Sélectionnez l'application incriminée dans la liste et cliquez sur **Fin de tâche**. Si vous avez vu juste, Windows retrouve son comportement habituel. Cependant, il est préférable de sauvegarder les documents en cours d'exécution dans les autres applications et de redémarrer Windows. Le "plantage" d'une application peut en effet engendrer des effets pervers qui ne sont décelable que trop tard…

Les multiples aspects de la barre des tâches

La barre des tâches de la version 98 de Windows reprend la même technique et y apporte diverses améliorations. Après quelques heures passées en tête-à-tête avec Windows 98, son utilisation simple et intuitive aura tôt fait de la rendre indispensable à vos yeux.

Vous l'utiliserez pour :

- Faire passer en avant-plan une des applications en mémoire : cliquez sur son icône.
- Fermer une des applications en mémoire : cliquez du bouton droit sur son icône et sélectionnez **Fermeture** dans le menu contextuel.
- Accéder aux applications installées : cliquez sur **Démarrer** et choisissez une ou plusieurs entrées de menu successives (par exemple, la séquence **Démarrer/Paramètres/Panneau de configuration** affiche la fenêtre du Panneau de configuration).
- Accéder au planificateur des tâches. Cet outil permet de lancer automatiquement un ou plusieurs programmes à heure fixe. Vous pouvez l'utiliser pour défragmenter votre disque dur, détecter d'éventuelles erreurs avec le programme **ScanDisk**, réaliser des sauvegardes automatiques et bien d'autres choses encore (voir Figure 1.21). Vous en apprendrez plus au sujet du planificateur de tâches en consultant la section "Le planificateur de tâches" du Chapitre 5.

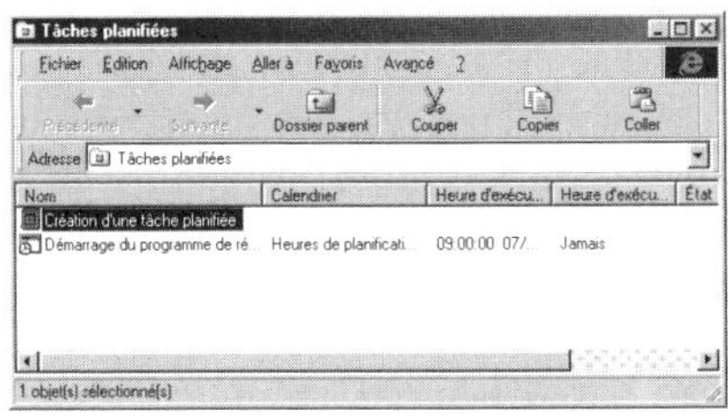

Figure 1.21 : La fenêtre du planificateur des tâches.

- Connaître et modifier la date et l'heure système : l'heure système est affichée en permanence, dans la partie droite de la barre des tâches. Pour connaître la date système, pointez l'heure et patientez. Au bout de quelques secondes, une bulle d'aide affiche la date système. Pour modifier la date et/ou l'heure système, double-cliquez sur cette dernière. Retouchez les informations sous l'onglet **Date et Heure** et validez en cliquant sur **OK** (voir Figure 1.22).

Figure 1.22 : Modification de la date et/ou de l'heure système.

- Régler les volumes d'entrée et de sortie audio. Si votre ordinateur est équipé d'une carte audio, un petit haut-parleur est affiché dans la partie droite de la barre des tâches. Pour régler le volume de sortie, cliquez sur le haut-parleur et ajustez le curseur. Pour modifier les autres niveaux, double-cliquez sur le haut-parleur. Une boîte de dialogue plus ou moins complexe est affichée, selon les possibilités de votre carte audio (voir Figure 1.23).

- Accéder aux principales applications Internet fournies avec Windows 98 : Gestionnaire de chaînes **Active Channels**, Explorateur Web **Internet Explorer**, Messagerie et Gestionnaire de groupes de nouvelles **Outlook Express** (voir Figure 1.24). Ces icônes font partie de la barre d'outils **Lancement rapide** qui est activée par défaut.

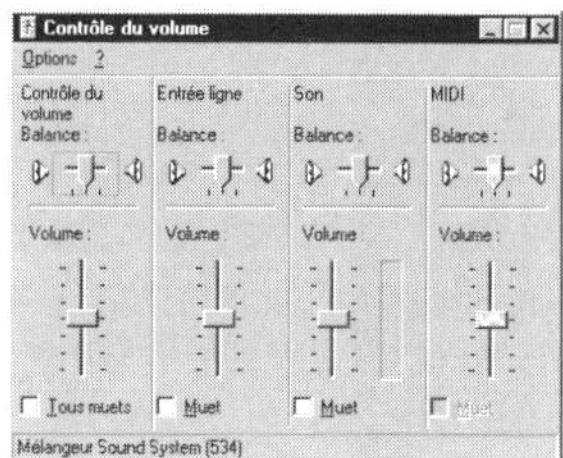

Figure 1.23 : Réglage des volumes d'entrée et de sortie audio.

Figure 1.24 : Un simple clic suffit pour accéder au Gestionnaire de chaînes, à Internet Explorer ou à Outlook Express.

- Les fonctions de la barre des tâches ne s'arrêtent pas là ! Cliquez du bouton droit sur une partie inoccupée de la barre des tâches. Un menu contextuel est immédiatement affiché. Remarquez l'entrée **Barre d'outils** dans ce menu. Elle donne accès à quatre barres d'outils prédéfinies (**Adresse**, **Liens**, **Bureau** et **Lancement rapide**) et permet de créer vos propres barres d'outils.

- **Adresse.** La barre **Adresse** s'avère très utile aux internautes. Entrez une adresse URL dans cette barre pour vous connecter sur le site correspondant. Si vous n'êtes pas encore relié à Internet, vous pouvez cependant utiliser la barre **Adresse** pour lancer une application dont vous connaissez le nom : pour lancer l'accessoire **Paint**, tapez simplement **PBRUSH** et validez en cliquant sur la touche ***Entrée*** du clavier. Ajoutons pour conclure que la barre **Adresse** mémorise les dernières données entrées et vous aurez vite compris son utilité.

- **Liens.** La barre **Liens** donne accès à cinq pages Web. Si vous avez un compte Internet (en d'autres termes, si vous avez paramétré avec succès une connexion Internet dans Windows), il suffit de cliquer sur un des boutons de cette barre d'outils pour déclencher l'affichage de la page Web correspondante.

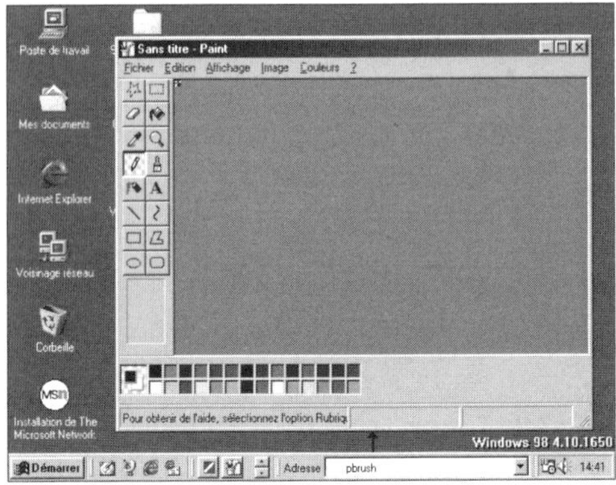

Figure 1.25 : Il suffit d'entrer le nom d'une application pour la lancer.

- Le lien **Démarrage d'Internet** donne accès à un ensemble de sites nationaux et internationaux prédéfinis par Microsoft afin de faciliter vos premiers pas sur Internet.
- Le lien **Guide des chaînes** facilite l'accès à de nombreuses chaînes prédéfinies par Microsoft.
- Le lien **Infos sur Internet Explorer** donne des informations récentes sur le navigateur Internet Explorer 4.0.
- Le lien **Le meilleur du Web** donne accès à plus de 400 sites francophones sélectionnés par MSN.
- Enfin, le lien **Personnalisation des liens** vous montre comment utiliser les possibilités de personnalisation avancées de votre navigateur.

- **Bureau.** La barre **Bureau** donne accès à toutes les icônes qui ont été déposées sur le Bureau.

Pour en terminer avec la barre des tâches, sachez qu'il est possible de créer vos propres barres d'outils. Cliquez du bouton droit sur une partie inoccupée de la barre des tâches et sélectionnez **Barres d'outils/Nouvelle barre d'outils** dans le menu contextuel. Vous pouvez sélectionner un dossier sur votre disque dur pour donner

accès à son contenu dans la nouvelle barre d'outils ou taper une adresse Internet pour mémoriser (après connexion) son contenu dans la nouvelle barre d'outils.

Les quatre barres d'outils définies par défaut ne peuvent être supprimées. Vous pouvez valider ou invalider leur affichage en sélectionnant la commande Barre d'outils correspondante. En revanche, lorsque vous créez une nouvelle barre d'outils, cette dernière disparaîtra de la liste si vous la désactivez en lançant la commande Barre d'outils correspondante.

Si la barre des tâches occupe trop de place sur l'écran, vous pouvez la déplacer ou la ajuster. Consultez la section "Personnaliser la barre des tâches" du Chapitre 2 pour en apprendre plus à ce sujet.

Réduire/afficher toutes les fenêtres en une seule opération

Dans Windows 98, il n'est pas rare d'ouvrir simultanément plusieurs applications. Si vous devez accéder rapidement au Bureau de Windows, il est fastidieux de cliquer successivement sur la case de repli de chacune des fenêtres ouvertes. Pour vous simplifier la vie, utilisez **Bureau** dans la partie droite de la barre des tâches (voir Figure 1.26).

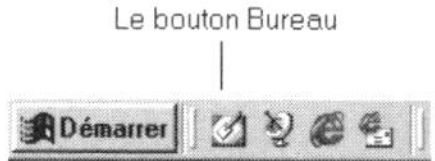

Figure 1.26 : Bureau.

Un simple clic sur ce bouton suffit pour replier toutes les applications dans la barre des tâches. Si vous cliquez encore sur **Bureau**, les applications s'ouvrent à nouveau dans le même ordre qu'auparavant.

Réorganiser les icônes sur le Bureau

Des raccourcis de toutes sortes peuvent être déposés sur le Bureau : applications, documents et bribes. Aussi n'est-il pas rare que le Bureau soit totalement surchargé et illisible.

Par défaut, les icônes restent affichées à l'endroit où elles ont été déposées. Pour obtenir leur alignement régulier et lisible, cliquez du bouton droit sur une partie inoccupée du Bureau et sélectionnez **Réorganiser les icônes/Réorganisation automatique** dans le menu contextuel (voir Figure 1.27).

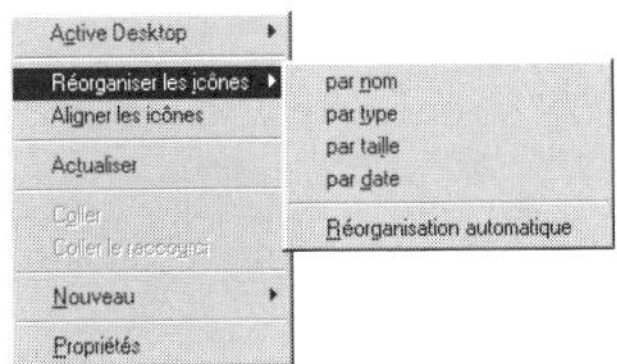

Figure 1.27 : Le menu contextuel du Bureau.

Les Figures 1.28 et 1.29 donnent un exemple de Bureau avant et après la réorganisation automatique des icônes.

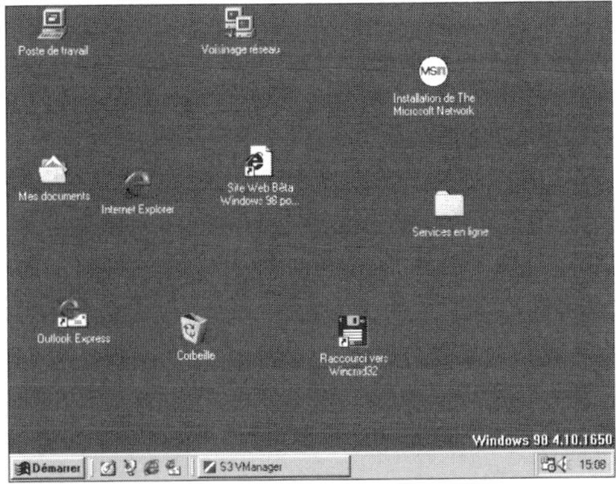

Figure 1.28 : Dans cet exemple, les icônes sont difficilement repérables.

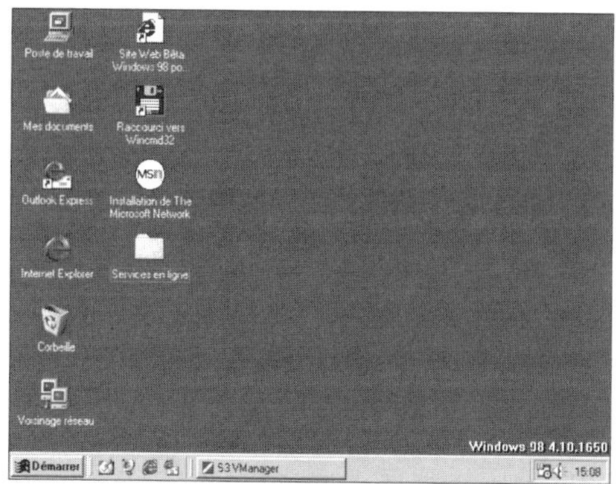

Figure 1.29 : Après réorganisation automatique, il est plus simple de localiser une icône sur le Bureau

Si nécessaire, vous pouvez même déplacer les icônes alignées dans l'ordre qui vous convient. Il suffit d'utiliser la technique du cliquer-déplacer de Windows. Pointez l'icône à déplacer. Maintenez le bouton gauche de la souris enfoncé et déplacez l'icône à l'endroit où vous désirez l'afficher. Relâchez le bouton de la souris. Les autres icônes sont réorganisées en conséquence.

Les icônes peuvent être réorganisées par noms, par types, par tailles ou par dates en utilisant la commande Réorganiser les icônes/par nom, par type, par taille ou par date dans le menu contextuel du Bureau.

Le système d'aide de Windows

Le système d'aide de Windows est très efficace. Il peut être activé à partir du bouton **Démarrer** ou en cliquant sur une touche du clavier.

Première méthode

Cliquez sur **Démarrer** et choisissez **Aide** dans le menu **Démarrer** (voir Figure 1.30).

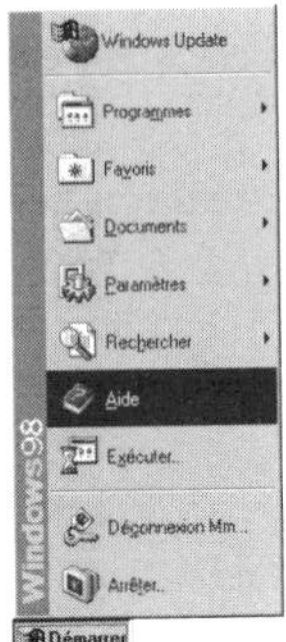

Figure 1.30 : Accès à l'aide de Windows avec Démarrer.

Deuxième méthode

Si le Bureau est visible, activez-le en cliquant sur un endroit inoccupé, puis appuyez sur la touche de fonction ***F1***.

Quelle que soit la méthode utilisée, une fenêtre d'aide comportant trois onglets est affichée (voir Figure 1.31).

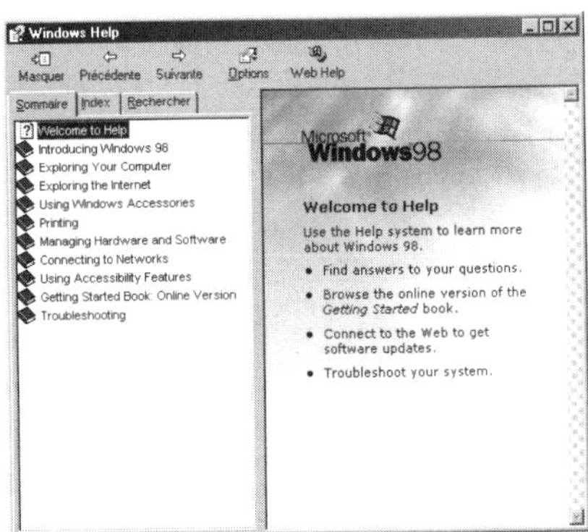

Figure 1.31 : La fenêtre d'aide de Windows.

Le sommaire de l'aide

Dans le sommaire de l'aide, les rubriques sont classées par catégories. Trois icônes sont utilisées pour accéder aux différentes rubriques :

	Un livre fermé donne accès à un ou plusieurs autres livres et à une ou plusieurs rubriques. Pour l'ouvrir, cliquez dessus puis sur **Ouvrir**.
	Un livre ouvert affiche les livres et rubriques qui le composent. Pour le fermer, cliquez dessus puis sur **Fermer**.
	Une rubrique d'aide donne accès à un écran contenant des informations textuelles et graphiques. Pour afficher son contenu, cliquez dessus puis sur **Afficher** (voir Figure 1.32).

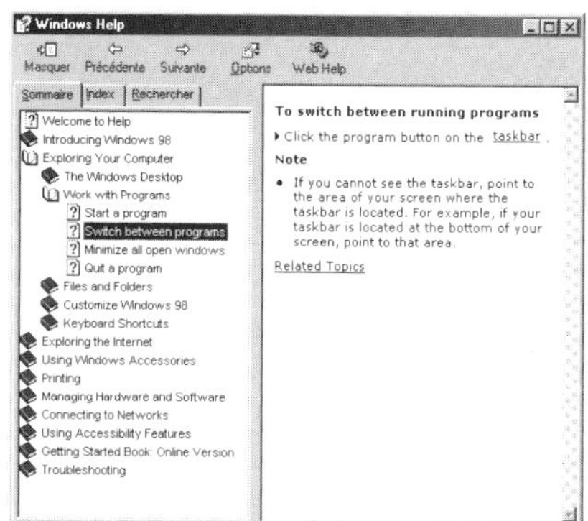

Figure 1.32 : Une rubrique d'aide Windows.

Les portions de texte qui apparaissent en caractères soulignés dans une rubrique d'aide sont des **liens hypertexte**. Le pointeur de la souris change de forme lorsqu'il passe sur un de ces éléments. Lorsque vous cliquez sur un lien, deux actions peuvent se produire :

1. L'affichage d'une nouvelle rubrique d'aide.

2. Le lancement d'une application.

Dans l'exemple précédent, la première zone sensible affiche la boîte de dialogue **Propriétés pour Date/Heure**, et la seconde donne accès aux rubriques en relation avec la rubrique courante.

Remarquez aussi :

- Le lien **Rubriques** connexes donne accès à une ou plusieurs rubriques en rapport étroit avec le sujet traité.
- Les boutons **Précédente** et **Suivante** dans la barre d'outils permettent de visualiser (respectivement) la rubrique précédemment affichée et la rubrique suivante.

L'index

L'onglet **Index** donne accès à un index alphabétique des rubriques d'aide (voir Figure 1.33).

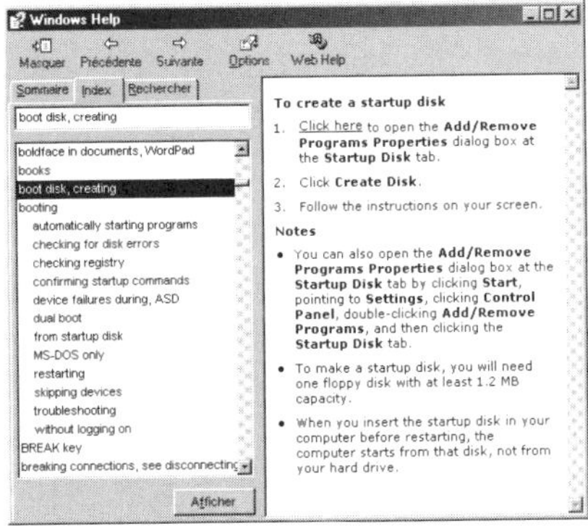

Figure 1.33 : L'index de l'aide.

Pour accéder à une rubrique d'aide particulière, vous pouvez utiliser la barre de défilement verticale, ou, plus simplement, entrer les premières lettres du mot clé correspondant. Si vous entrez par exemple les caractères **B** et **O**, les rubriques en rapport avec les boutons sont directement accessibles.

Il suffit maintenant de cliquer sur **Afficher** pour faire apparaître la rubrique sélectionnée.

L'onglet Rechercher

L'onglet **Rechercher** permet de trouver des mots et des groupes de mots à l'intérieur des rubriques d'aide. Si vous entrez par exemple "raccourci", toutes les rubriques contenant ce mot sont immédiatement accessibles dans la zone de liste **Rubrique** (voir Figure 1.34).

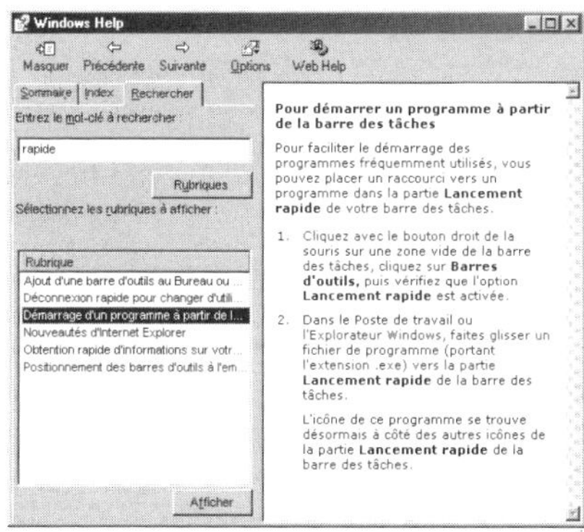

Figure 1.34 : Recherche du mot "rapide" à l'intérieur des rubriques d'aide.

Il suffit maintenant de cliquer sur une des entrées de la zone de liste **Rubriques**, et de cliquer sur **Afficher** pour en afficher le contenu.

L'aide on-line

Dans certains cas très particuliers, il se peut que le système d'aide de Windows ne réponde pas aux questions que vous vous posez. Dans ce cas, pourquoi ne pas accéder à l'aide en ligne. Cliquez sur **Web Help** dans la fenêtre d'aide de Windows puis sur **Click Here** (voir Figure 1.35).

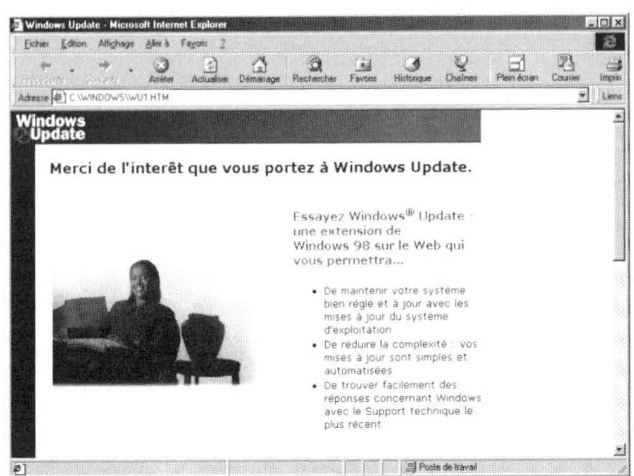

Figure 1.35 : L'écran d'accueil de l'aide on-line.

Démarrer, centre stratégique de Windows

Démarrer est l'épicentre de Windows 98. Il donne accès aux commandes, accessoires et applications installés. Lorsque vous cliquez dessus ou appuyez simultanément sur les touches ***Ctrl*** et ***Echap***, le menu **Démarrer** est affiché (voir Figure 1.36).

Figure 1.36 : Le menu Démarrer.

L'entrée **Windows Update** donne accès au site Web de mise à jour de Microsoft. Reportez-vous à la section "Les mutations du menu Démarrer" du Chapitre 11 pour en savoir plus sur **Windows Update**.

En face des cinq entrées suivantes, une petite flèche vous indique qu'il s'agit de dossiers qui donnent accès à d'autres éléments :

- Le dossier **Programmes.** Contient la liste des accessoires et applications exécutables. Pointez l'entrée **Programmes**, puis développez-la en déplaçant la souris vers la droite. De nouveaux éléments sont affichés. Certains d'entre eux sont des dossiers et d'autres des accessoires ou des applications. Pour exécuter un accessoire ou une application, pointez son icône dans le menu **Démarrer** et cliquez.
- Le dossier **Favoris.** Donne accès à trois sous-menus : **Chaînes**, **Liens** et **Mise à jour de logiciels**. L'entrée **Chaînes** contient treize canaux d'informations prédéfinis sur lesquels il suffit de cliquer pour afficher la page Web correspondante. Reportez-vous à la section "Les chaînes Active Channel" du Chapitre 11 pour en apprendre d'avantage sur les chaînes. L'entrée **Liens** donne accès a cinq pages Web d'intérêt général :
  - **Démarrage d'Internet.** Sites nationaux et internationaux prédéfinis par Microsoft afin de faciliter vos premiers pas sur Internet.
  - **Guide des chaînes.** De nombreuses chaînes prédéfinies concoctées par Microsoft.
  - **Infos sur Internet Explorer.** Informations récentes sur le navigateur Internet Explorer 4.0.
  - **Le meilleur du Web.** Plus de 400 sites francophones sélectionnés par MSN.
  - **Personnalisation des liens.** Utilisation des possibilités de personnalisation avancées de votre navigateur.
- L'entrée **Mise à jour de logiciels.** Renvoie vers la page Web de mise à jour d'Internet Explorer 4.0.

- Le dossier **Documents.** Donne accès aux quinze derniers documents utilisés et au dossier **Mes documents**. Pour rouvrir un des derniers documents utilisés, il suffit de cliquer sur son nom dans la liste. Attention, ce dossier n'est mis à jour que par les applications 32 bits. Ne vous étonnez donc pas si Word 6.0 ou une autre application 16 bits quelconque ne modifient pas son contenu.
- Le dossier **Paramètres.** Contient des utilitaires livrés avec Windows 98, qui déterminent le comportement de Windows. Nous y reviendrons plus en détail dans les Chapitres 2, 4 et 5 de cet ouvrage.
- Le dossier **Rechercher.** Permet de rechercher rapidement un fichier, un dossier, un ordinateur du réseau ou une personne sur le Net.
- L'entrée **Aide.** Donne accès au système d'aide de Windows. Consultez la rubrique précédente pour de plus amples informations.
- L'entrée **Exécuter.** Permet de lancer rapidement un programme qui n'est pas accessible dans le dossier **Programmes**. Il s'agit généralement d'un programme d'installation qui se trouve sur une disquette ou un CD-ROM (voir Figure 1.37).

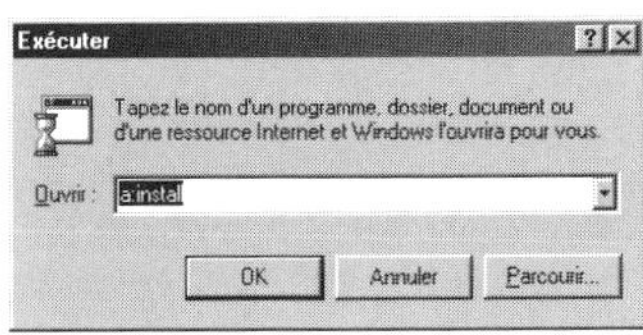

Figure 1.37 : Lancement d'un programme d'installation sur la disquette A:.

Le menu Démarrer peut être personnalisé. Consultez la section "Alléger et compléter le menu Démarrer" dans le Chapitre 2.

Chapitre 2

Personnaliser Windows

Au sommaire de ce chapitre

- Le Panneau de configuration
- Modifier l'image affichée sur le Bureau
- Choisir la résolution d'affichage
- Installer un économiseur d'écran
- Les thèmes du Bureau
- Les modes d'affichage de Windows
- Compléter le menu Démarrer
- Personnaliser la barre des tâches
- Alléger et compléter le menu Démarrer
- Installer et supprimer des composants Windows

L'interface graphique de Windows est totalement personnalisable. Dans ce chapitre, vous allez apprendre à la modeler pour qu'elle corresponde à vos attentes du moment.

Le Panneau de configuration

Le Panneau de configuration donne accès à de nombreux réglages qui déterminent l'aspect et le comportement de Windows. Pour y accéder, cliquez sur **Démarrer**, sélectionnez **Paramètres** puis **Panneau de configuration** (voir Figure 2.1).

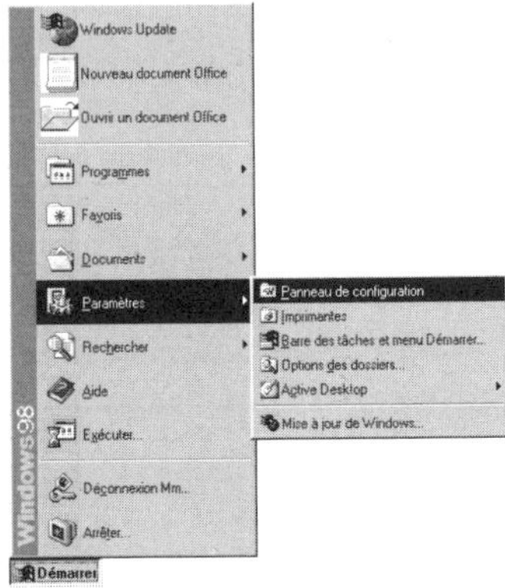

Figure 2.1 : Accès au Panneau de configuration depuis Démarrer.

Comme le montre la copie d'écran de la Figure 2.2, le Panneau de configuration donne accès à de nombreux paramètres.

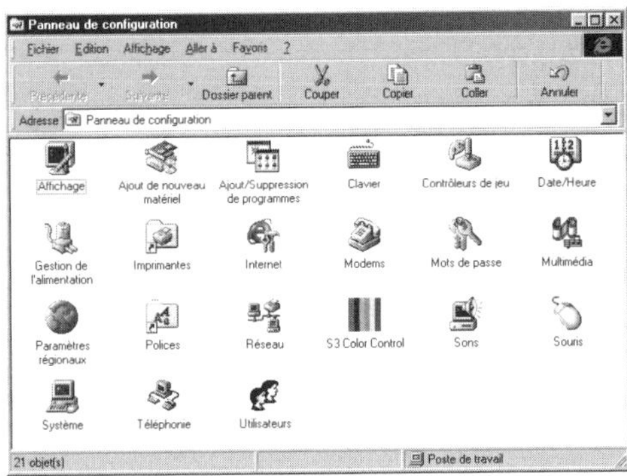

Figure 2.2 : La fenêtre Panneau de configuration.

Double-cliquez sur l'icône qui représente les paramètres à modifier. L'utilitaire correspondant est immédiatement lancé. Les différentes sections de ce chapitre vont vous montrer comment accéder et modifier les paramètres les plus utiles de Windows 98.

Si vous utilisez souvent un des outils du Panneau de configuration, vous avez intérêt à créer un raccourci sur le Bureau. Pour obtenir plus d'informations, reportez-vous à la section intitulée "Lancer une application" dans le Chapitre 1.

La vitesse de répétition automatique du clavier

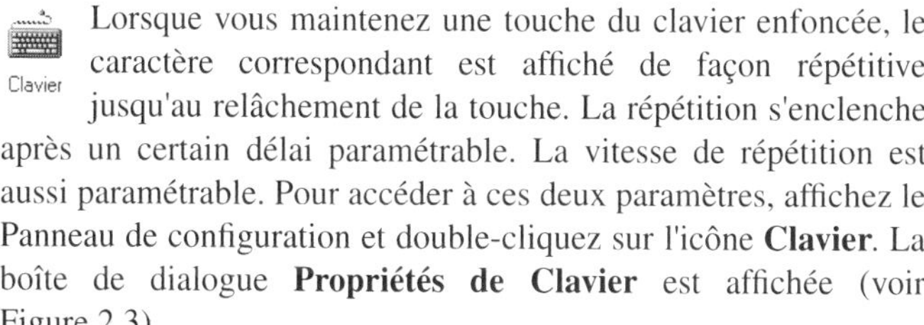

Clavier

Lorsque vous maintenez une touche du clavier enfoncée, le caractère correspondant est affiché de façon répétitive jusqu'au relâchement de la touche. La répétition s'enclenche après un certain délai paramétrable. La vitesse de répétition est aussi paramétrable. Pour accéder à ces deux paramètres, affichez le Panneau de configuration et double-cliquez sur l'icône **Clavier**. La boîte de dialogue **Propriétés de Clavier** est affichée (voir Figure 2.3).

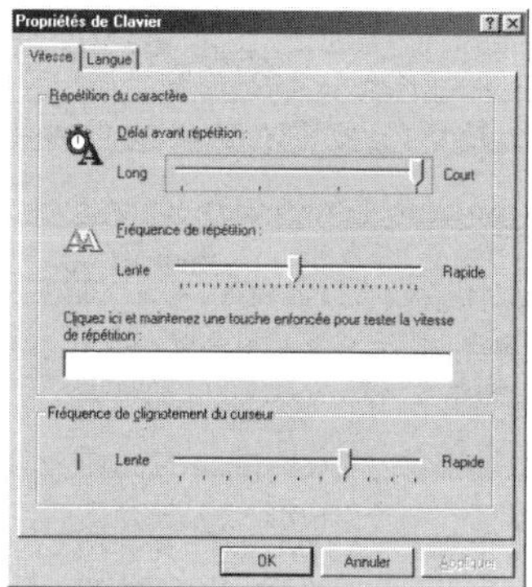

Figure 2.3 : Paramétrage de la répétition automatique du clavier.

Le délai avant répétition et la fréquence de répétition se règlent à l'aide de deux curseurs. Utilisez la zone de texte pour vous faire une idée du paramétrage, puis refermez la boîte de dialogue en cliquant sur **OK**.

Réussir à coup sûr le double-clic

Souris

Si vous conservez le paramétrage par défaut de Windows 98, vous utiliserez souvent le double-clic sur la souris : lancement d'un raccourci sur le Bureau, affichage d'une rubrique d'aide, exécution d'un programme dans le Poste de travail et l'Explorateur, etc. S'il vous arrive de rater certains doubles-clics, vous devez modifier le paramètre **Vitesse du double-clic**.

Affichez le Panneau de configuration et double-cliquez sur l'icône **Souris**. La boîte de dialogue **Propriétés pour Souris** est affichée (voir Figure 2.4).

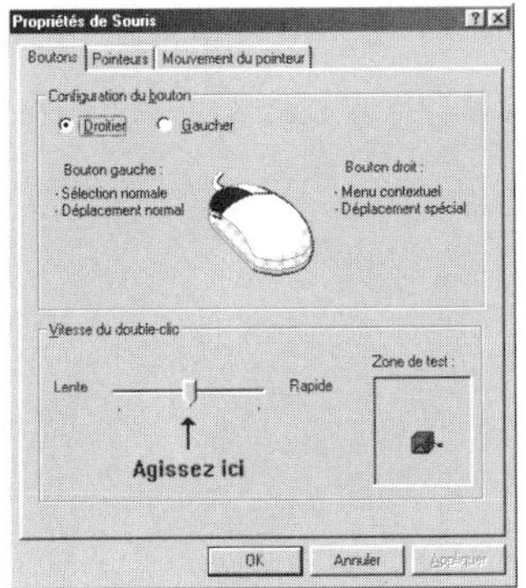

Figure 2.4 : Paramétrage de la vitesse de double-clic.

Pour modifier la vitesse du double-clic, déplacez le curseur vers la droite ou vers la gauche, dans la partie inférieure de la boîte de dialogue. Double-cliquez dans la zone de test. Réajustez si nécessaire le curseur pour réussir à coup sûr tous vos doubles-clics, puis cliquez sur **OK** afin de refermer la boîte de dialogue en tenant compte du nouveau paramétrage de la souris.

Dans Windows 98, il est possible d'éviter le double-clic en adoptant une visualisation Web de l'affichage. Reportez-vous à la section intitulée "Les modes d'affichage de Windows" dans ce chapitre.

Configurer la souris pour les gauchers

Souris

Une très grande majorité de droitiers utilise :

- le bouton gauche pour cliquer, déplacer des objets et double-cliquer ;
- le bouton droit pour afficher les menus contextuels et effectuer des déplacements spéciaux.

Si vous êtes gaucher, vous préférerez certainement inverser ces deux boutons.

Affichez le Panneau de configuration et double-cliquez sur l'icône **Souris** (voir Figure 2.5).

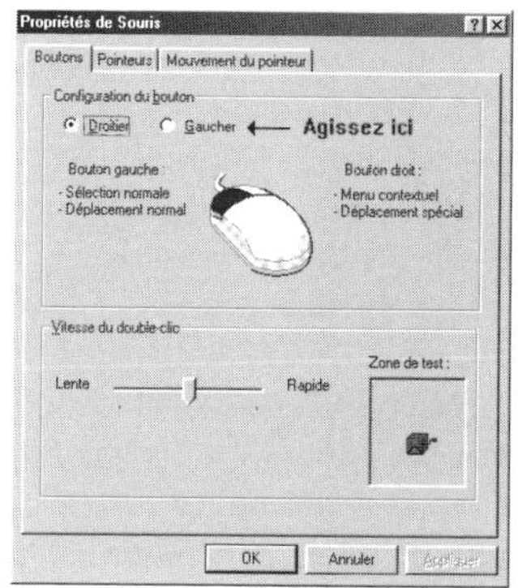

Figure 2.5 : Paramétrage de la fonction des boutons de la souris.

Dans la partie supérieure de la boîte de dialogue **Propriétés de Souris**, sélectionnez **Droitier** ou **Gaucher** pour modifier la fonction des boutons de la souris.

Les multiples pointeurs de la souris

Souris

Vous l'avez certainement remarqué : le pointeur de la souris peut prendre plusieurs formes en fonction de l'action qui est accomplie. Par défaut, deux modèles de curseurs sont disponibles. Le choix du modèle à utiliser se fait dans la boîte de dialogue **Propriétés de Souris**. Affichez le Panneau de configuration et double-cliquez sur l'icône **Souris**. Sélectionnez l'onglet **Pointeurs**. Déroulez la liste du groupe d'options **Modèle** et optez pour l'un des deux modèles proposés : **Curseurs animés** ou **Windows Standard** (voir Figure 2.6).

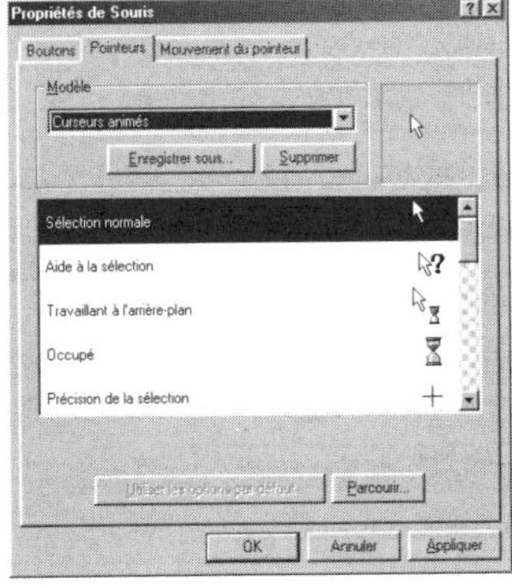

Figure 2.6 : Choix d'un modèle de pointeurs souris.

Si ces deux modèles ne suffisent pas, vous pouvez installer de nouveaux modèles fournis avec Windows 98. Affichez le Panneau de configuration et double-cliquez sur l'icône **Ajout/Suppression de programmes**. Sélectionnez l'onglet **Installation de Windows**. Cliquez sur l'entrée **Accessoires** puis sur **Détails**. Affichez une coche devant le composant **Pointeurs de souris** et validez. Après quelques instants, deux modèles de souris ont été ajoutés : **Pointeurs 3D** et **Windows standard (grande police)**.

Donner du punch à la souris

Si vous trouvez que le pointeur de la souris manque de dynamisme, ou si, au contraire, vous avez du mal à le dresser, cela est dû au paramétrage de Windows.

Affichez le Panneau de configuration et double-cliquez sur l'icône **Souris**. Sélectionnez l'onglet **Mouvement du pointeur** (voir Figure 2.7).

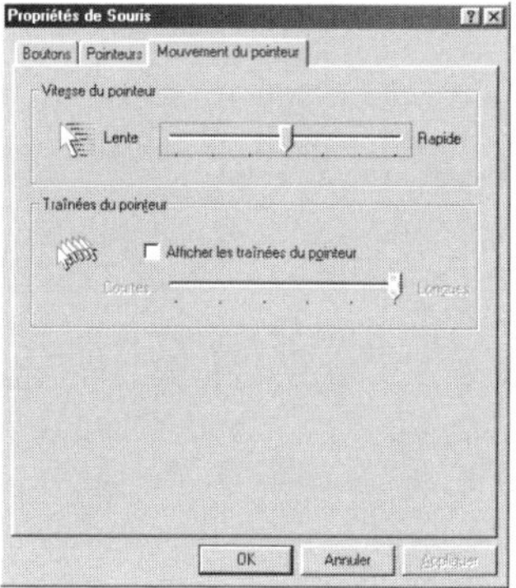

Figure 2.7 : Modification de la vitesse du pointeur.

Déplacez le curseur **Vitesse du pointeur**. Sans refermer la boîte de dialogue, vous pouvez vous faire une idée du résultat en cliquant sur **Appliquer**. Lorsque le paramétrage est correct, cliquez sur **OK**.

Gérer l'alimentation de l'écran et du disque dur

L'icône **Gestion de l'alimentation** du Panneau de configuration permet entre autres de gérer la mise en veille de l'écran et du disque dur (voir Figure 2.8).

Sélectionnez si nécessaire l'onglet **Lecteurs de disque**, cochez la case **Avec une alimentation secteur** et définissez la durée d'attente avant mise en veille du disque dur.

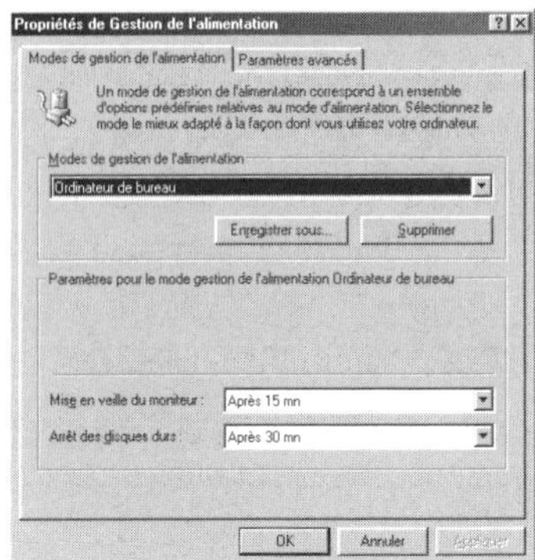

Figure 2.8 : Mise en veille de l'écran et du disque dur.

En couplant la mise en veille du disque dur et celle de l'écran, il est possible de laisser votre PC connecté en permanence. Après le temps de non utilisation spécifié, il se mettra en mode veille et ne consommera plus que quelques dizaines de Watts.

Modifier l'arrière-plan de Windows

Si le Bureau de Windows vous semble trop austère, quelques clics peuvent le transformer radicalement. Vous pouvez choisir :

- Un **papier peint** sous la forme d'une **image** au format BMP, JPG, GIF ou PNG qui sera centrée sur le Bureau, étirée ou dupliquée autant de fois que nécessaire pour recouvrir la surface du Bureau.
- Un **papier peint** au format **HTML** peut s'afficher et disposer très simplement divers éléments textes et graphiques sur la totalité de l'écran.
- Un **motif** pour compléter un papier peint image centré.

Affichez le Panneau de configuration et double-cliquez sur l'icône **Affichage**. Pour obtenir le même résultat, vous pouvez aussi cliquer du bouton droit sur une partie inoccupée du Bureau et sélectionner **Propriétés**. L'onglet **Arrière-plan** étant activé, vous pouvez choisir un motif en cliquant sur **Motif** et un papier peint dans la zone de liste **Papier-peint**.

Voici deux exemples de papiers peints. Dans la Figure 2.9, le papier peint est une image fractale (COLORWIR.BMP). Comme l'image est centrée et qu'elle n'occupe pas tout l'écran, il est possible de compléter l'affichage par un motif. Dans le cas présent, le motif **Filet de pêche** occupe toute la partie extérieure de l'écran.

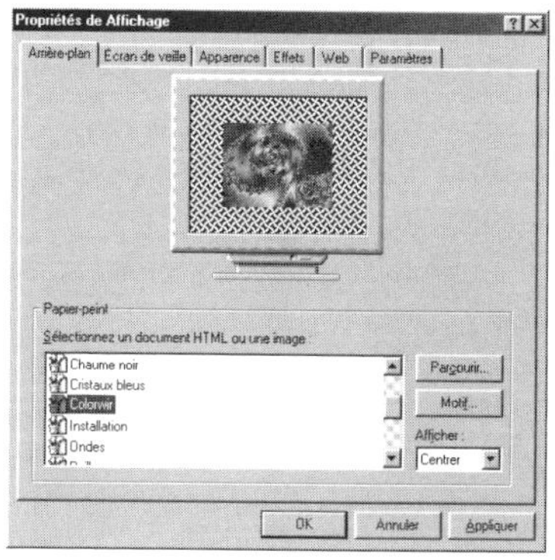

Figure 2.9 : Un exemple de motif et de papier peint.

Windows 98 est livré avec un certain nombre de papiers peints, mais rien ne vous empêche d'en créer d'autres. Sauvegardez-les au format BMP dans un dossier de votre choix, et utilisez Parcourir pour les localiser sur le disque dur.

Dans la Figure 2.10, le papier peint est une page HTML. **Motif** n'est pas actif, car la page HTML s'adapte automatiquement à la dimension de l'écran.

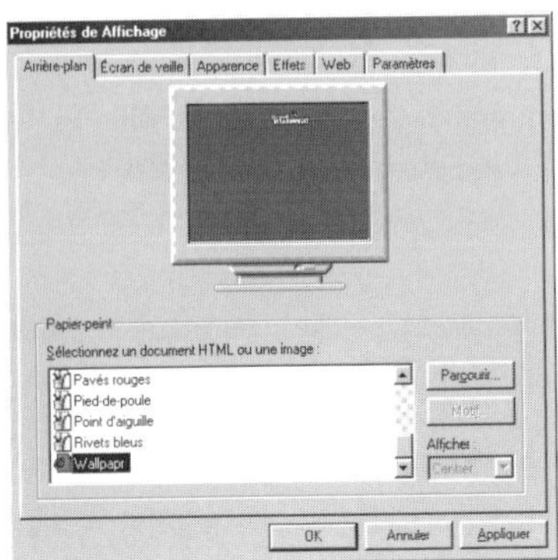

Figure 2.10 : Un exemple de papier peint HTML.

La Figure 2.11 représente le Bureau de Windows lorsque ce papier peint est activé.

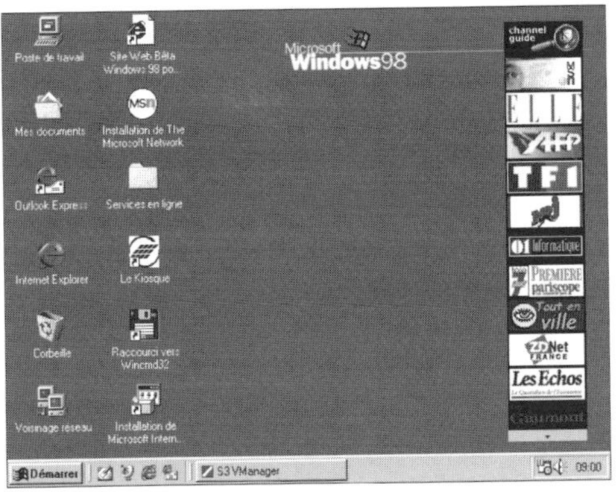

Figure 2.11 : Le Bureau de Windows est un document HTML.

Examinons le code du document Wallpapr.htm.

```
<HTML>
<HEAD>
<META HTTP-EQUIV="Content-Type"
CONTENT="text/html; charset=windows-1252">
```

```
<META NAME="Generator" CONTENT="Microsoft Word 97">
<TITLE>Windows98</TITLE>
</HEAD>
<BODY TEXT="#000000" LINK="#0000ff"
VLINK="#800080" BGCOLOR="#336699" scroll=no
left-margin=0 top-margin=0 right-margin=0
bottom-margin=0>

<P ALIGN="RIGHT">
<A HREF="http://winbeta.microsoft.com/windows98">
<IMG SRC="res://membg.dll/membg.gif" BORDER=0
WIDTH=329 HEIGHT=47></A> </P>
</BODY>
</HTML>
```

La partie **<BODY>** du document définit entre autres la couleur de l'arrière-plan à l'aide du paramètre BGCOLOR :

```
<BODY TEXT="#000000" LINK="#0000ff"
VLINK="#800080" BGCOLOR="#336699" scroll=no
left-margin=0 top-margin=0 right-margin=0
bottom-margin=0>
```

Le marqueur **<A>** qui suit définit un lien hypertexte. Ce lien pointe vers l'adresse Web du site Web des versions bêta de Windows :

```
<A HREF="http://winbeta.microsoft.com/windows98">
```

La ligne suivante affecte ce lien à l'image GIF **membg.gif** :

```
<IMG SRC="res://membg.dll/membg.gif" BORDER=0
WIDTH=329 HEIGHT=47></A> </P>
```

Lorsque vous déplacez le pointeur de la souris sur l'image membg.gif qui apparaît sur le Bureau, il change de forme pour indiquer la présence d'un lien hypertexte. Si vous cliquez, Internet Explorer est automatiquement ouvert et, après connexion, la page Web référencée est affichée.

Les papiers-peints HTML se trouvent par défaut dans le dossier Web\Papier-peint de Windows. En vous reportant au Chapitre 12, vous verrez qu'il est très simple de définir vos propres pages Web. En stockant ces pages dans le dossier Web\Papier-peint, vous les rendrez immédiatement utilisables comme papier peint.

Si vous choisissez un arrière-plan image, vous pouvez utiliser les nombreux motifs fournis avec Windows pour le compléter. Mais vous pouvez aussi modifier un motif existant. Cliquez sur **Motif** dans la boîte de dialogue **Propriétés d'Affichage**, sélectionnez le motif à modifier et cliquez sur **Modifier le motif**. La boîte de dialogue **Editeur de motifs** est affichée (voir Figure 2.12).

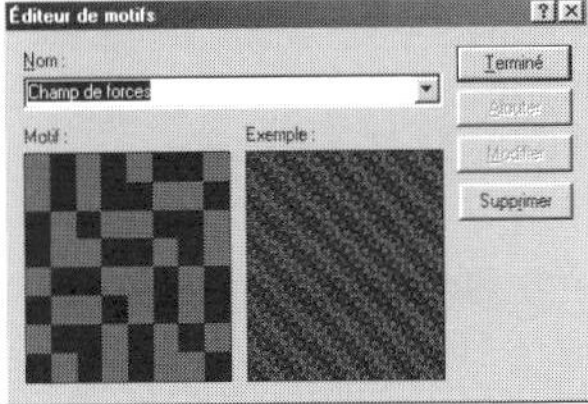

Figure 2.12 : La boîte de dialogue Edition de motifs.

La zone **Motif** affiche une version agrandie du motif. La zone **Exemple** donne un aperçu à l'échelle du motif. Pour le modifier, il suffit de cliquer sur les points élémentaires affichés dans la zone **Motif**. Lorsque le motif correspond à vos attentes, vous pouvez :

- Cliquer sur **Terminé** pour l'enregistrer en cours d'édition.
- Entrer un nom dans la liste modifiable **Nom** et appuyer sur **Ajouter** pour créer un nouveau motif.

Quatorze papiers peints sont disponibles par défaut : 1stboot, Aquarium, Champagne, Chaume noir, Cristaux bleus, Egypte, Installation, Ondes, Paillasse, Pavés rouges, Pied-de-poule, Point d'aiguille, Rivets bleus, Wallpaper. Si vous le désirez, il est possible d'en ajouter d'autres du plus bel effet en quelques clics. Double-cliquez sur l'icône Ajout/Suppression de programmes dans le Panneau de configuration. Sélectionnez l'onglet Installation de Windows. Cliquez sur le composant Accessoires, puis sur Détails pour afficher les sous-composants correspondants. Affichez une coche devant la case Papiers peints du Bureau et validez. Après quelques instants, vous disposez de sept autres papiers peints (Blocs rouges, Foret, Grès, Maillons métalliques,

Nuages, Tissage d'or, Tricot) qui peuvent être sélectionnés sous l'onglet Arrière-plan de la boîte de dialogue Propriétés d'Affichage.

Choisir la résolution et le nombre de couleurs

La plupart des cartes graphiques permettent de choisir la résolution de l'affichage — c'est-à-dire le nombre de points qui composent l'écran — sans être obligé de relancer l'ordinateur.

Si vous optez pour une faible résolution (640 × 480 points par exemple), les informations affichées seront très lisibles, mais leur nombre sera limité. Si, en revanche, vous choisissez une haute résolution (1024 × 768 points), les informations seront de très petite taille, mais l'écran contiendra un plus grand nombre de données.

Pour modifier la résolution, cliquez sur un endroit inoccupé du Bureau et sélectionnez **Propriétés** dans le menu contextuel. Dans la boîte de dialogue **Propriétés d'Affichage**, cliquez sur l'onglet **Paramètres**. Il suffit maintenant d'utiliser le curseur **Zone d'écran** pour choisir la résolution d'affichage (voir Figure 2.13).

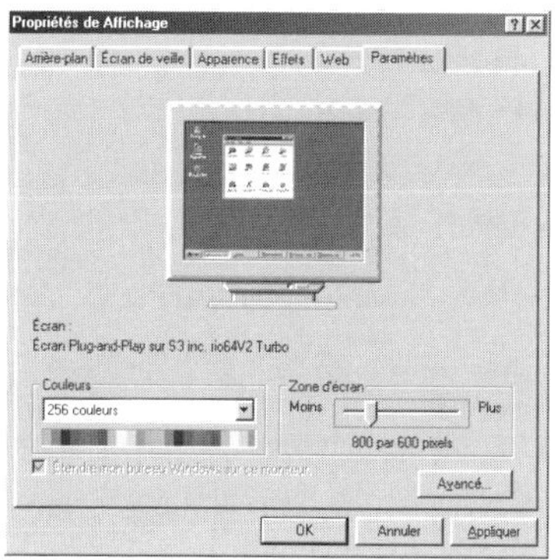

Figure 2.13 : Un clic sur OK **active, après confirmation, la résolution choisie.**

Comme vous le constatez, cette boîte de dialogue permet aussi de choisir la palette de couleurs de Windows, c'est-à-dire le nombre de couleurs affichables simultanément. Déroulez la liste modifiable **Couleurs**, choisissez une des entrées et validez en cliquant sur **OK**.

Le tableau suivant indique quelles sont les résolutions et les palettes auxquelles vous pouvez prétendre, en fonction de la quantité de mémoire de la carte graphique.

		Résolution	
Mémoire	640 × 480	800 × 600	1024 × 768
500 Ko	65000	256	16
1Mo	16,7 millions	65000	256
2 Mo	16,7 millions	16,7 millions	65000
4 Mo	16,7 millions	16,7 millions	16,7 millions

Accéder aux propriétés avancées

Dans l'onglet **Paramètres** de la boîte de dialogue **Propriétés d'Affichage**, de commande **Avancé** donne accès à la boîte de dialogue de la Figure 2.14 qui permet de :

- choisir la taille des polices utilisées dans les boîtes de dialogue et sur le Bureau (onglet **Général**) ;
- modifier le pilote de la carte graphique (onglet **Carte**) ;
- modifier et paramétrer le pilote de l'écran (onglet **Moniteur**) ;
- paramétrer les performances graphiques (onglet **Performances**).

En cochant la case **Afficher l'icône de paramètres dans la barre des tâches** sous l'onglet **Général** de la boîte de dialogue des propriétés avancées, une petite icône est affichée dans la partie droite de la barre des tâches. En cliquant dessus, vous accédez directement à un ensemble de résolutions/couleurs compatibles avec votre carte

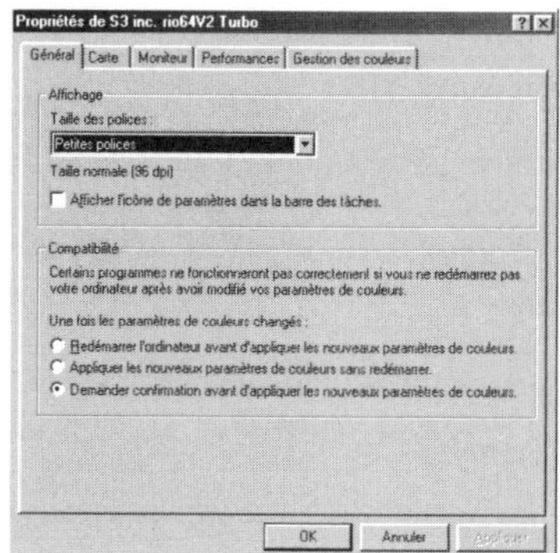

Figure 2.14 : Accès aux paramètres d'affichage avancés depuis la boîte de dialogue Propriétés d'Affichage.

(voir Figure 2.15). Si nécessaire, vous pouvez même accéder à la boîte de dialogue **Propriétés d'Affichage** en sélectionnant l'entrée **Ajuster les propriétés d'affichage**.

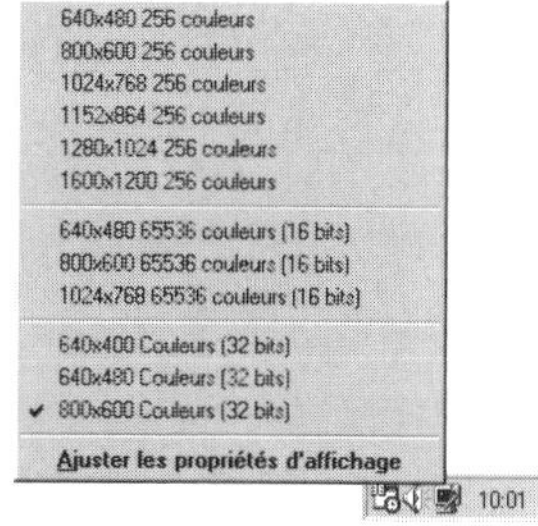

Figure 2.15 : Cette icône donne accès à plusieurs couples résolution/couleur compatibles avec votre carte.

Mettre en place un économiseur d'écran

Lorsqu'une même image reste pendant plusieurs heures sur l'écran, les particules élémentaires responsables de l'affichage ont tendance à mémoriser l'information. Il en résulte une trace indélébile qui se superpose aux éléments affichés. Pour éviter ce désagrément, il suffit d'utiliser un économiseur d'écran. Son principe est simple : au bout d'une durée paramétrable de non utilisation du clavier et de la souris, l'économiseur d'écran s'active. Il affiche une image en mouvement, de façon que les pixels changent souvent de couleur. L'affichage normal redémarre dès que le clavier ou la souris est actionné. Windows 98 est livré avec plusieurs économiseurs d'écran. Voici comment les activer.

Affichez le Panneau de configuration et double-cliquez sur l'icône **Affichage**. Sélectionnez l'onglet **Ecran de veille** (voir Figure 2.16).

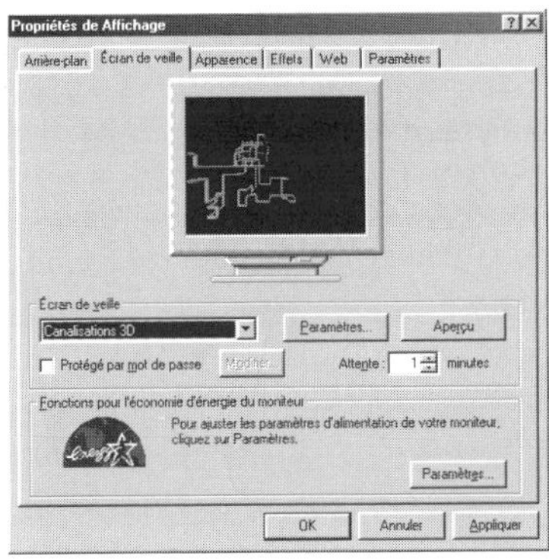

Figure 2.16 : Sélection et paramétrage d'un économiseur d'écran.

Sélectionnez un économiseur d'écran dans la liste modifiable. Le délai de non utilisation du clavier et de la souris est réglé dans la zone **Attente**.

- **Paramètres.** Permet de définir le mode de fonctionnement de l'économiseur d'écran : vitesse de déplacement, nombre d'objets, etc.
- **Aperçu.** Donne un avant-goût de l'économiseur, en mode plein écran.

- **Protégé par mot de passe.** Cette case à cocher permet de définir un mot de passe qui sera demandé à chaque réactivation de l'ordinateur (voir Figure 2.17).

  L'ordinateur refusera de quitter l'économiseur d'écran tant que le bon mot de passe ne sera pas entré. Cela est particulièrement utile dans une entreprise pour éviter tout regard indiscret sur votre travail.

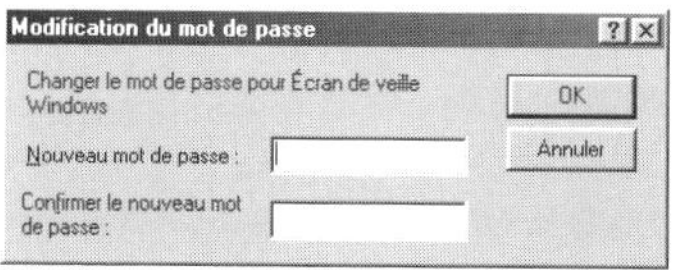

Figure 2.17 : Demande d'un mot de passe avant la réutilisation de l'ordinateur.

L'ordinateur refusera de quitter l'économiseur d'écran tant que le bon mot de passe ne sera pas entré. Cela est particulièrement utile dans une entreprise pour éviter tout regard indiscret sur votre travail.

- **Paramètres.** Dans le groupe d'options **Fonctions pour l'économie d'énergie du moniteur**, donne accès à la boîte de dialogue **Propriétés de Gestion de l'alimentation** qui permet de mettre en veille l'écran et les disques durs de l'ordinateur après une durée paramétrable. Reportez-vous à la section intitulée "Gérer l'alimentation de l'écran et du disque dur" dans ce même chapitre pour avoir de plus amples informations à ce sujet.

Certaines "chaînes Internet" peuvent être utilisées comme écran de veille. Sélectionnez Ecran de veille des chaînes dans la liste modifiable Ecran de veille et cliquez sur Paramètres pour choisir la chaîne à utiliser. Si aucune chaîne n'est accessible, vous devez consulter le Guide des chaînes de Microsoft. Vous en saurez plus à ce sujet en consultant la section intitulée "Les chaînes Active Channel" dans le Chapitre 11.

Modifier les couleurs et la police

L'aspect des éléments affichés dans le Bureau de Windows peut être modifié en utilisant des modèles prédéfinis. La couleur, la dimension et le format des éléments varient d'un modèle à l'autre. Si nécessaire, il est aussi possible de créer et de sauvegarder de nouveaux modèles.

Affichez le Panneau de configuration et double-cliquez sur l'icône **Affichage**. Sélectionnez l'onglet **Apparence** (voir Figure 2.18).

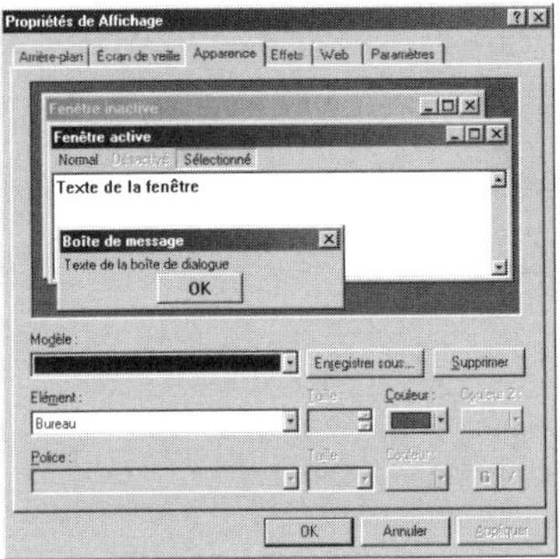

Figure 2.18 : Modification de l'apparence des éléments de l'écran.

Pour retenir un modèle existant, choisissez une des entrées de la liste modifiable **Modèle**. Les caractéristiques du modèle sont immédiatement visibles dans la zone d'aperçu, à l'intérieur de la boîte de dialogue.

Si nécessaire, vous pouvez altérer une des dix-huit entrées de la liste modifiable **Elément**. Sélectionnez cette entrée et ajustez les paramètres en conséquence : police, taille, couleur, attributs. Certains paramètres peuvent apparaître en grisé. Cela signifie qu'ils ne sont pas concernés par l'élément sélectionné.

La liste modifiable Couleur donne accès à vingt couleurs prédéfinies. Si nécessaire, vous pouvez accéder à une palette bien plus conséquente en sélectionnant Autre dans cette liste.

Si vous avez défini un modèle qui vous est propre, il est conseillé de le sauvegarder. Cliquez sur **Enregistrer sous** et donnez un nom au nouveau modèle.

Inversement, vous pouvez limiter les entrées de la liste modifiable **Modèle**. Sélectionnez un à un les modèles à supprimer et cliquez sur **Supprimer,** pour ne conserver que ceux dont vous avez réellement besoin.

Personnaliser l'aspect et le comportement du Bureau

Il suffit de quelques clics pour changer l'apparence des icônes déposées sur le Bureau de Windows. Cliquez du bouton droit sur une partie inoccupée du Bureau. Choisissez **Propriétés** dans le menu contextuel. Sélectionnez l'onglet **Effets**. Les icônes apparaissent dans le groupe d'options **Icônes du Bureau** (voir Figure 2.19).

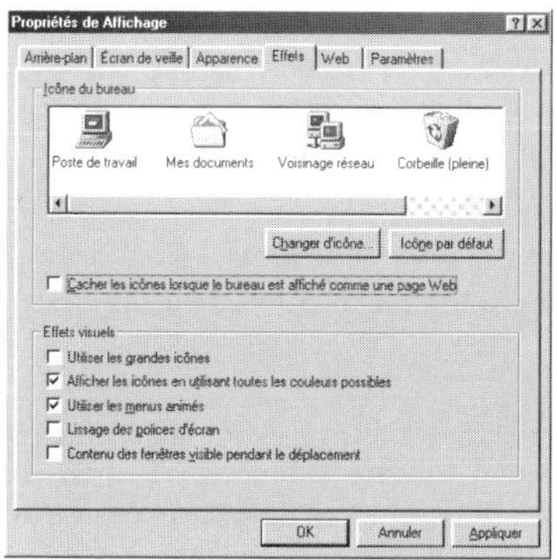

Figure 2.19 : L'onglet Effets permet de modifier les icônes du Bureau.

Sélectionnez une des icônes dans ce groupe d'options et cliquez sur **Changer d'icône**. La liste des icônes disponibles apparaît dans le boîte de dialogue **Changement d'icône** (voir Figure 2.20).

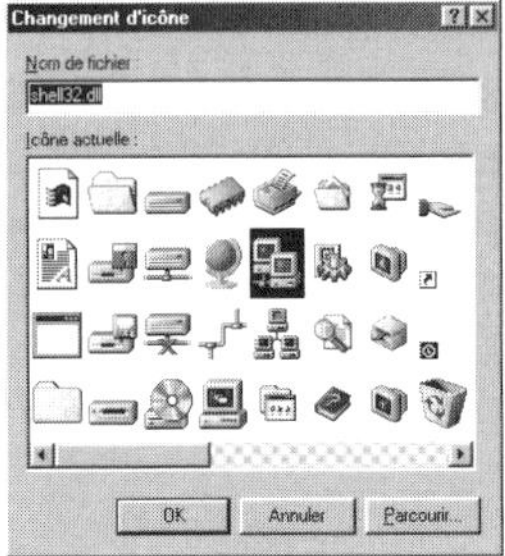

Figure 2.20 : Les icônes de remplacement.

Vous pouvez choisir une des icônes proposées ou opter pour un fichier contenant des icônes (ICO, EXE ou DLL).

Le Bureau de Windows peut être utilisé comme s'il s'agissait d'une page Web. Dans ce cas, il est possible de déposer des pages Web figées ou actives sur le Bureau. Pour libérer un maximum de place, vous souhaiterez peut-être dissimuler les icônes du Bureau. Il suffit pour cela de cocher la case **Cacher les icônes lorsque le Bureau est affiché comme une page Web**.

Les cases à cocher du groupe d'options **Effets visuels** règlent certains aspects du comportement de Windows :

- **Utiliser les grandes icônes.** Cochez cette case si vous avez du mal à repérer les icônes déposées sur le Bureau du fait de leur trop faible dimension.

Dans le même ordre d'idées, il est possible d'augmenter la taille des entrées du menu Démarrer. Cliquez sur Démarrer. Sélectionnez Paramètres puis Barre des tâches et menu Démarrer. Décochez la case Afficher des petites icônes dans le menu Démarrer.

- **Afficher les icônes en utilisant toutes les couleurs possibles.** Lorsque cette case est cochée, le rendu des icônes qui utilisent plus de seize couleurs est amélioré.
- **Utiliser les menus animés.** Lorsque cette case est cochée, les menus déroulants apparaissent progressivement.
- **Lissage des polices d'écran.** Lorsque cette case est cochée, les caractères affichés sur l'écran sont lissés pour diminuer l'effet d'escalier. L'amélioration est surtout visible sur les polices de grande taille. A titre d'information, comparez les copies d'écran des Figures 2.21 et 2.22. Le texte est affiché en caractères Times New Roman corps 72. Les dentelures apparaissent nettement sur la version non lissée.

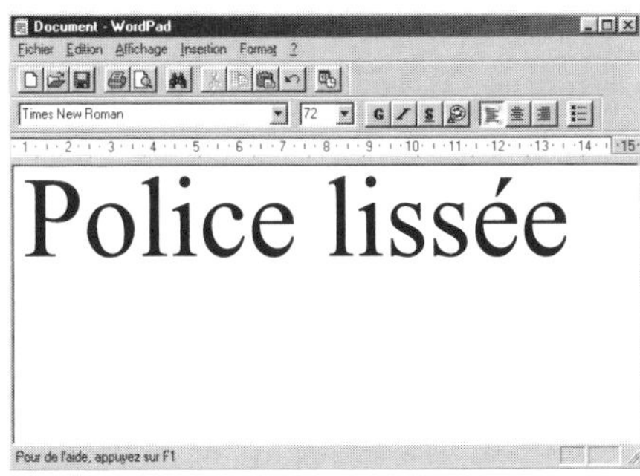

Figure 2.21 : Ce texte Times New Roman corps 72 est lissé.

- **Contenu des fenêtres visible pendant le déplacement.** Si votre ordinateur n'est pas trop lent (disons Pentium 133 ou supérieur), cochez cette case pour afficher le contenu des fenêtres et boîtes de dialogue pendant leur déplacement sur le Bureau. L'effet est inintéressant voire même pénible sur un ordinateur peu véloce…

Figure 2.22 : Ce texte Times New Roman corps 72 n'est pas lissé.

Les thèmes du Bureau

Si vous le souhaitez, il est possible de personnaliser le papier peint, les sons système, les pointeurs de souris et autres caractéristiques du Bureau en installant un ou plusieurs "thèmes". Pour ne pas encombrer votre disque dur, l'installation standard de Windows ne copie aucun thème sur votre disque dur. Pour réparer cette lacune, double-cliquez sur l'icône **Ajout/Suppression de programmes** dans le Panneau de configuration. Sélectionnez l'onglet **Installation de Windows** et cliquez sur l'entrée **Thèmes du Bureau**. **Détails** donne accès à la liste des thèmes fournis avec Windows 98 (voir Figure 2.23).

Cochez une ou plusieurs cases dans la zone de liste **Composants** et validez. Après l'installation des thèmes du Bureau, une nouvelle icône intitulée **Thèmes du Bureau** apparaît dans le Panneau de configuration. Double-cliquez sur cette icône pour choisir le thème à utiliser. Dans un premier temps, la fenêtre **Thèmes du Bureau** laisse apparaître la configuration actuelle du Bureau (voir Figure 2.24).

Sélectionnez un thème dans la liste déroulante Thème. La partie centrale de la fenêtre donne un avant-goût du résultat final (voir Figure 2.25).

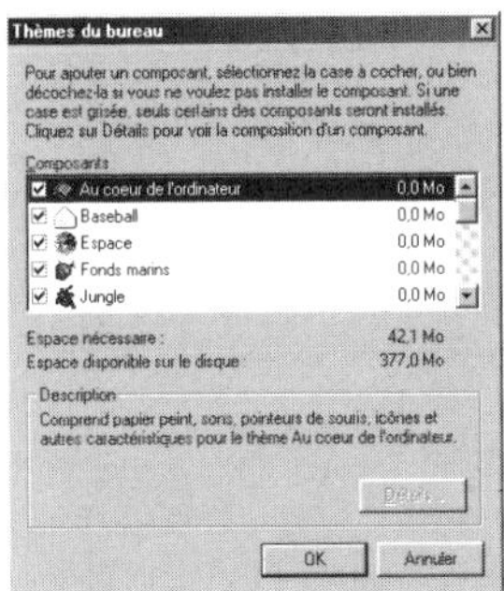

Figure 2.23 : Les thèmes du Bureau.

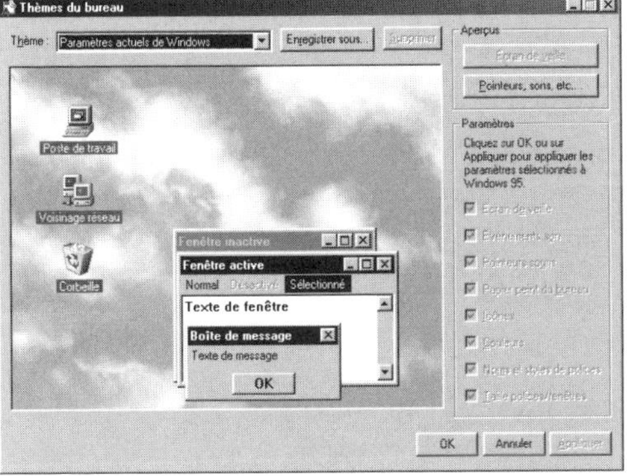

Figure 2.24 : La configuration actuelle du Bureau.

Dans le groupe d'options **Aperçus**, **Ecran de veille** affiche l'économiseur d'écran rattaché au thème sélectionné (voir Figure 2.26). Si cet écran de veille ne vous convient pas, décochez la case **Ecran de veille** dans le groupe d'options **Paramètres** pour interdire son installation (voir Figure 2.26).

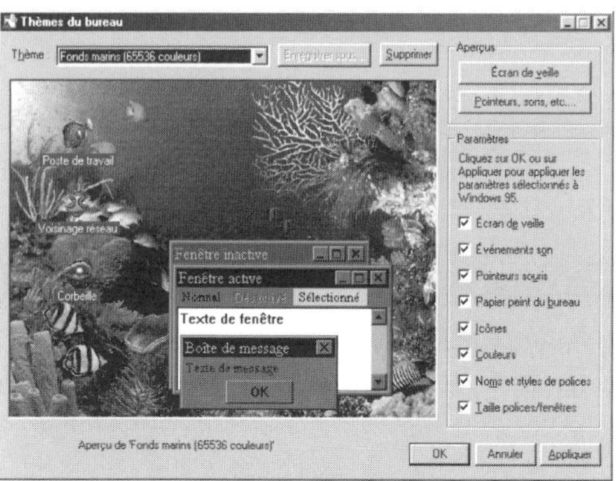

Figure 2.25 : Un exemple de thème : les fonds marins.

Figure 2.26 : L'écran de veille du thème Fonds marins.

Toujours dans le groupe d'options **Aperçu**, **Pointeurs, sons, etc.** permet de tester les pointeurs de souris, les sons système et les icônes des applications standard (Poste de travail, Voisinage réseau, Corbeille, Papier peint et Ecran de veille). Si l'un de ces éléments ne vous convient pas, interdisez son installation en décochant une ou plusieurs cases dans le groupe d'options **Paramètres**.

Lorsque tous les paramètres ont été choisis dans la fenêtre **Thèmes de Bureau**, validez en cliquant sur **OK**. Quelques instants plus tard, vous aurez du mal à reconnaître votre Bureau !

Choisir la fréquence de rafraîchissement de l'écran

Pour augmenter votre confort visuel, il est conseillé de rafraîchir l'écran au moins soixante-dix fois par seconde. A partir de cette fréquence, l'image est stable et la fatigue visuelle diminue. La plupart sinon toutes les cartes graphiques sont fournies avec un utilitaire qui permet de choisir la résolution d'affichage, le nombre de couleurs et... la fréquence de rafraîchissement. A titre d'exemple, la Figure 2.27 représente la boîte de dialogue du programme **YAKUMO Display Control Panel** fourni avec les cartes **S3 YAKUMO**.

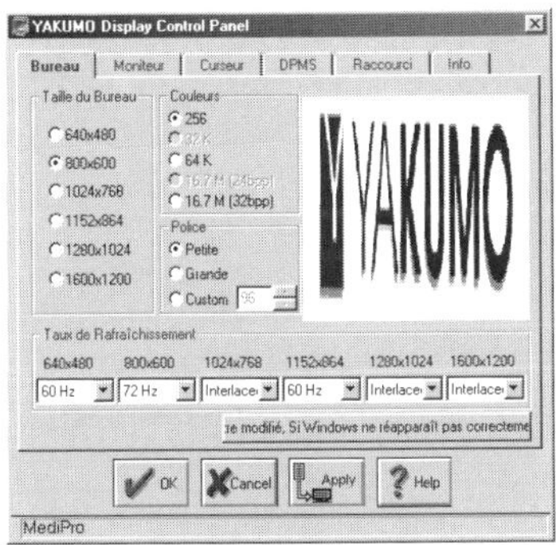

Figure 2.27 : Choix de la fréquence de rafraîchissement sur une carte S3 YAKUMO.

Si, au bout de quelques heures ou quelques jours d'utilisation, l'affichage a tendance à se brouiller ou l'écran à crépiter, cela peut signifier que la fréquence de rafraîchissement est trop élevée. Diminuez d'urgence ce paramètre si vous n'avez pas envie de changer rapidement de moniteur !

Définir un profil utilisateur

Windows permet de configurer un ordinateur afin qu'il soit utilisé par plusieurs personnes. Chacun peut ainsi avoir un Bureau (icônes, arrière-plan et autres paramètres) qui correspond à ses attentes sans gêner l'autre.

Pour activer les paramètres multi-utilisateurs, double-cliquez sur l'icône **Utilisateurs** dans le Panneau de configuration. Cette action déclenche l'exécution d'un assistant. Entrez un nom d'utilisateur et cliquez sur **Suivant**. Tapez (éventuellement) un mot de passe dans les zones de texte **Mot de passe** et **Confirmer** et cliquez sur **Suivant**. La nouvelle boîte de dialogue affichée vous demande de choisir les éléments que vous souhaitez personnaliser (voir Figure 2.28).

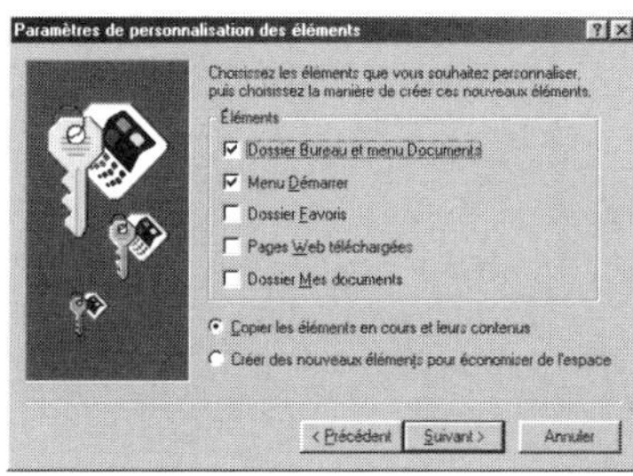

Figure 2.28 : Utilisez cette boîte de dialogue pour définir les éléments qui vous sont propres.

Lorsque la boîte de dialogue est entièrement paramétrée, cliquez sur **Suivant** puis sur **Terminer**. Windows déconnecte l'utilisateur courant. Il ne vous reste plus qu'à entrer le nom d'utilisateur choisi dans la boîte de dialogue de démarrage pour pouvoir paramétrer votre Bureau.

Pour définir de nouveaux utilisateurs, ouvrez le Panneau de configuration et double-cliquez sur l'icône Utilisateurs. Cette action déclenche l'affichage de la boîte de dialogue Paramètres de l'utilisateur (voir Figure 2.29).

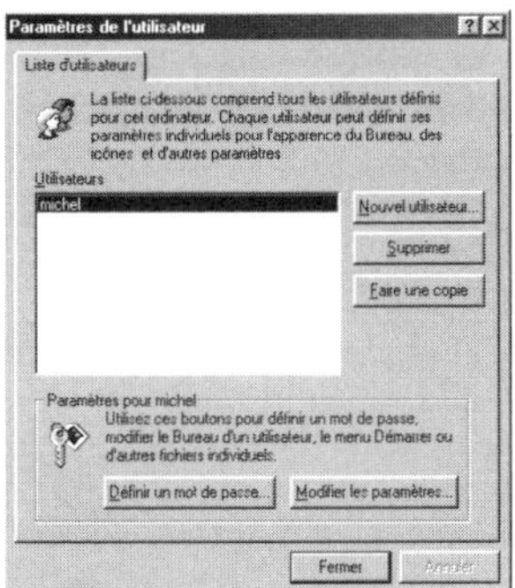

Figure 2.29 : La boîte de dialogue Paramètres de l'utilisateur.

Les utilisateurs définis sur l'ordinateur apparaissent dans la zone de liste **Utilisateurs**. Cliquez sur **Nouvel utilisateur** pour définir un nouvel utilisateur. Vous pouvez aussi utiliser **Définir un mot de passe** pour modifier le mot de passe d'un utilisateur et **Modifier les paramètres** pour modifier les éléments propres à un utilisateur.

Installation après l'installation

Lors de l'installation de Windows 98, tous ses composants n'ont pas forcément été copiés sur le disque dur. Si l'un d'eux vous fait défaut, il est très simple de l'installer. Voici comment procéder.

Cliquez sur **Démarrer**. Sélectionnez **Paramètres** puis **Panneau de configuration**. Double-cliquez sur l'icône **Ajout/Suppression de programmes** :

Sélectionnez l'onglet **Installation de Windows**. Dans la zone de liste **Composants**, les cases peuvent apparaître cochées, décochées ou cochées grisées (voir Figure 2.30).

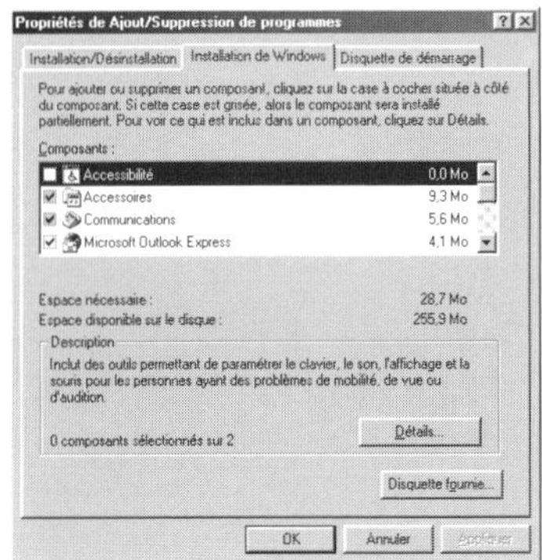

Figure 2.30 : Ajout ou suppression d'un composant Windows.

Une case cochée correspond à un composant totalement installé, une case décochée à un composant non installé et une case cochée grisée à un composant partiellement installé.

Pour mettre en place un nouveau composant, sélectionnez une entrée dans la zone de liste **Composants**. Cliquez si nécessaire sur **Détails,** pour afficher les sous-composants de celui sélectionné. Cochez la case du composant à installer, puis cliquez sur **OK**. Windows vous demande d'insérer le CD-ROM de Windows. Après quelques instants, le nouveau composant est disponible.

La même démarche peut être utilisée pour désinstaller un composant. Décochez simplement la case du composant à supprimer, et validez.

Ajouter/changer un mot de passe

Mots de passe

Les mots de passe peuvent être utilisés à deux niveaux :

- sur un ordinateur autonome, non relié à un réseau local ;
- sur un ordinateur relié à un réseau local.

Dans le premier cas, un mot de passe est demandé à la fin du chargement de Windows. Si un mauvais mot de passe est entré, Windows refuse de démarrer.

Dans le second cas, toute tentative d'accès à l'ordinateur sur lequel est défini un mot de passe réseau par un ordinateur distant ne peut se faire qu'après avoir entré le bon mot de passe.

Pour définir un mot de passe local, affichez le Panneau de configuration et double-cliquez sur l'icône **Mots de passe** (voir Figure 2.31).

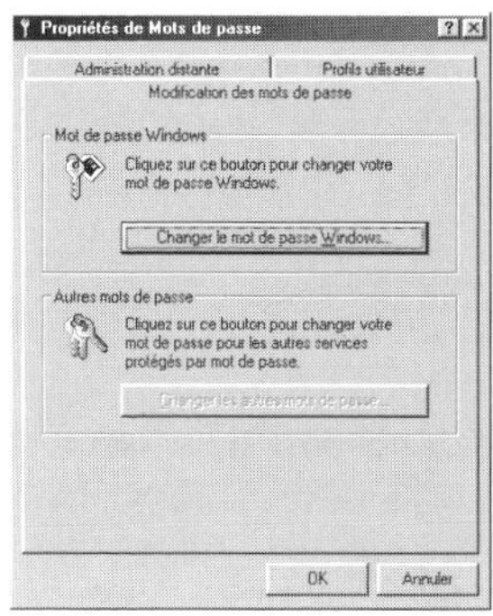

Figure 2.31 : La boîte de dialogue permettant de modifier le mot de passe local.

L'onglet **Modification des mots de passe** est sélectionné par défaut. Cliquez sur **Changer le mot de passe Windows,** et complétez les trois zones de texte de la boîte de dialogue (voir Figure 2.32).

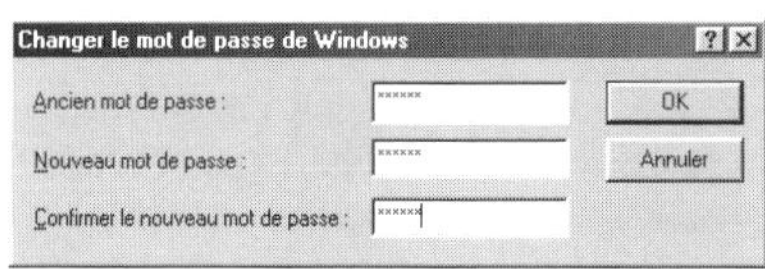

Figure 2.32 : Définition d'un nouveau mot de passe local.

Pour définir un mot de passe réseau, affichez le Panneau de configuration, double-cliquez sur l'icône **Mots de passe,** et sélectionnez l'onglet **Administration distante** (voir Figure 2.33).

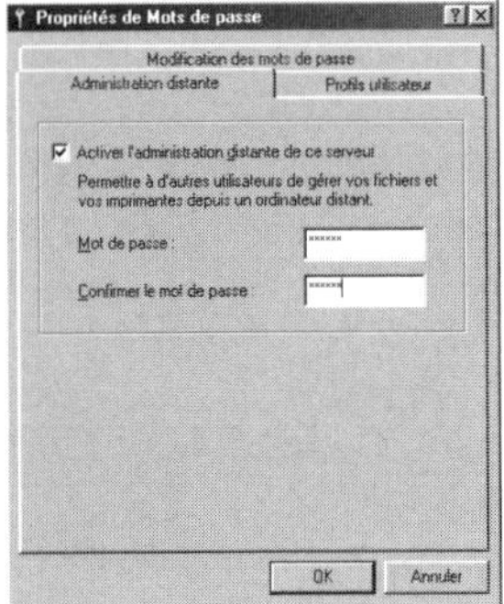

Figure 2.33 : Définition d'un nouveau mot de passe réseau.

Cochez la case **Activer l'administration distante de ce serveur**, indiquez le mot de passe dans les deux zones de texte, et validez en cliquant sur **OK**.

Personnaliser la barre des tâches

La barre des tâches joue un rôle essentiel dans Windows 98. Comme nous allons le voir, il est possible de la paramétrer en utilisant une commande du menu **Démarrer**.

Cliquez sur **Démarrer**. Sélectionnez **Paramètres**, puis **Barre des tâches et menu Démarrer**. La boîte de dialogue **Propriétés de Barre des tâches** est affichée (voir Figure 2.34).

L'onglet **Options de la barre des tâches** est actif par défaut. Il donne accès à quatre cases à cocher :

- **Toujours visible.** Cochée, cette case force l'affichage en avant-plan de la barre des tâches. Décochée, il est possible de

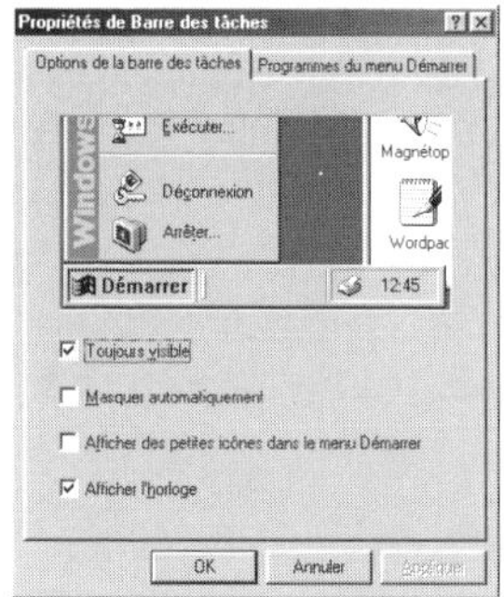

Figure 2.34 : Paramétrage de la barre des tâches.

masquer partiellement ou totalement la barre des tâches en déplaçant ou en agrandissant la fenêtre d'une application.

- **Masquer automatiquement.** Lorsque cette case est décochée, la barre des tâches est affichée en permanence. Lorsqu'elle est cochée, elle disparaît dès qu'elle n'est plus utile, c'est-à-dire dès que le pointeur n'est plus dessus. Pour afficher de nouveau la barre des tâches, il suffit de déplacer le pointeur vers la seule ligne qui en subsiste, par défaut dans la partie inférieure de l'écran.
- **Afficher de petites icônes dans le menu Démarrer.** Cochée, cette case diminue la taille verticale du menu **Démarrer**, en utilisant des icônes de petites dimensions.
- **Afficher horloge.** Cochée, cette case valide l'affichage permanent de l'heure système, dans la partie droite de la barre des tâches.

Alléger et compléter le menu Démarrer

Le menu **Démarrer** a la fâcheuse tendance de prendre de l'embonpoint au fur et à mesure que vous travaillez avec Windows. Pour le mettre au régime, vous allez utiliser une de ses propres commande.

Cliquez sur **Démarrer**. Sélectionnez **Paramètres**, puis **Barre des tâches et menu Démarrer**. Dans la boîte de dialogue **Propriétés de Barre des tâches**, cliquez sur l'onglet **Programmes du menu Démarrer** (voir Figure 2.35).

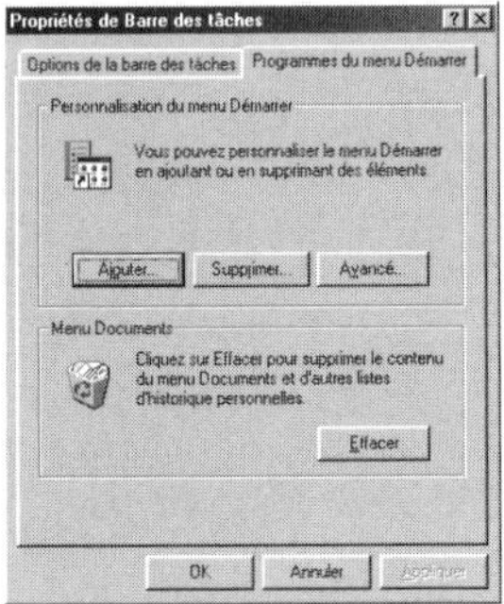

Figure 2.35 : Personnalisation du menu Démarrer.

Pour supprimer des raccourcis et/ou des dossiers qui n'ont plus raison d'être, cliquez sur **Supprimer**. La boîte de dialogue **Supprimer Raccourcis/Dossiers** est affichée (voir Figure 2.36).

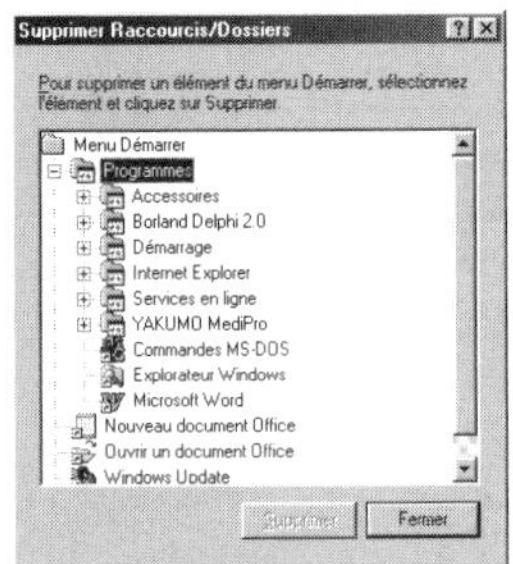

Figure 2.36 : Suppression d'un élément dans le menu Démarrer.

Sélectionnez un à un les dossiers/raccourcis à détruire, et cliquez sur **Supprimer**. Lorsque les suppressions sont effectuées, cliquez sur **Fermer**.

Comme nous venons de le voir, il est très simple de supprimer des entrées dans le menu **Démarrer**. Sans quitter la boîte de dialogue **Propriétés pour Barre des tâches**, vous pouvez aussi compléter ce menu. Cliquez sur **Ajouter**. La boîte de dialogue **Créer un raccourci** est affichée (voir Figure 2.37).

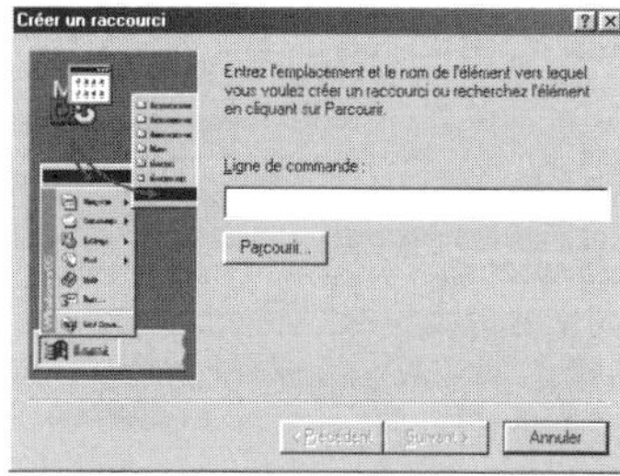

Figure 2.37 : Ajout d'une entrée au menu Démarrer.

Si vous connaissez par cœur le chemin et le nom de l'application, entrez-le dans la zone de texte. Dans le cas contraire, cliquez sur **Parcourir**, déplacez-vous dans l'arborescence du disque et sélectionnez l'application comme vous le feriez dans le Poste de travail ou dans l'Explorateur. Validez, puis cliquez sur **Suivant**. La boîte de dialogue de la Figure 2.38 est alors affichée.

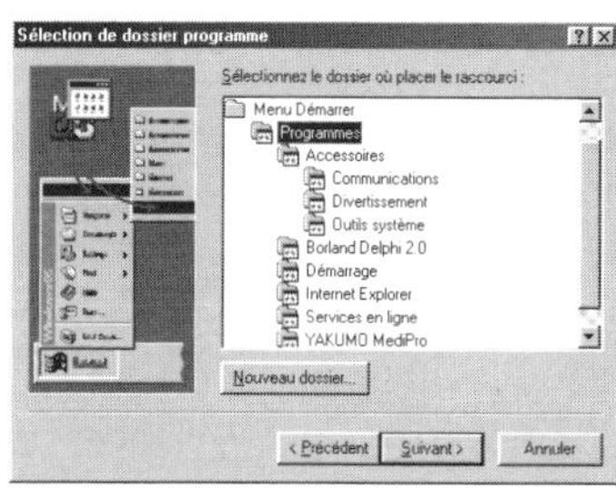

Figure 2.38 : Définition du dossier destination.

Sélectionnez un des dossiers existants, ou créez un nouveau dossier en cliquant sur **Nouveau dossier**. Cliquez sur **Suivant**. Définissez un nom pour représenter l'application dans le menu **Démarrer**, et cliquez sur **Terminer**. Quelques instants plus tard, une nouvelle entrée a été ajoutée dans le menu.

La "géométrie variable" du menu Démarrer ne doit pas être un prétexte pour y placer de trop nombreux raccourcis, car il perdrait tout son intérêt.

Elargir et déplacer la barre des tâches

La barre des tâches occupe par défaut la partie inférieure de l'écran. En utilisant la technique du glisser-déplacer de Windows, vous pouvez l'élargir et/ou la déplacer sur un autre coin de l'écran.

Elargir la barre des tâches

Cliquez sur une portion inoccupée de la barre des tâches pour lui donner le focus. Déplacez le pointeur sur sa bordure la plus intérieure. Il se transforme en une double flèche. Cliquez sur gauche et déplacez la souris pour définir les nouvelles dimensions de la barre des tâches.

Déplacer la barre des tâches

Pointez une partie inoccupée de la barre des tâches. Maintenez gauche de la souris enfoncé, et déplacez la barre vers un des autres coins de l'écran.

Exemple :

Cette barre des tâches a été déplacée dans la partie gauche de l'écran. Pour faciliter la lecture des icônes qui la composent, elle a aussi été élargie (voir Figure 2.39).

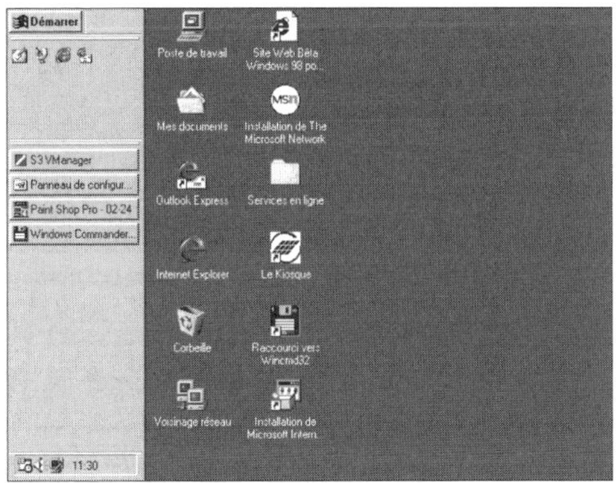

Figure 2.39 : Déplacement et élargissement de la barre des tâches.

Les modes d'affichage de Windows (Web, classique, personnalisé)

Si le double-clic n'est pas votre tasse de thé, vous avez tout intérêt à adopter un mode d'affichage Web. Pour ce faire, ouvrez le Poste de travail. Lancez la commande **Options des dossiers** dans le menu **Affichage**. Sélectionnez le mode d'affichage **Web** sous l'onglet **Général**. (voir Figure 2.40).

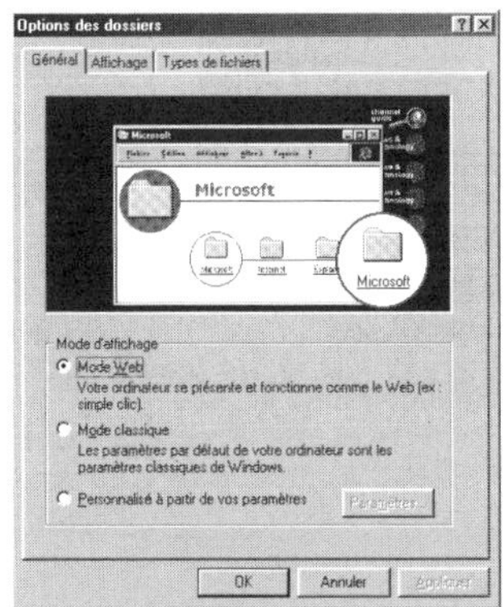

Figure 2.40 : Choix du mode d'affichage.

Désormais, il suffit d'un simple clic pour lancer les applications dont l'icône apparaît sur le Bureau et pour ouvrir les documents listés dans le Poste de travail et l'Explorateur Windows.

Pour revenir au double-clic, lancez la commande **Options des dossiers** dans le menu **Affichage** du Poste de travail ou de l'Explorateur. Sélectionnez l'option **Personnalisé à partir de vos paramètres**. Cliquez sur **Paramètres** et sélectionnez l'option **Ouverture d'un élément par double-clic** (voir Figure 2.41).

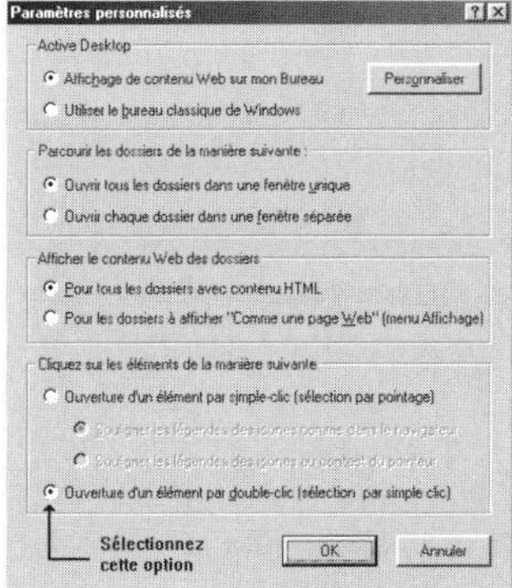

Figure 2.41 : Rétablissement du double-clic.

Chapitre 3

MS-DOS sous Windows 98

Au sommaire de ce chapitre

- Exécuter un programme MS-DOS sous Windows
- Revenir à MS-DOS alors que Windows est actif
- Quand un programme MS-DOS refuse de s'exécuter
- Optimiser l'exécution d'un programme MS-DOS
- La barre d'outils d'une fenêtre MS-DOS

Quelques instants après la mise sous tension de l'ordinateur, vous vous trouvez dans le Bureau de Windows. Existe-t-il toujours une trace de MS-DOS, ou a-t-il été supprimé par Windows 98 lors de son installation ? Que les amoureux de la ligne de commande se rassurent : si la version de MS-DOS a changé, il est toujours possible de travailler dans une fenêtre MS-DOS ou en mode MS-DOS exclusif. Ce chapitre vous montre comment.

Exécuter un programme MS-DOS sans quitter Windows

La plupart des programmes MS-DOS peuvent fonctionner sous Windows. Si vous en utilisez un occasionnellement, vous le lancerez à partir du Poste de travail ou de l'Explorateur. Dans l'exemple de la Figure 3.1, le shareware de copie de disquettes DCF.EXE est lancé depuis le Poste de travail.

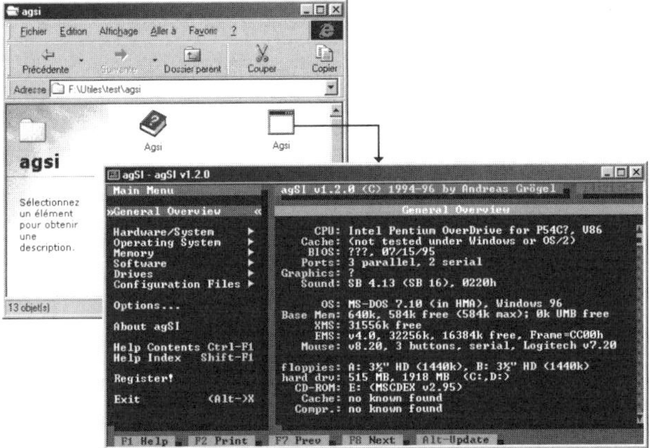

Figure 3.1 : Exécution d'un programme MS-DOS dans une fenêtre MS-DOS.

Si vous utilisez souvent un programme MS-DOS, vous avez tout intérêt à créer un raccourci vers ce programme et à le déposer sur le Bureau. Vous pouvez aussi ajouter une entrée dans le menu **Démarrer**.

Le programme s'exécute dans une fenêtre Windows. Si vous préférez maximiser celle-ci, pour travailler comme si vous étiez sous MS-DOS, appuyez simultanément sur les touches ***Alt*** et ***Entrée***. Le même raccourci clavier bascule du mode plein écran au mode fenêtre.

Pour mettre fin au programme, il est conseillé de procéder comme vous le faites sous MS-DOS. Dans la mesure du possible, évitez d'utiliser la case de fermeture de la fenêtre : si le programme manipule des fichiers de données, ces derniers peuvent en effet être endommagés par cette opération.

Revenir à MS-DOS quand Windows est actif

Lorsque vous mettez l'ordinateur sous tension, Windows 98 est automatiquement lancé. Si vous le souhaitez, il est possible d'accéder au prompt MS-DOS depuis Windows, en utilisant une des deux méthodes suivantes :

1. Sélection de l'entrée **Commandes MS-DOS** dans le menu **Démarrer**.
2. Redémarrage de l'ordinateur en mode MS-DOS.

L'entrée Commandes MS-DOS

Cliquez sur **Démarrer**. Sélectionnez **Programmes** puis **Commandes MS-DOS**. Une fenêtre intitulée **Commandes MS-DOS** est affichée (voir Figure 3.2).

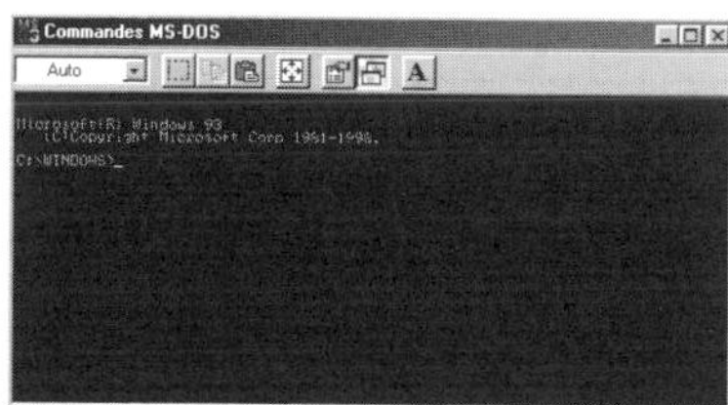

Figure 3.2 : Ouverture d'une fenêtre MS-DOS.

Si nécessaire, vous pouvez agrandir cette fenêtre en cliquant simultanément sur les touches ***Alt*** et ***Entrée***. Le même raccourci clavier bascule du mode plein écran au mode fenêtre.

La fenêtre **Commandes MS-DOS** est affichée en mode fenêtre (c'est-à-dire ni repliée, ni maximisée). Si vous le souhaitez, il est possible de l'afficher en mode plein écran par défaut. Voici comment procéder :

1. Cliquez du bouton droit sur **Démarrer** et sélectionnez **Ouvrir**.
2. Double-cliquez sur l'icône **Programmes**.
3. Cliquez du bouton droit sur l'icône **MS-DOS** et sélectionnez **Propriétés** dans le menu contextuel. Cette action provoque l'affichage de la boîte de dialogue de la Figure 3.3.

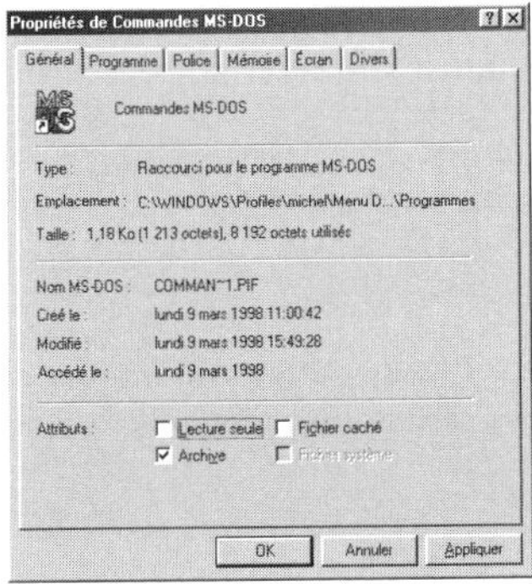

Figure 3.3 : La boîte de dialogue Propriétés de Commandes MS-DOS.

4. Sélectionnez l'onglet **Ecran** et l'option **Plein écran** (voir Figure 3.4).

En utilisant la même démarche que précédemment, vous pouvez demander l'exécution préalable d'un ou de plusieurs programmes à chaque ouverture d'une fenêtre MS-DOS. Sélectionnez l'onglet Programme de la fenêtre Propriétés de Commandes MS-DOS et entrez le nom du programme à exécuter. A titre d'exemple, la boîte de dialogue de la Figure 3.5 demande l'exécution du programme DOSKEY.EXE qui mémorise les séquences clavier tapées et permet de les réafficher avec les touches fléchées.

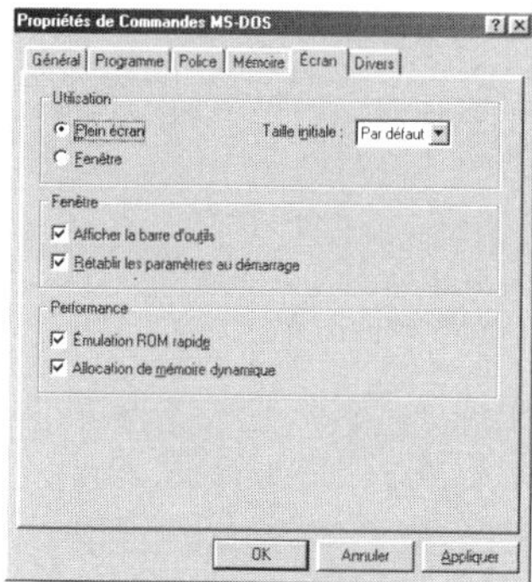

Figure 3.4 : Activation du mode plein écran par défaut.

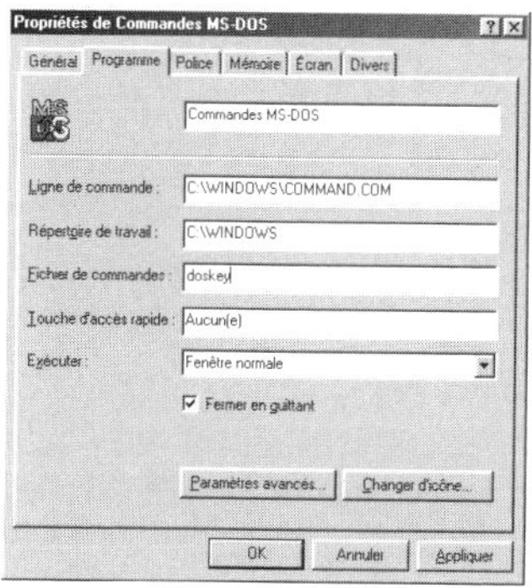

Figure 3.5 : Exécution du programme DOSKEY à chaque ouverture d'une fenêtre MS-DOS.

Redémarrage en mode MS-DOS

En utilisant la première méthode, Windows était toujours actif. Une méthode plus expéditive consiste à redémarrer l'ordinateur en mode MS-DOS. Pour cela, cliquez sur **Démarrer**, puis sélectionnez **Arrêter**. Dans la boîte de dialogue **Arrêt de Windows**, sélectionnez **Redémarrer en mode MS-DOS** et cliquez sur **OK** (voir Figure 3.6).

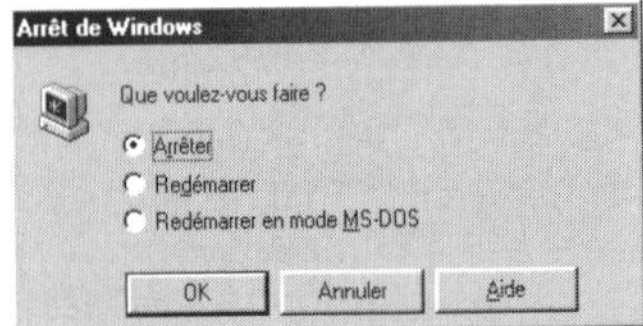

Figure 3.6 : La boîte de dialogue Arrêt de Windows.

Quelques instants plus tard, Windows n'est plus actif et le prompt MS-DOS attend vos commandes.

Lorsque l'utilisation de MS-DOS sera terminée, vous voudrez certainement retourner à Windows. Tapez WIN ou EXIT et appuyez sur la touche *Entrée*.

Que faire quand un programme MS-DOS refuse de démarrer ?

Certains programmes MS-DOS particulièrement capricieux refuseront de s'exécuter sous Windows 98. C'est le cas de certains jeux qui ne supportent pas le ralentissement imposé par le multitâche de Windows.

Dans ce cas, le plus simple est de redémarrer l'ordinateur en mode MS-DOS exclusif. Dans ce mode, les programmes MS-DOS exécutés pourront tirer parti de toute la puissance de l'ordinateur.

Cliquez sur **Démarrer** et choisissez **Arrêter**. Sélectionnez **Redémarrer** et validez en cliquant sur **OK**. Après quelques instants, l'écran de démarrage de Windows 98 s'affiche. Appuyez sur la touche de fonction ***F8***. Un menu vous demande de préciser le mode de lancement de la machine. Sélectionnez l'option **Invite MS-DOS seulement**. Quelques instants plus tard, le mode MS-DOS exclusif est actif. Vous pouvez lancer vos programmes MS-DOS préférés comme vous le faisiez avant l'installation de Windows 98.

Optimiser l'exécution d'un programme MS-DOS

Certains programmes MS-DOS sont particulièrement exigeants en ce qui concerne le type et la quantité de mémoire qui doit leur être allouée. Si certains de vos programmes MS-DOS (en particulier les jeux) ont tendance à faire des erreurs mémoire lorsqu'ils sont exécutés sous Windows, vous pourrez peut-être mettre fin au problème en quelques clics. Cliquez du bouton droit sur l'icône du programme MS-DOS à optimiser et sélectionnez **Propriétés** dans le menu contextuel. Sélectionnez l'onglet **Mémoire** dans la boîte de dialogue **Propriétés de** (voir Figure 3.7).

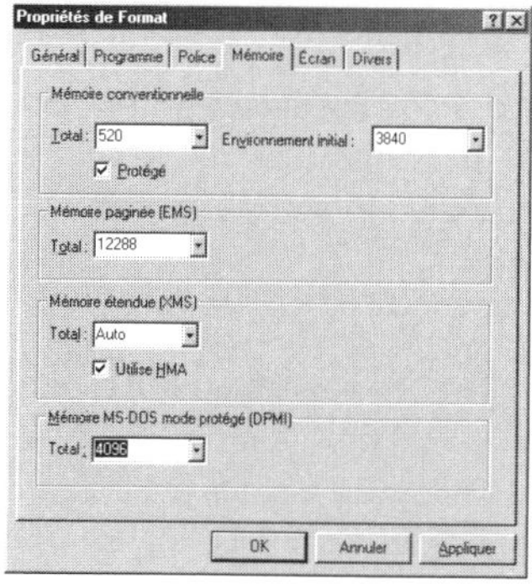

Figure 3.7 : L'onglet Mémoire de la boîte de dialogue des propriétés.

Groupe d'options Mémoire conventionnelle

- **Total.** Indiquez la taille de mémoire conventionnelle en kilo-octets (en dessous des 640 premiers kilo-octets) requise par le programme. Choisissez **Auto** si vous ne connaissez pas la taille nécessaire.

- **Environnement initial.** Indiquez la taille mémoire en kilo-octets nécessaire à l'interpréteur de commandes COMMAND .COM. Si vous choisissez la valeur **Auto**, c'est la ligne **SHELL=** du fichier CONFIG.SYS qui détermine la zone mémoire allouée à l'interpréteur.

- **Protégé.** En cochant cette case, vous interdisez au programme MS-DOS de modifier la mémoire allouée aux autres applications Windows qui fonctionnent en tâche de fond pendant son exécution.

Groupe d'options Mémoire paginée (EMS)

- **Total.** Indiquez la quantité de mémoire paginée en kilo-octets à allouer au programme MS-DOS. Si vous sélectionnez la valeur **Auto**, aucune limite supérieure n'est fixée. Certains programmes ont du mal à fonctionner dans ces conditions et vous serez obligés de définir une limite.

Groupe d'options Mémoire étendue (XMS)

- **Total.** Indiquez la quantité de mémoire étendue en kilo-octets à allouer au programme MS-DOS. De même que pour la mémoire paginée, la valeur **Auto** ne fixe aucune limite supérieure. Vous serez amené à définir une limite pour certains programmes MS-DOS récalcitrants.

- **Utilise HMA.** En cochant cette case, permettez au programme MS-DOS d'utiliser la mémoire HMA (comprise entre les 640 Ko et le premier mégaoctet. Cette case n'a bien évidemment aucune incidence si la mémoire HMA est déjà occupée par d'autres programmes (par exemple, le DOS ou des pilotes de périphériques).

Groupe d'options Mémoire MS-DOS mode protégé (DPMI)

- **Total.** Indiquez la quantité maximale de mémoire **DPMI** (*DOS Protected Mode Interface*) en kilo-octets à allouer au programme MS-DOS. En affectant la valeur **Auto** à ce paramètre, c'est Windows qui fixe la limite en fonction de la quantité de mémoire disponible.

La barre d'outils d'une fenêtre MS-DOS

Lorsqu'une application MS-DOS est exécutée dans une fenêtre Windows, une barre d'outils apparaît dans la partie supérieure de la fenêtre (voir Figure 3.8).

Figure 3.8 : La barre d'outils d'une fenêtre MS-DOS.

Le tableau ci-après résume la fonction des contrôles de cette barre d'outils.

Contrôle	Fonction
12 x 22	Type et taille de la police utilisée pour l'affichage dans la fenêtre
	Marquage d'une zone de texte en vue de sa copie dans le Presse-papiers de Windows
	Copie de la sélection dans le Presse-papiers de Windows
	Collage du Presse-papiers dans le programme MS-DOS
	Activation du mode plein écran
	Affichage des propriétés de la fenêtre MS-DOS
	Fonctionnement en arrière-plan ou en mode exclusif
A	Sélection des types de polices (bitmap et/ou TrueType) accessibles dans la liste modifiable **Police**

Quand le mode plein écran est actif, la barre d'outils n'est plus accessible. Pour la retrouver, vous devez repasser en mode fenêtre. Pour ce faire, appuyez simultanément sur les touches *Alt* et *Entrée*.

Chapitre 4

Les petits accessoires

Au sommaire de ce chapitre

- La Corbeille
- Le Presse-papiers
- Le Bloc-notes
- Les calculatrices
- Le numéroteur téléphonique
- L'aperçu rapide
- La table de caractères

Windows est fourni avec plusieurs petits accessoires bien utiles. Ce chapitre montre comment les employer.

La Corbeille

Cet outil est intéressant à plus d'un titre. Il permet de placer des raccourcis, des fichiers et des dossiers dans un espace tampon, avant leur effacement définitif. Les éléments qui se trouvent dans la

Corbeille ne sont pas affichés dans le Poste de travail ou dans l'Explorateur de fichiers. Ils sont donc considérés comme effacés. Cependant, il est possible de les récupérer, comme s'ils n'avaient jamais été placés dans la Corbeille.

Vous vous en doutez, la Corbeille est une zone mémoire sur le disque dur de l'ordinateur. En cliquant à droite sur son icône et en sélectionnant **Propriétés**, vous pouvez connaître ses caractéristiques (voir Figure 4.1).

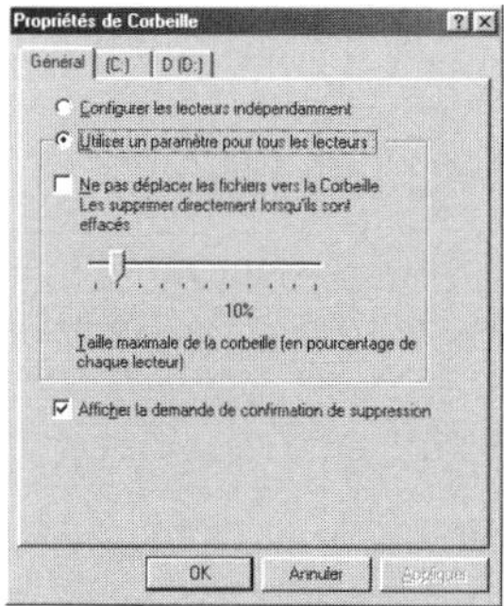

Figure 4.1 : Les caractéristiques de la Corbeille.

Dans cet exemple, l'ordinateur contient deux disques durs : **C** et **D**. Le bouton radio **Utiliser un paramètre pour tous les lecteurs** étant sélectionné, la taille maximale de la Corbeille s'applique à chacun des disques durs, qu'ils soient compressés ou non. Ici, la taille maximale est égale à dix pour cent de la taille de chaque disque.

Si nécessaire, vous pouvez sélectionner radio Configurer les lecteurs indépendamment. Vous pouvez alors affecter un pourcentage différent à chacune des unités de disque, en sélectionnant les onglets dans la partie supérieure de la boîte de dialogue.

Jeter un élément dans la Corbeille

Pour placer un élément dans la Corbeille, vous utiliserez l'une des trois méthodes suivantes, à partir du Poste de travail ou de l'Explorateur de fichiers :

- Sélectionnez l'élément, appuyez sur la touche ***Suppr*** et confirmez la suppression.
- Sélectionnez l'élément et déplacez-le (glisser-déplacer) vers la Corbeille.
- Cliquez du bouton droit sur l'élément, sélectionnez la commande **Supprimer** dans le menu contextuel et confirmez.

Plusieurs éléments peuvent être placés dans la Corbeille en une seule opération. Il suffit de les sélectionner avant de lancer la commande de suppression. Si les éléments sont consécutifs, sélectionnez le premier en cliquant dessus, maintenez la touche ***Maj*** enfoncée et cliquez sur le dernier. S'ils ne sont pas consécutifs, cliquez sur chacun d'entre eux en maintenant la touche ***Ctrl*** enfoncée.

Vider la Corbeille

Pour visualiser le contenu de la Corbeille, double-cliquez sur son icône. Une fenêtre intitulée **Corbeille** est ouverte (voir Figure 4.2).

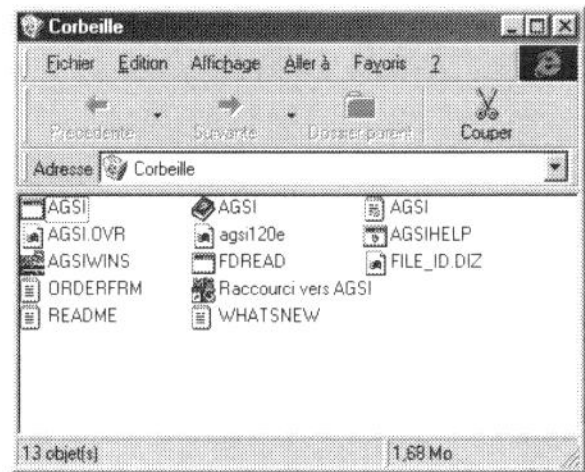

Figure 4.2 : Affichage du contenu de la Corbeille.

Dans l'exemple de la Figure 4.2, la Corbeille contient des documents et des raccourcis.

Pour vider la totalité de la Corbeille, lancez la commande **Vider la Corbeille** dans le menu **Fichier**. A titre d'information, sachez que vous pouvez aussi cliquer du bouton droit sur l'icône de la Corbeille et sélectionner **Vider la Corbeille**.

Pour vider partiellement la Corbeille, maintenez la touche *Ctrl* enfoncée, et sélectionnez les documents à supprimer en cliquant sur leur nom. Lancez alors la commande Supprimer dans le menu Fichier.

Restituer un élément sur le disque dur

Pour rendre à nouveau accessible un élément qui avait été placé dans la Corbeille, il suffit de le faire glisser de celle-ci vers l'Explorateur de fichiers ou le Poste de travail.

Dans l'exemple de la Figure 4.3, le fichier texte **WHATSNEW** est restitué dans le dossier **Utiles**.

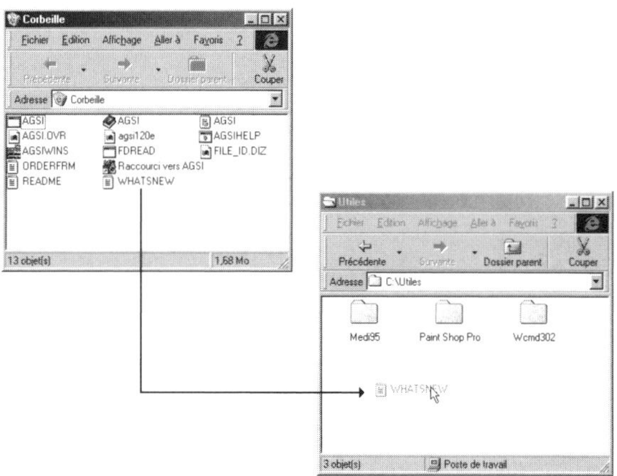

Figure 4.3 : Restitution d'un fichier placé dans la Corbeille.

Désactiver la fonction tampon de la Corbeille

Comme nous l'avons vu, la Corbeille occupe de l'espace disque. Si votre disque dur est proche de la saturation, vous souhaiterez

peut-être le soulager en dévalidant la fonction tampon de la Corbeille. Dans ce cas, tout déplacement vers elle produira un effacement irrémédiable. En contrepartie, l'espace libéré sera immédiatement disponible.

Pour désactiver la fonction tampon de la Corbeille, cliquez du bouton droit sur l'icône **Corbeille** et sélectionnez **Propriétés** dans le menu contextuel. Cochez la case **Ne pas déplacer les fichiers vers la Corbeille. Les supprimer directement lorsqu'ils sont effacés** (voir Figure 4.4).

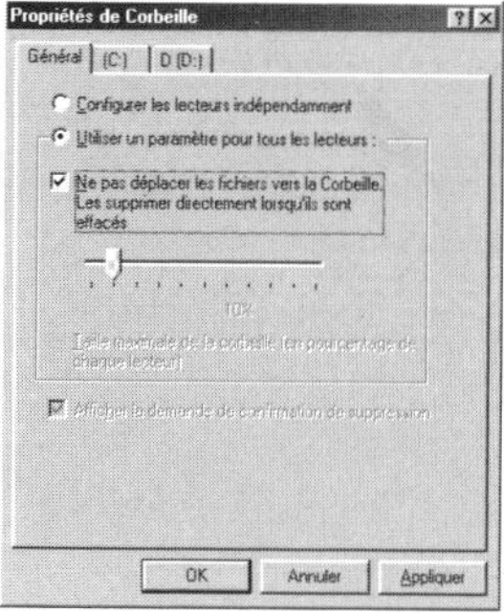

Figure 4.4 : Désactivation de la Corbeille.

Le curseur qui indique la taille de la Corbeille se grise et devient inaccessible. Cela est normal, puisque la Corbeille ne stocke plus aucune donnée sur disque.

Le Presse-papiers

Le Presse-papiers de Windows est universel. Il permet de faire transiter des informations de tous types (textes, images, sons, vidéos, etc.) à l'intérieur d'une même application, ou entre deux ou plusieurs applications quelconques.

La plupart des applications Windows sont dotées d'un menu **Edition**. Dans ce menu, trois commandes sont en rapport avec le Presse-papiers (voir Figure 4.5).

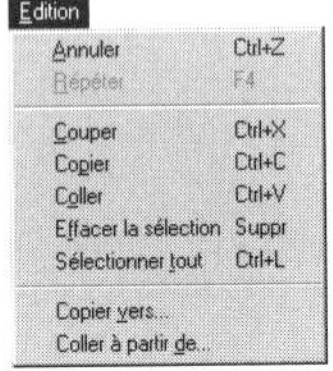

Figure 4.5 : Le menu Edition.

La commande **Couper** efface la sélection et la place dans le Presse-papiers. La commande **Copier** place la sélection dans le Presse-papiers sans l'effacer. Enfin, la commande **Coller** recopie le contenu du Presse-papiers dans l'application. Si nécessaire, elle peut être lancée plusieurs fois pour obtenir plusieurs exemplaires identiques.

Pour aller plus vite, vous pouvez utiliser les raccourcis clavier suivants :

Commande	Raccourci clavier
Edition/Couper	*Ctrl-X*
Edition/Copier	*Ctrl-C*
Edition/Coller	*Ctrl-V*

Le Bloc-notes

L'accessoire **Bloc-notes** est un éditeur de texte élémentaire, destiné à la lecture et à la modification des **fichiers texte ANSI**. Par défaut, les fichiers texte d'extension **TXT** et **INI** sont édités dans le Bloc-notes. Pour vous en convaincre, il suffit de double-cliquer sur

un tel fichier en utilisant le Poste de travail ou l'Explorateur de fichiers. Le Bloc-notes est immédiatement lancé, et le document sélectionné peut être édité (voir Figure 4.6).

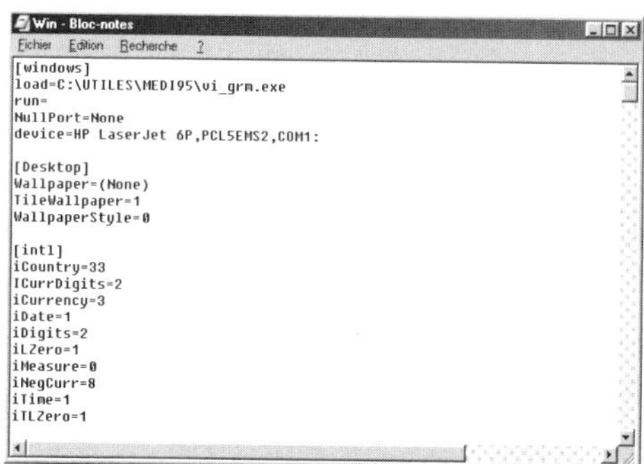

Figure 4.6 : Exemple d'édition d'un fichier d'initialisation dans le Bloc-notes.

Pour accéder au Bloc-notes sans passer par l'Explorateur de fichiers ou le Poste de travail, cliquez sur **Démarrer**, sélectionnez **Programmes**, **Accessoires** et **Bloc-notes**. Tout caractère tapé au clavier est affiché au point d'insertion (barre verticale clignotante). Pour sauvegarder le texte entré, utilisez la commande **Enregistrer** dans le menu **Fichier**. Si nécessaire, vous pouvez définir une mise en forme élémentaire avant d'imprimer un document. Lancez la commande **Mise en page** dans le menu **Fichier** (voir Figure 4.7).

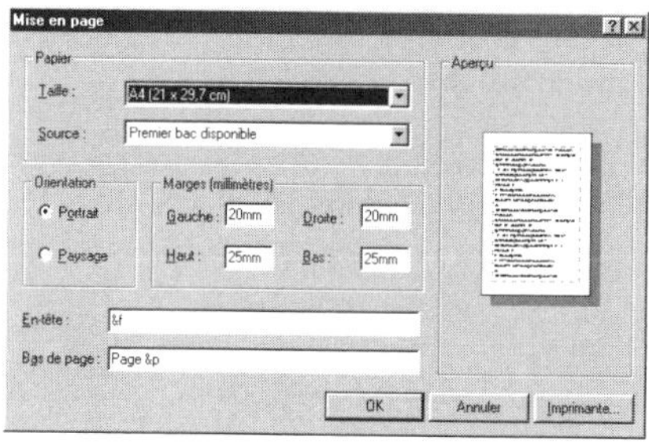

Figure 4.7 : Définition de la mise en page.

Dans les zones **En-tête** et **Bas de page**, vous pouvez utiliser plusieurs chaînes spéciales dont voici la liste :

Chaîne	Effet
&j	Date de l'impression
&h	Heure de l'impression
&f	Nom du fichier imprimé
&p	Numéro de la page courante
&g	Alignement du texte à gauche
&d	Alignement du texte à droite
&c	Centrage du texte

Une particularité intéressante

Le Bloc-notes peut être utilisé pour définir un journal chronologique. Lancez le Bloc-notes. Inscrivez les caractères **.LOG** sur la première ligne, en prenant garde à ne pas oublier le point. Enregistrez ce document. Lorsque vous le rouvrirez, le Bloc-notes ajoutera à la fin de celui-ci l'heure et la date courantes. Vous pourrez ainsi saisir et conserver simplement des informations horaires.

Pour faciliter l'accès au journal chronologique, utilisez la technique du glisser-déplacer depuis le Poste de travail ou l'Explorateur : déplacez-vous dans l'arborescence de votre disque pour faire apparaître le document, pointez-le et déplacez-le sur le Bureau en maintenant la touche gauche de la souris enfoncée. Un nouveau raccourci est créé. Il suffit maintenant de double-cliquer sur le raccourci pour avoir accès au journal chronologique dans le Bloc-notes.

Les Calculatrices

Qui n'a jamais eu besoin d'une calculatrice pendant l'utilisation de Windows ? Comme dans les versions précédentes, vous avez accès à deux calculatrices. La première est destinée aux calculs simples. Elle est en tout point comparable aux calculatrices d'entrée de gamme que l'on trouve dans les grandes surfaces. La seconde sert aux calculs scientifiques. Elle donne accès à de nombreuses fonctions statistiques, trigonométriques, hyperboliques et de conversion de bases. Elle conviendra donc particulièrement aux lycéens, aux étudiants, aux scientifiques et aux programmeurs qui manipulent couramment de telles données.

Pour lancer l'utilitaire **Calculatrice**, cliquez sur **Démarrer**. Sélectionnez **Programmes**, **Accessoires** puis **Calculatrice**. La dernière calculatrice utilisée (**Standard** ou **Scientifique**) est affichée (voir Figure 4.8).

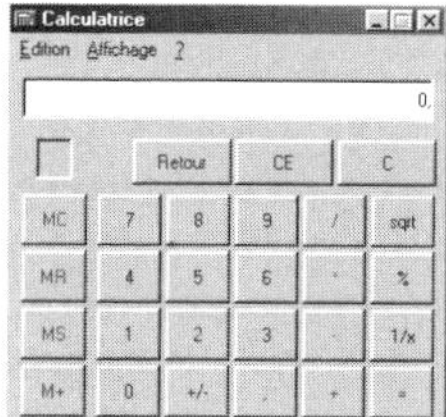

Figure 4.8 : La Calculatrice standard.

L'utilisation de la Calculatrice est élémentaire. Vous pouvez cliquer sur ses touches avec la souris, ou effectuer directement la saisie du calcul au clavier. A titre d'information, voici quelques-uns des raccourcis clavier correspondant aux touches spéciales de la Calculatrice standard :

Touche	Raccourci
C	*Echap*
CE	*Suppr*

Touche	Raccourci
Back	*Del*
MC	*Ctrl-L*
MR	*Ctrl-R*
MS	*Ctrl-M*
M+	*Ctrl-P*
+/-	*F9*

Pour afficher la Calculatrice scientifique, lancez la commande **Scientifique** dans le menu **Affichage** (voir Figure 4.9).

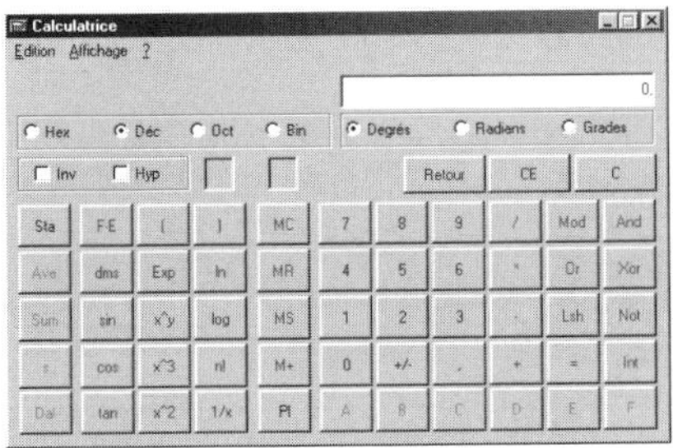

Figure 4.9 : La calculatrice scientifique.

Comme vous le voyez, ses possibilités sont bien plus étendues. Remarquez en particulier :

- Les boutons radio **Hex**, **Déc**, **Oct** et **Bin** qui permettent de travailler sur différentes bases de numération.
- Les boutons radio **Degrés**, **Radians** et **Grades** qui permettent de choisir l'unité utilisée dans les fonctions trigonométriques.
- Les touches **And**, **Or**, **Xor**, **Lsh** et **Not** dédiées à l'arithmétique logique.

- Les touches de fonction statistiques **Sta**, **Ave**, **Sum**, **s** et **Dat** dédiées aux calculs statistiques.
- Les touches de couleur pourpre qui donnent accès aux fonctions trigonométriques et hyperboliques.

Si la signification d'une touche particulière vous échappe, pointez-la, cliquez du bouton droit et sélectionnez Qu'est-ce que c'est dans le menu contextuel. Une bulle d'aide donnant toutes les informations nécessaires à son utilisation est immédiatement affichée.

Le numéroteur téléphonique

Si vous êtes équipé d'un modem, Windows 98 met à votre disposition un petit outil fort sympathique qui permet de composer des numéros de téléphone depuis votre ordinateur et de mémoriser jusqu'à huit numéros de téléphone. Cet outil est accessible via **Démarrer** par la commande **Programmes**, **Accessoires**, **Communications** et **Numéroteur téléphonique** (voir Figure 4.10).

Figure 4.10 : Le numéroteur téléphonique.

Pour composer un numéro de téléphone, vous pouvez utiliser indifféremment le clavier ou les touches numérotées de la fenêtre **Numéroteur téléphonique**. Pour enregistrer un numéro dans l'une des huit mémoires, cliquez sur correspondant et complétez la boîte de dialogue **Programmation de la numérotation rapide** (voir Figure 4.11).

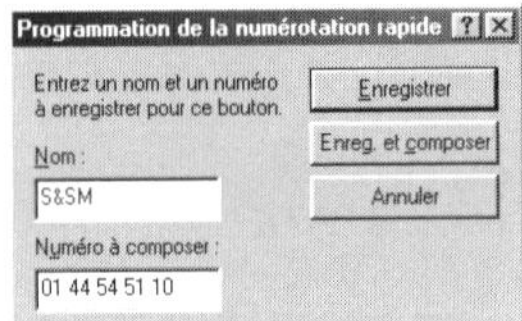

Figure 4.11 : Mémorisation d'un correspondant.

Cliquez sur **Enregistrer** pour mémoriser les informations dans le bouton. Il suffit maintenant d'appuyer sur pour déclencher la numérotation. Si votre modem est doté d'un micro et d'un haut-parleur, vous n'aurez même pas à décrocher le téléphone pour engager la conversation…

Si le numéroteur téléphonique n'apparaît pas dans le menu Démarrer, cela signifie qu'il n'a pas été installé. Double-cliquez sur l'icône Ajout/Suppression de programme dans le Panneau de configuration. Sélectionnez l'onglet Installation de Windows dans la boîte de dialogue affichée. Cliquez sur l'entrée Communications. Cliquez sur Détails. Cochez la case Numéroteur téléphonique et validez. Quelques instants plus tard, l'entrée Numéroteur téléphonique apparaît dans le menu Démarrer.

L'aperçu rapide

Dans Windows 98, il n'est pas nécessaire de posséder l'application dans laquelle ont été créés certains types de fichiers pour les visualiser. Ce tour de magie repose sur l'utilisation de l'**aperçu rapide**. Dans le Poste de travail ou l'Explorateur de fichiers, cliquez du bouton droit sur un fichier de votre choix. Cette action déclenche l'affichage d'un menu contextuel. Si l'entrée **Aperçu rapide** apparaît dans ce menu, sélectionnez-la pour avoir un aperçu du fichier (voir Figure 4.12).

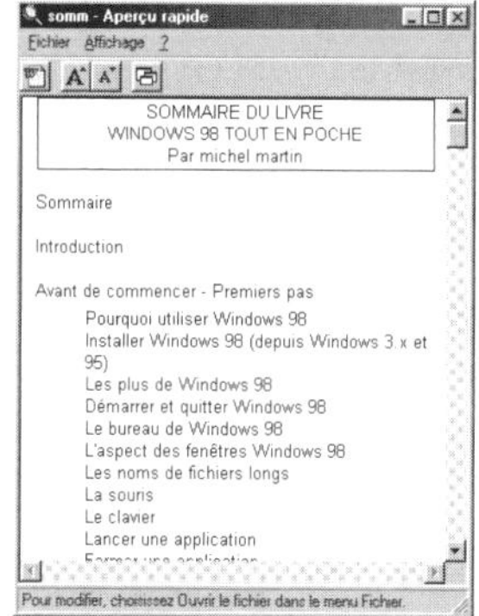

Figure 4.12 : Aperçu rapide d'un fichier MS Word.

Attention, l'aperçu rapide ne permet pas de modifier les documents affichés. Si vous possédez une application compatible avec le type de fichier visualisé, il suffit de cliquer sur l'icône **Ouvrir le fichier pour le modifier** dans la barre d'outils de l'aperçu rapide.

Si l'entrée Aperçu rapide n'est pas disponible lorsque vous cliquez du bouton droit sur un fichier, cela signifie qu'il n'existe aucun afficheur pour ce type de fichier ou que l'aperçu rapide n'a pas été installé. Dans le second cas, double-cliquez sur l'icône Ajout/Suppression de programme dans le Panneau de configuration. Sélectionnez l'onglet Installation de Windows dans la boîte de dialogue affichée. Cliquez sur l'entrée Accessoires. Cliquez sur Détails. Cochez la case Aperçu rapide et validez. Quelques instants plus tard, l'entrée Aperçu rapide apparaît dans le menu contextuel lorsque vous cliquez du bouton droit sur certains types de fichiers.

La table de caractères

Vous utilisez certainement un traitement de texte (comme WordPad, Word, WordPerfect, etc.) pour rédiger vos courriers, mémos ou autres documents. Pourquoi vous limiter aux caractères accessibles par le clavier alors que les polices de caractères de Windows sont

bien plus riches. Cliquez sur **Démarrer**. Sélectionnez **Programmes**, **Accessoires**, **Outils système** puis **Table de caractères**. Cette action déclenche l'affichage de la boîte de dialogue de la Figure 4.13.

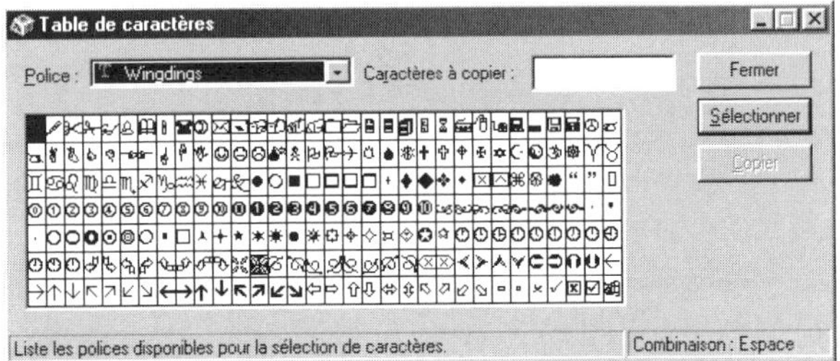

Figure 4.13 : La boîte de dialogue Table de caractères.

Sélectionnez une police dans la liste déroulante **Police**. L'ensemble des caractères de la police apparaît dans la zone centrale de la boîte de dialogue. Pour copier un ou plusieurs caractères de cette police dans votre traitement de texte, procédez comme suit :

1. Double-cliquez sur les caractères désirés pour les afficher dans la zone de texte **Caractères à copier**.

2. Cliquez sur **Copier**.

3. Basculez dans votre traitement de texte et lancez la commande **Coller** dans le menu **Edition** (ou une commande similaire).

Si la table de caractères n'apparaît pas dans le menu Démarrer, cela signifie qu'elle n'a pas été installé. Double-cliquez sur l'icône Ajout/Suppression de programme dans le Panneau de configuration. Sélectionnez l'onglet Installation de Windows dans la boîte de dialogue affichée. Cliquez sur l'entrée Outils système. Cliquez sur Détails. Cochez la case Table de caractères et validez. Quelques instants plus tard, l'entrée Table de caractères apparaît dans le menu Démarrer.

Chapitre 5

Les opérations fichiers

Au sommaire de ce chapitre

- Le Poste de travail et l'Explorateur
- Copier, déplacer et renommer un fichier
- Formater et dupliquer une disquette
- Le clic droit dans le Poste de travail et l'Explorateur
- Associer fichiers et applications
- Réparer un disque dur avec ScanDisk
- Accélérer un disque dur avec le Défragmenteur
- Compresser un disque avec DriveSpace
- Nettoyer un disque dur
- Planifier des tâches
- Le système de fichiers FAT32
- Dr Watson, l'expert ès bogues

- Avec WSH, Windows a son langage batch
- Rechercher fichiers et textes

Deux outils fort utiles permettent de manipuler les disques et les fichiers dans Windows : le Poste de travail et l'Explorateur. Ce chapitre vous montre leurs mille et une facettes.

L'Explorateur de fichiers

Pour les nostalgiques de Windows 3.1 et 3.11, l'ancien Gestionnaire de fichiers est toujours disponible dans Windows 98 (voir Figure 5.1). Pour accéder à cet outil, lancez l'application **WinFile.exe** dans le dossier d'installation de Windows.

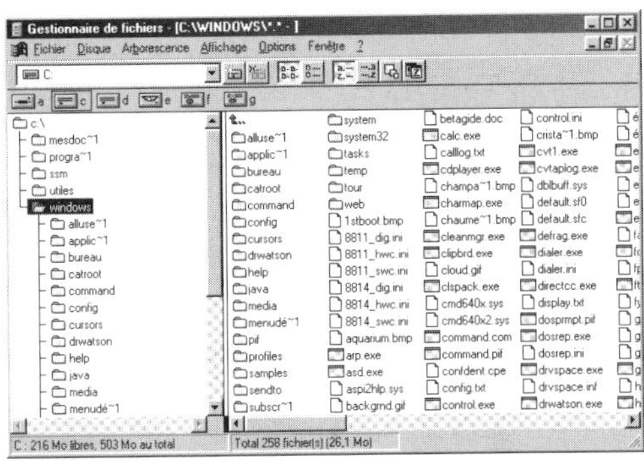

Figure 5.1 : L'ancien Gestionnaire de fichiers est toujours là !

L'application WinFile ne gère pas les noms de fichier longs. Elle doit donc être utilisée avec une extrême prudence, en particulier si vous copiez ou déplacez des dossiers et des fichiers par son intermédiaire.

L'Explorateur et le Poste de travail déjà présents dans Windows 95 ont été repris et "relookés" façon Web.

L'Explorateur a de nombreuses caractéristiques communes avec le Gestionnaire de fichiers, mais bien évidemment, il sait tirer parti des

noms de dossier/fichier longs. Pour lancer l'Explorateur de fichiers, cliquez sur **Démarrer**, sélectionnez **Programmes** puis **explorateur Windows**. La fenêtre de l'Explorateur est affichée (voir Figure 5.2).

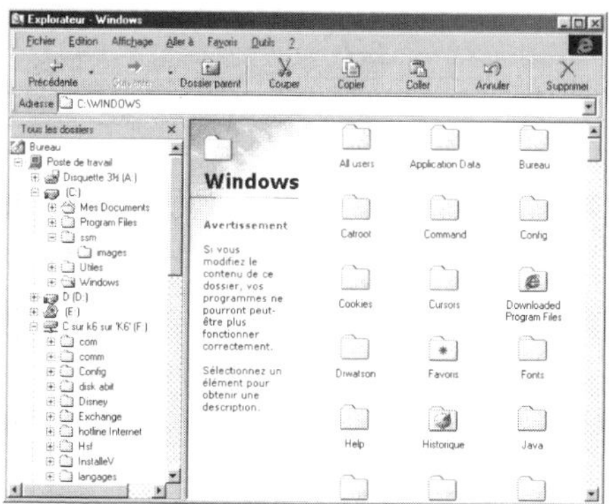

Figure 5.2 : La fenêtre de l'Explorateur.

L'Explorateur est composé de deux volets. Le volet droit détaille le contenu de l'élément sélectionné dans le volet gauche. Dans notre exemple, il s'agit des sous-dossiers et fichiers contenus dans le dossier C:\Windows.

Entraînez-vous à cliquer sur l'icône :

- ***Bureau*** pour accéder aux applications et raccourcis déposés sur le Bureau.
- D'un lecteur de ***disque***, de ***disquettes*** ou de ***CD-ROM*** pour visualiser le contenu de sa racine.
- ***Panneau de configuration*** pour accéder aux outils du Panneau de configuration.
- ***Imprimantes*** pour accéder aux gestionnaires d'impression des imprimantes installées, ou pour ajouter une nouvelle imprimante.
- ***Corbeille*** pour visualiser le contenu de la Corbeille.

- ***Tâches planifiées*** pour créer une nouvelle tâche planifiée ou démarrer le programme de réglage des tâches planifiées.
- ***Voisinage réseau*** pour accéder (le cas échéant) aux ordinateurs et disques partagés du réseau.
- ***Services en ligne*** pour accéder aux quatre services en ligne fournis avec Windows 98.

Certaines icônes du volet gauche sont précédées d'un signe plus (+), et d'autres d'un signe moins (-). Une icône précédée d'un signe + contient un ou plusieurs dossiers, alors qu'une icône précédée d'un signe - est développée. En d'autres termes, les dossiers qui la composent sont visibles dans le volet gauche. Pour développer/replier une icône, il suffit de cliquer sur le signe qui la précède ou de double-cliquer sur l'icône.

Dans la barre d'outils, vous pouvez utiliser la liste modifiable **Adresse** et l'icône **Dossier parent** pour changer rapidement le contenu du volet gauche. Remarquez aussi les icônes **Précédente** et **Suivante** qui permettent de voyager dans l'historique des dossiers sélectionnés (voir Figure 5.3).

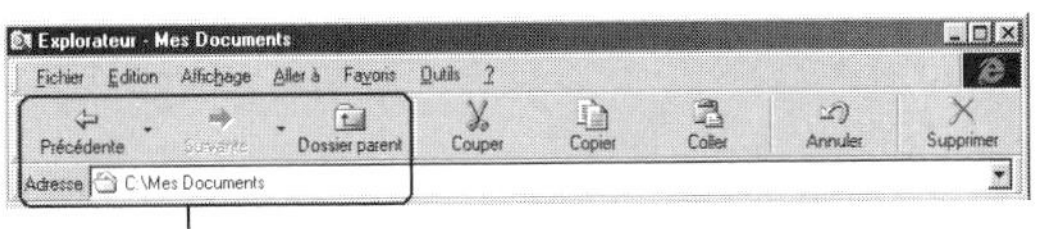

Figure 5.3 : Voyage dans les unités de masse.

Le menu Fichier conserve une trace des derniers disques/dossiers visités. Il suffit de sélectionner une de ces entrées pour afficher le dossier correspondant.

Comme nous l'avons dit précédemment, le volet droit de l'Explorateur présente le contenu de l'élément sélectionné dans le volet gauche. Il peut être composé d'un ou de plusieurs dossiers et fichiers (voir Figure 5.4).

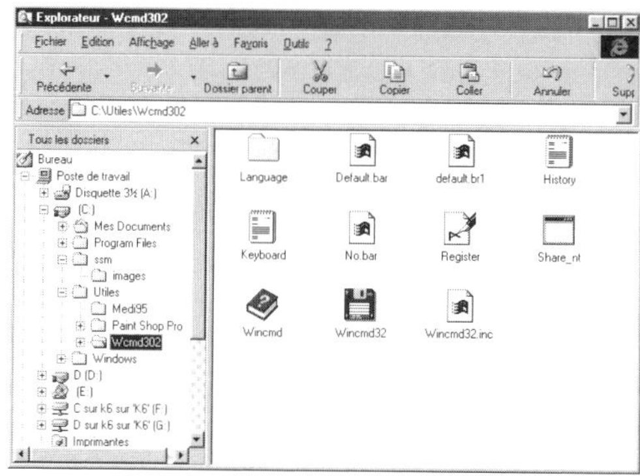

Figure 5.4 : Le volet droit contient les dossiers et les fichiers de l'élément sélectionné dans le volet gauche.

Dans cet exemple, le dossier **Wcmd302** contient un sous-dossier nommé **Language** et dix fichiers.

Pour connaître le contenu d'un sous-dossier, double-cliquez dessus dans le volet droit. Le volet gauche est automatiquement mis à jour.

Dans le volet droit, les entrées peuvent être représentées sous quatre formes différentes : à l'aide de grandes ou de petites icônes, sous forme de liste ou sous forme détaillée. Déroulez le menu **Affichage** et choisissez la commande appropriée. Vous pouvez aussi utiliser l'icône **Affichage** de la barre d'outils pour basculer d'un mode d'affichage à l'autre (voir Figure 5.5).

Si nécessaire, vous pouvez réorganiser les entrées du volet droit. Lancez la commande **Réorganiser les icônes** dans le menu **Affichage**, puis choisissez un des quatre classements proposés : par nom, type, taille ou date.

En mode d'affichage Détail, vous pouvez cliquer sur les zones Nom, Taille, Type et Modifié pour choisir l'ordre de classement. Par exemple, un premier clic sur l'étiquette Taille classe les entrées selon des tailles de fichiers croissantes. Un second clic sur cette même étiquette classe les entrées selon des tailles de fichiers décroissantes.

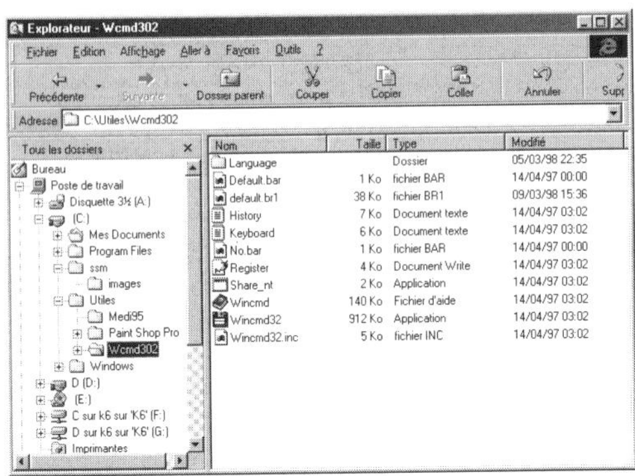

Figure 5.5 : Un exemple d'affichage des fichiers sous forme détaillée. Le nom, la taille, le type et la date de dernière modification

Pour terminer cette brève présentation de l'Explorateur, vous devez savoir que la barre d'état indique :

- le nombre et la taille totale des fichiers affichés dans le volet droit, ainsi que l'espace disque inoccupé après un clic sur un élément du volet gauche ;
- la taille et le nombre d'éléments sélectionnés dans le volet droit, après un ou plusieurs clics dans ce volet.

Comme nous l'avons déjà signalé dans le Chapitre 2 de cet ouvrage, il est possible de remplacer le double-clic par un simple clic dans l'Explorateur et dans le Poste de travail. Pour ce faire, lancez la commande **Options des dossiers** dans le menu **Affichage** et sélectionnez le mode d'affichage **Web**. Après cette opération, les dossiers et fichiers répertoriés dans la partie droite de l'Explorateur sont soulignés (voir Figure 5.6). Pour ouvrir un dossier ou un fichier, il suffit désormais de cliquer dessus.

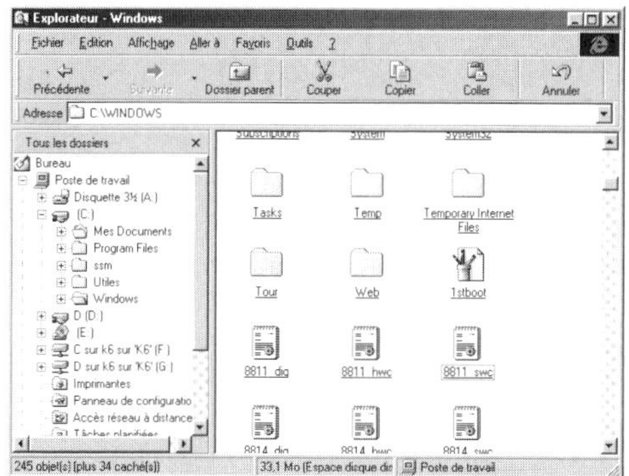

Figure 5.6 : En mode d'affichage Web, un simple clic suffit pour ouvrir un dossier ou un fichier dans l'Explorateur.

Le Poste de travail

Le Poste de travail est une variante monovolet de l'Explorateur. Pour afficher le Poste de travail, double-cliquez sur l'icône du même nom, qui se trouve par défaut dans le coin supérieur gauche du Bureau (voir Figure 5.7).

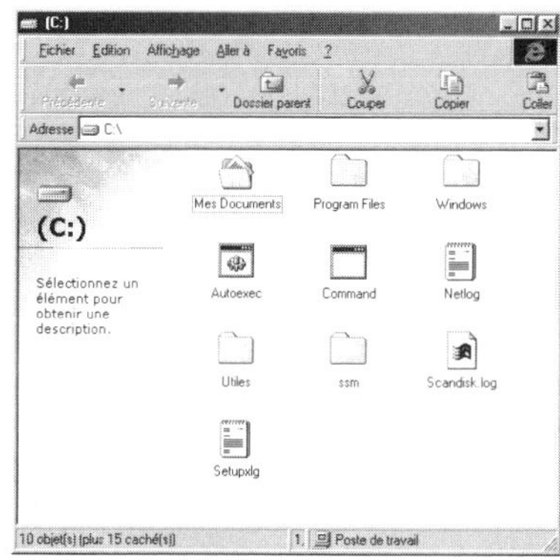

Figure 5.7 : La fenêtre du Poste de travail.

La barre d'outils du Poste de travail est une copie conforme de celle de l'Explorateur. Vous y retrouvez en particulier :

- la liste modifiable ***Adresse*** et les boutons ***Dossier parent***, ***Précédente*** et ***Suivante*** qui permettent de changer rapidement de disque/dossier ;
- le bouton ***Affichage***, qui permet de basculer entre quatre types d'affichage : **Grandes icônes**, **Petites icônes**, **Liste** et **Détails**.

Dans la partie inférieure de la fenêtre, la barre d'outils indique :

- Quand aucun élément n'est sélectionné : le nombre d'éléments affichés et la taille totale des fichiers du dossier courant.
- Quand un disque est en surbrillance : sa capacité totale et l'espace disponible.
- Quand un ou plusieurs fichiers sont sélectionnés : leur nombre et la somme de leurs tailles.

La partie centrale du Poste de travail est comparable au volet droit de l'Explorateur. Elle peut contenir un ou plusieurs dossiers et fichiers. Utilisez la commande **Réorganiser les icônes** du menu **Affichage** pour choisir le type de classement des éléments : par nom, par type, par taille ou par date. En mode d'affichage **Détail**, vous pouvez cliquer sur les zones **Nom**, **Taille**, **Type** et **Modifié** pour choisir l'ordre de classement.

Si nécessaire, ouvrez simultanément deux ou plusieurs fenêtres du Poste de travail. Comme nous le verrons par la suite, cela est particulièrement utile pour effectuer des copies et des transferts de fichiers.

Comme nous l'avons déjà signalé dans la section intitulée "L'Explorateur de fichiers", il est possible de remplacer le double-clic par un simple clic dans l'Explorateur et dans le Poste de travail. Pour ce faire, lancez la commande **Options des dossiers** dans le menu **Affichage** et sélectionnez le mode d'affichage **Web**. Après cette opération, les dossiers et fichiers recensés dans la partie centrale du Poste de travail sont soulignés (voir Figure 5.8). Pour ouvrir un dossier ou un fichier, il suffit désormais de cliquer dessus.

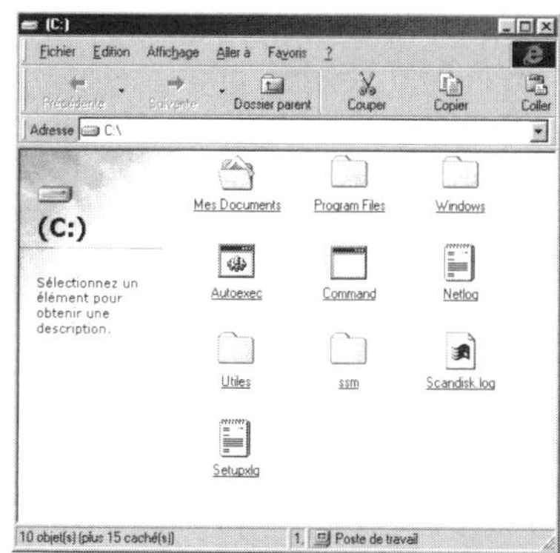

Figure 5.8 : En mode d'affichage Web, un simple clic suffit pour ouvrir un dossier ou un fichier dans le Poste de travail.

Figure 5.9 : Un simple clic suffit pour avoir des informations sur une unité de masse.

En sélectionnant une unité de disque dans le Poste de travail, vous connaissez immédiatement sa capacité, l'espace occupé et l'espace disponible (voir Figure 5.9).

Le menu Fichier conserve une trace des derniers disques/dossiers visités. Il suffit de sélectionner une de ces entrées pour afficher le dossier correspondant.

Pour terminer cette brève introduction du Poste de travail, sachez que chacun des dossiers ouverts dans le Poste de travail peut être affiché dans une fenêtre séparée, ou, au contraire, dans une fenêtre commune. Pour choisir le mode d'affichage, lancez la commande **Options des dossiers** dans le menu **Affichage**. Sélectionnez l'option **Personnalisé à partir de vos paramètres** et cliquez sur **Paramètres**. Cette action déclenche l'affichage de la boîte de dialogue **Paramètres personnalisés** (voir Figure 5.10). Cliquez sur l'un des deux boutons radio du groupe d'options **Parcourir les dossiers de la manière suivante** et validez votre choix en cliquant sur **OK**.

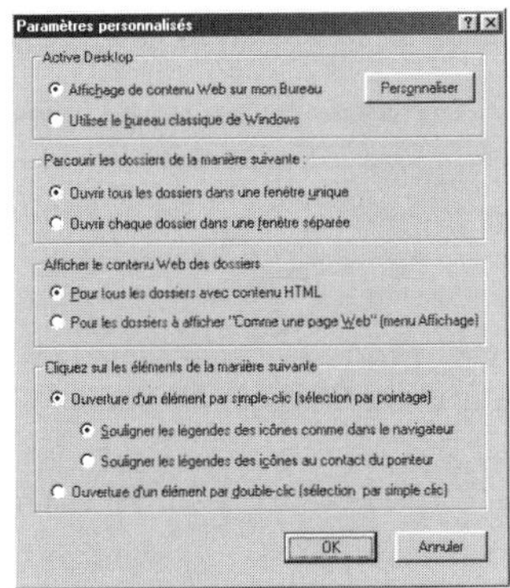

Figure 5.10 : La boîte de dialogue Paramètres personnalisés.

Personnaliser un dossier

Vous l'avez certainement remarqué, le Poste de travail affiche des éléments graphiques dans sa partie gauche. Il est aussi possible d'utiliser une image d'arrière-plan au format GIF, JPG ou BMP dans sa partie droite pour différencier certains dossiers.

Sélectionnez le dossier pour lequel vous voulez définir un arrière-plan graphique, puis lancez la commande **Personnaliser ce dossier** dans le menu **Affichage**. Cette action provoque l'affichage de la boîte de dialogue **Personnalisation du dossier**. Sélectionnez l'option **Choisir une image en arrière-plan** et cliquez sur **Suivant**. La deuxième boîte de dialogue permet de choisir une image d'arrière-plan, ainsi que la couleur de la légende des icônes (voir Figure 5.11). Si les images fournies avec Windows ne sont pas suffisantes, cliquez sur **Parcourir** et sélectionnez une image GIF, JPG ou BMP de votre choix.

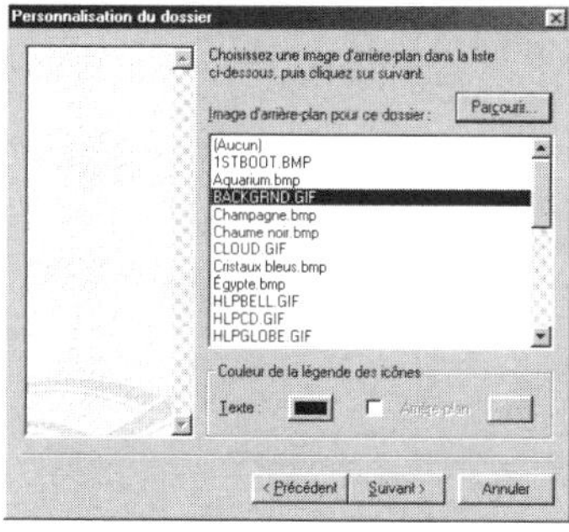

Figure 5.11 : Choix d'une image d'arrière-plan.

Validez en cliquant sur **Suivant** puis sur **Terminer**. L'image apparaît maintenant en arrière-plan des éléments qui composent le dossier (voir Figure 5.12).

Si vous vous sentez l'âme d'un programmeur HTML, vous pouvez aussi modifier entièrement l'apparence d'un dossier en créant une page HTML. Sélectionnez l'option **Créer ou modifier un document HTML** dans la boîte de dialogue **Personnalisation du dossier**, puis double-cliquez sur **Suivant**. Cette action déclenche l'affichage du code de la page HTML qui sera utilisée pour afficher le dossier (voir Figure 5.13).

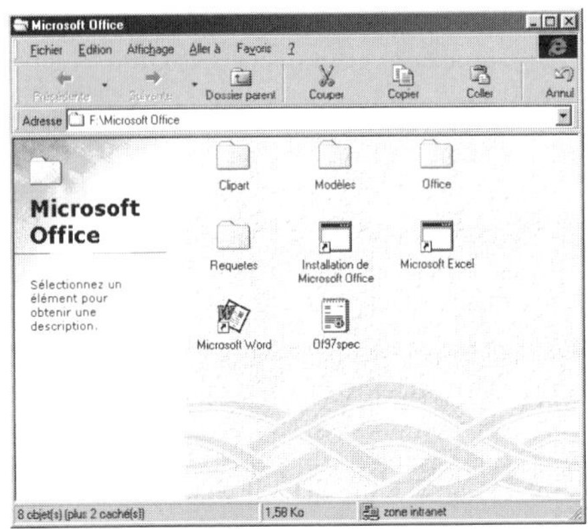

Figure 5.12 : Une image utilisée en arrière-plan du dossier F:\Office.

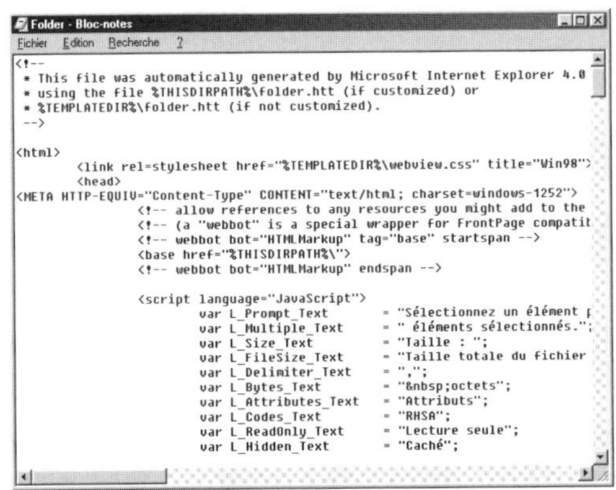


```
<!--
 * This file was automatically generated by Microsoft Internet Explorer 4.0
 * using the file %THISDIRPATH%\folder.htt (if customized) or
 * %TEMPLATEDIR%\folder.htt (if not customized).
 -->

<html>
        <link rel=stylesheet href="%TEMPLATEDIR%\webview.css" title="Win98">
        <head>
<META HTTP-EQUIV="Content-Type" CONTENT="text/html; charset=windows-1252">
                <!-- allow references to any resources you might add to the
                <!-- (a "webbot" is a special wrapper for FrontPage compatit
                <!-- webbot bot="HTMLMarkup" tag="base" startspan -->
                <base href="%THISDIRPATH%\">
                <!-- webbot bot="HTMLMarkup" endspan -->

                <script language="JavaScript">
                        var L_Prompt_Text       = "Sélectionnez un élément p
                        var L_Multiple_Text     = " éléments sélectionnés.";
                        var L_Size_Text         = "Taille : ";
                        var L_FileSize_Text     = "Taille totale du fichier
                        var L_Delimiter_Text    = ",";
                        var L_Bytes_Text        = " octets";
                        var L_Attributes_Text   = "Attributs";
                        var L_Codes_Text        = "RHSA";
                        var L_ReadOnly_Text     = "Lecture seule";
                        var L_Hidden_Text       = "Caché";
```

Figure 5.13 : Le code de la page HTML relative au dossier.

Vous pouvez ajouter des éléments dans ce code pour afficher des informations textuelles, une ou plusieurs images, un son et bien d'autres choses encore. Vous en saurez plus en vous reportant au Chapitre 14 dans lequel sont examinées les bases du langage HTML.

Pour supprimer la page HTML ou l'image utilisée en arrière-plan d'un dossier, il suffit de sélectionner l'option Supprimer la personnalisation dans la boîte de dialogue Personnalisation du dossier.

Effectuer des sélections multiples

Il est souvent nécessaire de sélectionner plusieurs éléments dans le volet droit de l'Explorateur, ou dans le Poste de travail. Par exemple, pour copier ou pour supprimer plusieurs fichiers en une seule opération. Plusieurs techniques sont à votre disposition.

Eléments voisins

Premier cas : les éléments à sélectionner sont voisins. Cliquez sur le premier élément. Déplacez la souris sur le dernier. Maintenez la touche ***Maj*** enfoncée et cliquez. Une autre méthode consiste à tracer un cadre autour des fichiers à sélectionner, en maintenant gauche de la souris enfoncé (voir Figure 5.14).

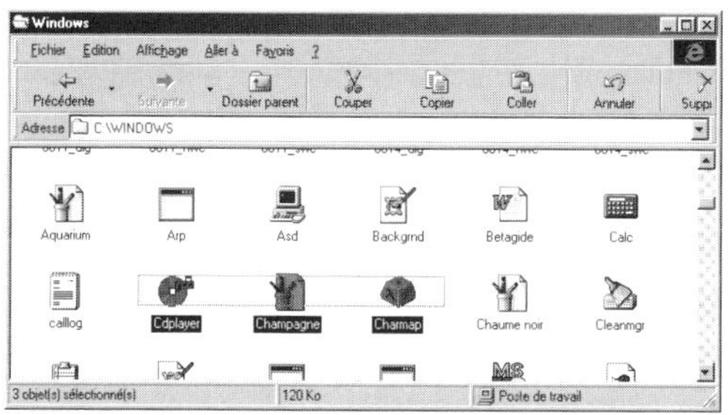

Figure 5.14 : Dans cet exemple, les fichiers Cdplayer, Champagne et Charmap sont sélectionnés.

Eléments non contigus

Deuxième cas : les éléments à sélectionner ne sont pas contigus. Maintenez la touche ***Ctrl*** enfoncée et cliquez sur chacun des éléments à sélectionner.

Copier un fichier ou un dossier

Pour copier un fichier ou un dossier, utilisez l'une des deux techniques suivantes.

Première technique

Sélectionnez le fichier/dossier à copier en cliquant dessus. Lancez la commande **Copier** dans le menu **Edition**, ou appuyez sur ***Ctrl-C***. Cette action provoque la copie du nom complet (chemin, nom et extension) de l'élément dans le Presse-papiers. Il suffit maintenant d'afficher le dossier destination et de lancer la commande **Coller** du menu **Edition**, ou de presser ***Ctrl-V***.

Deuxième technique

Sélectionnez le fichier/dossier à copier en cliquant dessus.

Maintenez la touche ***Ctrl*** enfoncée et déplacez la sélection vers le dossier destination. Ce dossier peut être affiché, au choix, dans l'un des volets de l'Explorateur ou dans le Poste de travail.

Pendant le déplacement, un petit signe plus (+) vous indique clairement la nature de l'opération : il s'agit d'une copie et non d'un déplacement (voir Figure 5.15).

Si le fichier/dossier à copier et le dossier destination se trouvent sur des unités de disque différentes, l'appui sur la touche *Ctrl* n'est pas nécessaire. Cependant, en systématisant son utilisation, vous serez assuré qu'il s'agit d'une copie et non d'un déplacement.

Les deux techniques exposées ici s'appliquent évidemment à plusieurs fichiers/dossiers sélectionnés.

Déplacer un fichier ou un dossier

Pour déplacer un fichier ou un dossier, utilisez l'une des deux techniques suivantes.

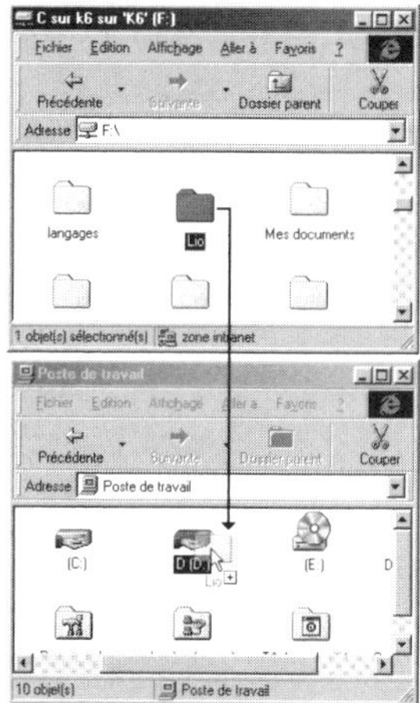

Figure 5.15 : Copie d'un fichier dans l'Explorateur.
Le signe + indique qu'il s'agit d'une copie.

Première technique

Sélectionnez le fichier/dossier à déplacer en cliquant dessus. Lancez la commande **Couper** dans le menu **Edition**, ou appuyez sur ***Ctrl-X***. Cette action provoque la copie du nom complet (chemin, nom et extension) de l'élément dans le Presse-papiers. Il suffit maintenant d'afficher le dossier destination et de lancer la commande **Coller** du menu **Edition**, ou de taper ***Ctrl-V***. Le fichier/dossier à déplacer est supprimé du dossier source et placé dans le dossier destination.

Deuxième technique

Sélectionnez le fichier/dossier à déplacer en cliquant dessus.

Maintenez la touche ***Maj*** enfoncée et déplacez la sélection vers le dossier destination. Ce dossier peut être affiché, au choix, dans l'un des volets de l'Explorateur ou dans le Poste de travail.

Aucun signe n'est affiché sur le pointeur. Il s'agit donc d'un déplacement et non d'une copie (voir Figure 5.16).

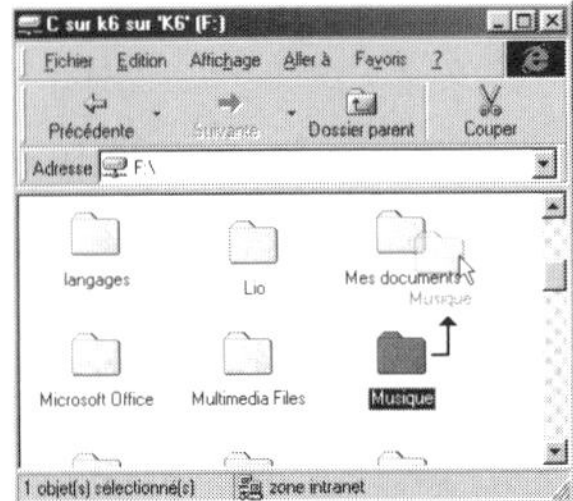

Figure 5.16 : Déplacement d'un fichier entre deux fenêtres du Poste de travail. L'absence du signe + indique qu'il s'agit d'un déplacement.

Si le fichier/dossier à déplacer et le dossier destination se trouvent sur la même unité de disque, l'appui sur la touche *Maj* n'est pas nécessaire. Cependant, en systématisant son utilisation, vous serez assuré qu'il s'agit d'un déplacement et non d'une copie.

Les deux techniques exposées ici s'appliquent évidemment à plusieurs fichiers/dossiers sélectionnés.

Renommer un fichier ou un dossier

La modification du nom d'un fichier ou d'un dossier se fait dans le Poste de travail ou l'Explorateur. Trois techniques peuvent être utilisées :

- Cliquez sur le fichier ou sur le dossier à renommer, puis lancez la commande **Renommer** du menu **Fichier**.
- Cliquez du bouton droit sur le fichier ou sur le dossier à renommer, puis sélectionnez **Renommer** du menu contextuel.
- Cliquez sur le fichier ou sur le dossier à renommer, puis appuyez sur la touche de fonction ***F2*** (voir Figure 5.17).

Quelle que soit la méthode choisie, le nom du fichier peut maintenant être changé. Entrez le nouveau nom et validez en cliquant sur la touche ***Entrée***.

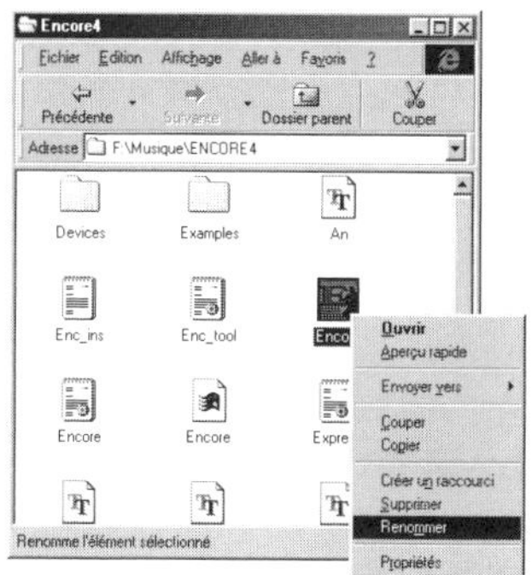

Figure 5.17 : Modification du nom d'un fichier en utilisant le clic droit.

Un nom de fichier peut contenir jusqu'à 255 caractères quelconques. Seuls les caractères suivants sont interdits : \, ?, :, *, ", < et >.

Copier vers une destination souvent utilisée

Si vous êtes amené à effectuer souvent des copies de fichiers vers les mêmes disques ou dossiers, vous avez intérêt à utiliser la copie rapide. Voici comment procéder :

1. Lancez le Poste de travail ou l'Explorateur.
2. Sélectionnez les fichiers à copier.
3. Pointez un des fichiers sélectionnés, puis cliquez du bouton droit.
4. Choisissez la commande **Envoyer vers**.
5. La liste des destinataires de la copie est affichée. Cliquez sur l'un d'entre eux pour réaliser la copie (voir Figure 5.18).

Bien évidemment, les destinataires peuvent être changés :

1. A l'aide de l'Explorateur ou du Poste de travail, ouvrez le dossier **Envoyer vers**, ou **Send To**, qui se trouve dans le dossier d'installation de Windows.

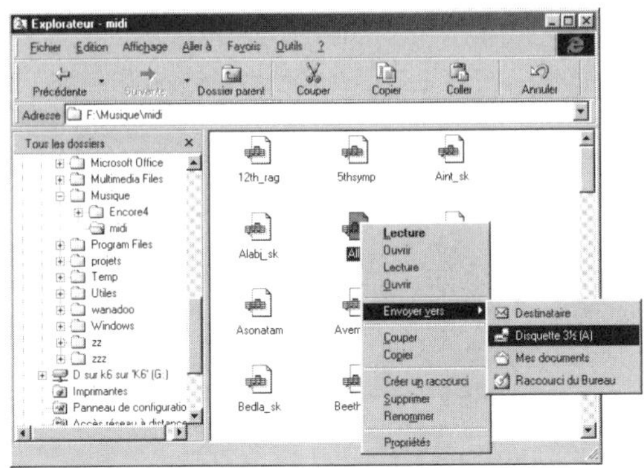

Figure 5.18 : Copie rapide des fichiers sélectionnés vers la disquette A:.

2. Pour supprimer un destinataire, cliquez sur son nom, puis appuyez sur la touche ***Suppr***.

3. Pour ajouter un destinataire, effectuez un glisser-déplacer d'un disque, d'un dossier ou d'un périphérique dans le groupe **Envoyer vers** ou **Send To** (voir Figure 5.19).

Figure 5.19 : Le dossier Send To contient la liste des destinataires de la copie.

Ne surchargez pas la liste des destinataires. La commande Envoyer vers perdrait tout son intérêt.

Formater une disquette

Pour formater une disquette, employez le Poste de travail ou l'Explorateur. Cliquez sur l'icône de la disquette pour la sélectionner, puis lancez la commande **Formater** du menu **Fichier**. Vous pouvez aussi cliquer du bouton droit sur l'icône de la disquette et sélectionner **Formater** dans le menu contextuel pour parvenir au même résultat. La boîte de dialogue **Formater** est alors affichée (voir Figure 5.20).

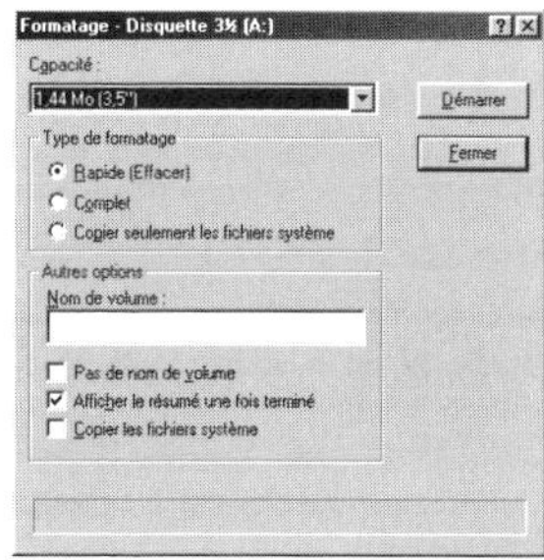

Figure 5.20 : Paramétrage du formatage dans la boîte de dialogue Formater.

Choisissez la capacité de la disquette et le type du formatage. Un formatage rapide se contente d'effacer tous les fichiers et dossiers de la disquette, sans déceler la présence d'éventuels secteurs défectueux. Si vous êtes certain qu'une disquette déjà formatée n'est pas endommagée, vous pouvez utiliser cette option. Vous choisirez par contre un formatage complet dans le cas d'une disquette vierge, ou pour tenter de formater une disquette que vous pensez défectueuse.

Complétez la zone de texte **Nom de volume** si nécessaire. Si vous cochez la case **Copier les fichiers système**, certains fichiers sont copiés sur la disquette après son formatage, de telle sorte qu'elle puisse être utilisée pour faire démarrer l'ordinateur.

Lorsque le formatage est terminé, une boîte de dialogue vous informe de la capacité de la disquette (voir Figure 5.21).

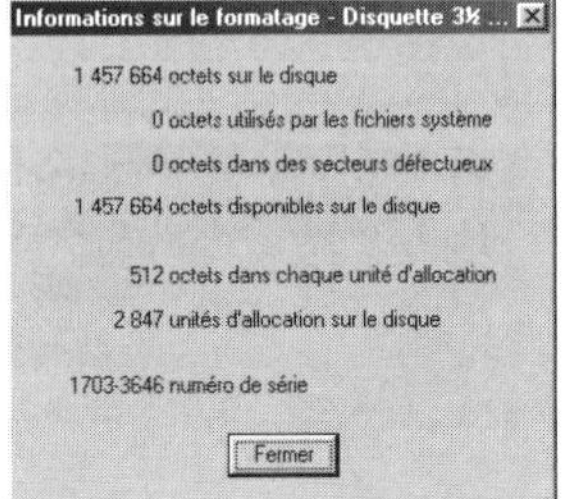

Figure 5.21 : Informations affichées à la fin d'un formatage.

Le formatage s'effectue en tâche de fond. Vous pouvez donc utiliser une ou plusieurs autres applications pendant le déroulement du processus.

Créer une disquette de démarrage

Lors de l'installation de Windows 98, vous avez été amené à créer une disquette de démarrage. Cette disquette vous dépannera si vous avez des problèmes pour lancer Windows 98. Elle contient en effet les fichiers nécessaires pour démarrer l'ordinateur, ainsi que deux programmes de diagnostics (**ChkDsk.exe** et **ScanDisk.exe**) qui permettent d'identifier les problèmes de démarrage.

Si vous avez égaré votre disquette de démarrage, il est toujours possible d'en créer une sous Windows. Cliquez sur **Démarrer** et sélectionnez **Paramètres** puis **Panneau de configuration**. Double-cliquez sur l'icône **Ajout/Suppression de programmes** dans la fenêtre du Panneau de configuration. Sélectionnez l'onglet **Disquette de démarrage** puis cliquez sur **Créer une disquette**.

Si vous désirez créer une disquette permettant de faire démarrer votre ordinateur (et non de déceler un éventuel problème), la technique à utiliser est différente.

Cliquez du bouton droit sur l'icône qui représente le lecteur de disquettes, dans le Poste de travail ou dans l'Explorateur de fichiers, et sélectionnez **Formater** dans le menu contextuel. Insérez une disquette formatée dans le lecteur, cliquez sur le bouton radio **Copier seulement les fichiers système**, puis sur **Démarrer** (voir Figure 5.22). Quelques instants plus tard, la disquette peut être utilisée pour démarrer l'ordinateur.

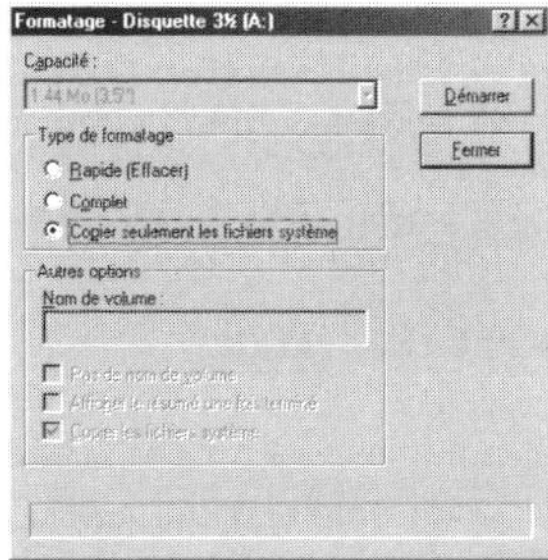

Figure 5.22 : Création d'une disquette de boot.

Dupliquer une disquette

Pour dupliquer une disquette, vous ferez appel au Poste de travail ou à l'Explorateur. Introduisez la disquette à dupliquer. Cliquez sur son icône pour la sélectionner, et lancez la commande **Copie de disquette** du menu **Fichier**. Vous pouvez aussi cliquer du bouton droit sur l'icône de la disquette et sélectionner **Copie de disquette** pour parvenir au même résultat.

Quelle que soit la méthode utilisée, la boîte de dialogue **Copie de disquette** est affichée (voir Figure 5.23).

Sélectionnez la disquette source, puis la disquette destination et cliquez sur **Démarrer**. Une jauge vous indique la progression de la lecture, puis de la copie.

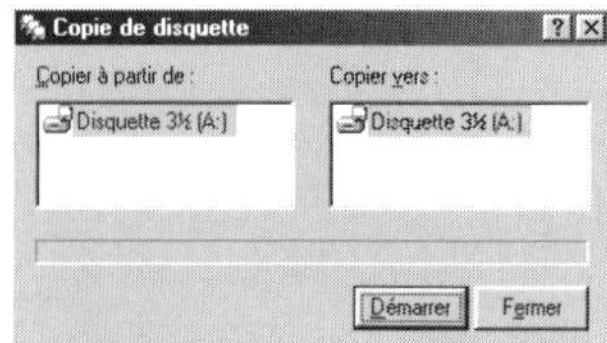

Figure 5.23 : La boîte de dialogue permettant de dupliquer une disquette.

La copie s'effectuant en tâche de fond, vous pouvez donc utiliser une ou plusieurs autres applications pendant le déroulement du processus.

Clic droit dans l'Explorateur et le Poste de travail

Dans Windows 98, quasi tous les objets réagissent aux clics droits de la souris. C'est aussi le cas du Poste de travail et de l'Explorateur.

Clic droit sur une unité de disque

Un clic droit au-dessus d'une icône de disque produit l'affichage du menu contextuel de la Figure 5.24.

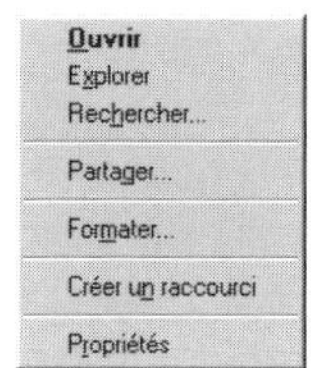

Figure 5.24 : Résultat d'un clic droit au-dessus d'une icône de disque.

Le tableau suivant indique la fonction de chacune des commandes du menu :

Commande	Fonction
Ouvrir	Affiche les dossiers et fichiers qui se trouvent dans la racine du disque.
Explorer	A partir du Poste de travail, ouvre l'Explorateur sur le disque pointé. A partir de l'Explorateur, équivalent à la commande **Ouvrir**.
Rechercher	Affiche la boîte de dialogue **Rechercher** pour effectuer une recherche sur le disque pointé.
Partager	Définit les conditions d'accès au disque pointé pour les autres utilisateurs du réseau.
Formater	Lance le formatage du disque.
Créer un raccourci	Définit un raccourci du disque sur le Bureau.
Propriétés	Affiche les propriétés du disque (taille, compression, partage, outils).

Une fois le disque sélectionné, ces commandes sont aussi accessibles dans le menu Fichier.

Clic droit sur un dossier

Lorsque vous cliquez du bouton droit sur l'icône d'un dossier, le menu contextuel de la Figure 5.25 s'affiche.

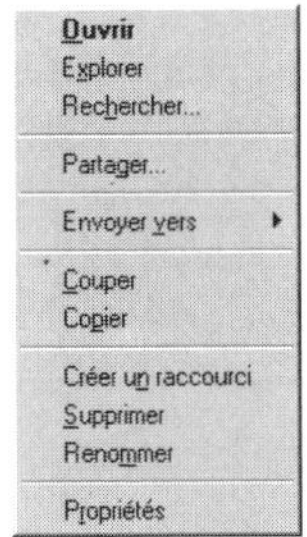

Figure 5.25 : Résultat d'un clic droit sur une icône de dossier.

Le tableau suivant indique la fonction des commandes de ce menu contextuel.

Commande	Fonction
Ouvrir	Affiche les sous-dossiers et les fichiers qui se trouvent dans le dossier pointé.
Explorer	A partir du Poste de travail, ouvre l'Explorateur sur le dossier pointé. A partir de l'Explorateur, équivalent à la commande Ouvrir.
Rechercher	Affiche la boîte de dialogue **Rechercher** pour effectuer une recherche dans le dossier pointé.
Partager	Définit les conditions d'accès au dossier pointé pour les autres utilisateurs du réseau.
Envoyer vers	Copie le dossier vers un ou plusieurs destinataires prédéfinis.
Couper	Supprime le dossier et le copie dans le Presse-papiers.
Copier	Copie le dossier dans le Presse-papiers.
Créer un raccourci	Définit un raccourci du disque sur le Bureau.
Supprimer	Supprime le dossier et l'envoie dans la Corbeille.
Renommer	Modifie le nom du dossier.
Propriétés	Affiche les propriétés du dossier (taille, partage).

Une fois le dossier sélectionné, ces commandes sont aussi accessibles dans le menu Fichier.

Clic droit sur un fichier

Lorsque vous cliquez du bouton droit sur un fichier, le menu contextuel dépend de la nature du fichier (voir Figures 5.26 et 5.27).

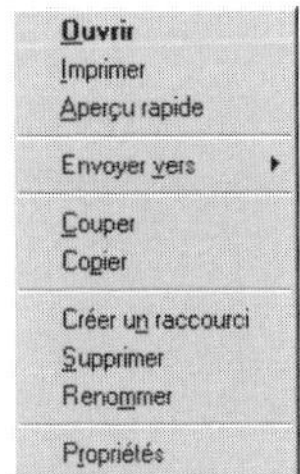

Figure 5.26 : Résultat d'un clic droit sur un document .TXT.

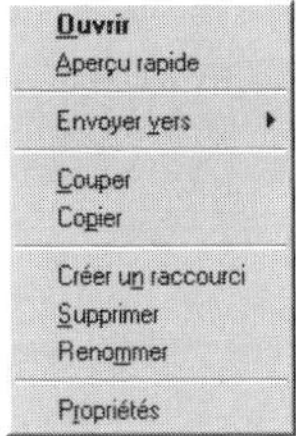

Figure 5.27 : Résultat d'un clic droit sur un fichier .EXE.

- La commande **Ouvrir** ouvre le fichier dans l'application qui lui est attachée.
- La commande **Ouvrir avec** permet de choisir l'application dans laquelle vous désirez visualiser le fichier. Cette commande apparaît lorsque le type de fichier pointé n'est attaché à aucune application connue.
- La commande **Aperçu rapide** affiche rapidement le contenu du fichier. Il n'est pas nécessaire de posséder l'application dans laquelle il a été créé pour le visualiser. En contrepartie, il est impossible de modifier le fichier en mode Aperçu rapide.
- La commande **Propriétés** indique l'emplacement, la taille, la date de création, la date de dernière modification et les attributs du fichier.

Les autres commandes ont la même fonction qu'un clic droit sur un dossier.

Un raccourci n'est pas un fichier

Il est important de bien faire la différence entre les raccourcis et les fichiers. La suppression d'un raccourci n'a que peu d'importance. En effet, le fichier représenté par le raccourci reste intact. Au contraire, la suppression d'un fichier entraîne son effacement physique du disque (ou son déplacement dans la Corbeille si cette dernière est activée). Il est donc important de l'effectuer en toute connaissance de cause.

Si la fonction tampon de la Corbeille est active, le fichier supprimé pourra être récupéré jusqu'à ce que celle-ci soit vidée (voir Figure 5.28).

Figure 5.28 : Une icône de document ou d'application et une icône de raccourci.

Les raccourcis sont facilement repérables grâce à une petite flèche orientée nord-est. Si vous n'êtes pas certain du type d'un fichier, cliquez du bouton droit sur son icône et choisissez **Propriétés** dans le menu contextuel. Le type du fichier est alors clairement indiqué (voir Figure 5.29).

Créer un dossier pendant la sauvegarde d'un fichier

La plupart des applications écrites pour Windows 98 sont capables de créer un nouveau dossier juste avant de sauvegarder un document.

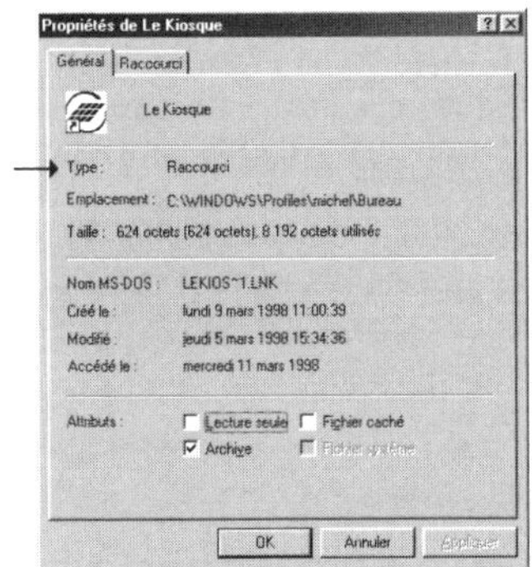

Figure 5.29 : Propriétés d'un raccourci.

Lorsque vous enregistrez un document pour la première fois, la boîte de dialogue **Enregistrer sous** est affichée. Un clic sur **Créer un nouveau dossier** définit un nouveau dossier dans le dossier courant (voir Figure 5.30).

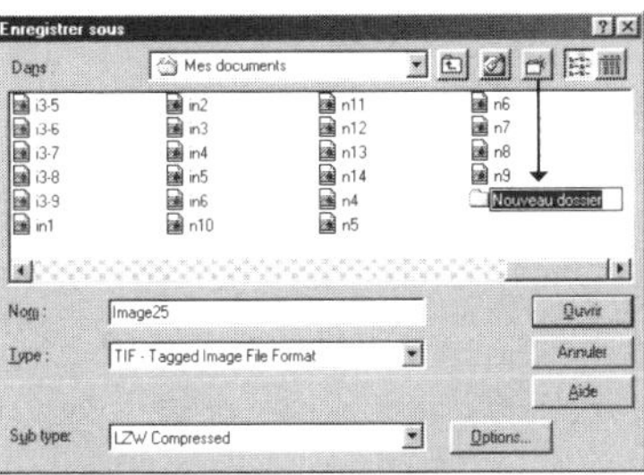

Figure 5.30 : Création d'un nouveau dossier.

Dans cet exemple, un nouveau dossier est créé dans le dossier **Mes documents**.

Le nom par défaut du nouveau dossier est en surbrillance. Utilisez le clavier pour définir son nom réel. Vous pouvez maintenant double-cliquer sur ce nouveau dossier pour l'ouvrir, et l'enregistrer en renseignant la zone de texte **Nom** et en cliquant sur **Ouvrir** (ou **Enregistrer**).

La commande Enregistrer dans le menu Fichier produit l'affichage de la boîte de dialogue Enregistrer sous lors de la première sauvegarde du document. Si vous désirez enregistrer ce dernier dans un autre dossier, alors qu'il a déjà été sauvegardé au moins une fois, lancez la commande Enregistrer sous du menu Fichier. La boîte de dialogue Enregistrer sous est affichée. Vous pouvez choisir un autre dossier, ou même en créer un nouveau en cliquant sur Créer un nouveau dossier.

Ouvrir une ou plusieurs fenêtres dans le Poste de travail

Lorsque vous double-cliquez sur l'icône d'un disque ou d'un dossier pour faire apparaître son contenu, les nouvelles données peuvent être affichées, au choix, dans la fenêtre courante ou dans une nouvelle fenêtre.

Pour choisir l'une ou l'autre de ces options, lancez la commande **Options des dossiers** du menu **Affichage**. La boîte de dialogue **Options des dossiers** est affichée. Sous l'onglet **Général**, sélectionnez le mode d'affichage **Personnalisé** et cliquez sur **Paramètres**. Le mode de parcours des dossiers est choisi dans le groupe d'options **Parcourir les dossiers de la manière suivante**. Sélectionnez l'une ou l'autre des deux options proposées et validez en cliquant sur **OK** (voir Figure 5.31).

Le nouveau type d'affichage prend effet immédiatement.

Si vous basculez du mode multifenêtre au mode monofenêtre, les éventuelles fenêtres du Poste de travail affichées restent ouvertes.

Associer fichiers et applications

Vous pouvez associer un type de fichier à une application pour faciliter l'ouverture de tous les fichiers similaires à partir du Bureau, du Poste de travail, de l'Explorateur ou d'un quelconque outil de gestion des unités de masse.

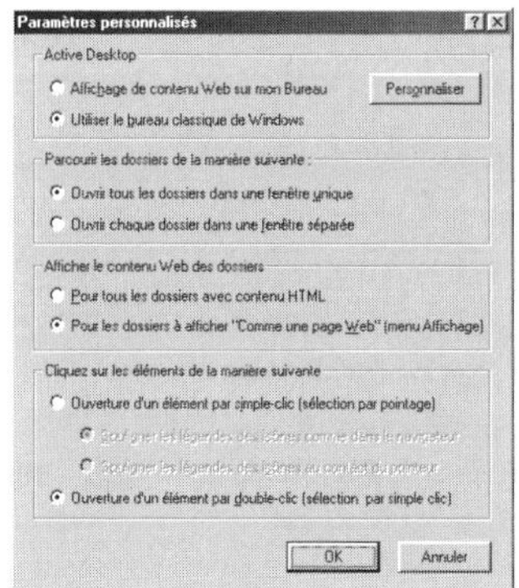

Figure 5.31 : Sélection d'un mode d'affichage dans le Poste de travail.

Lorsqu'un type de fichier est associé à une application, son icône permet de l'identifier d'un seul coup d'œil (voir Figure 5.32).

Figure 5.32 : Certains documents sont associés à une application, d'autres non.

Dans cet exemple, les documents **Register** et **Wincmd** sont associés à une application (respectivement WordPad et le système d'aide de Windows), alors que le document **Wincmd32.inc** est "orphelin".

Un double-clic sur une icône d'un document associé à une application ouvre le document dans cette application. Un double-clic sur une icône orpheline affiche une boîte de dialogue dans laquelle vous devez choisir l'application à utiliser (voir Figure 5.33).

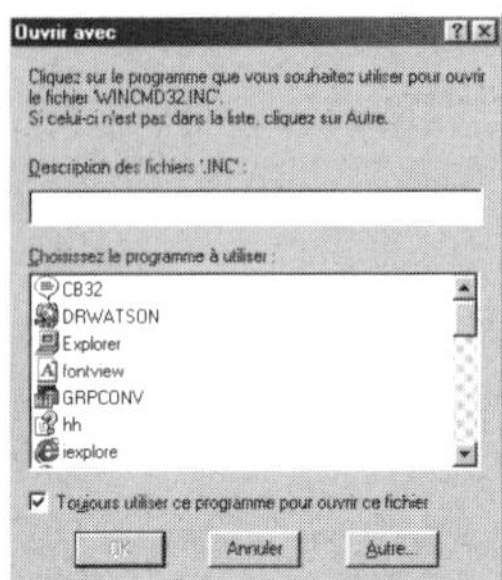

Figure 5.33 : Choix d'une application pour ouvrir le document.

Si vous utilisez souvent un type de fichier qui n'est associé à aucune application, il est conseillé de définir une association fichier/application pour faciliter son ouverture. Voici comment procéder :

1. Ouvrez le Poste de travail.
2. Lancez la commande **Options des dossiers** du menu **Affichage**, puis sélectionnez l'onglet **Types de fichiers.**
3. Cliquez sur **Nouveau type**. Il ne vous reste plus qu'à renseigner les zones de texte de la boîte de dialogue et à cliquez sur **OK** pour valider (voir Figure 5.34).

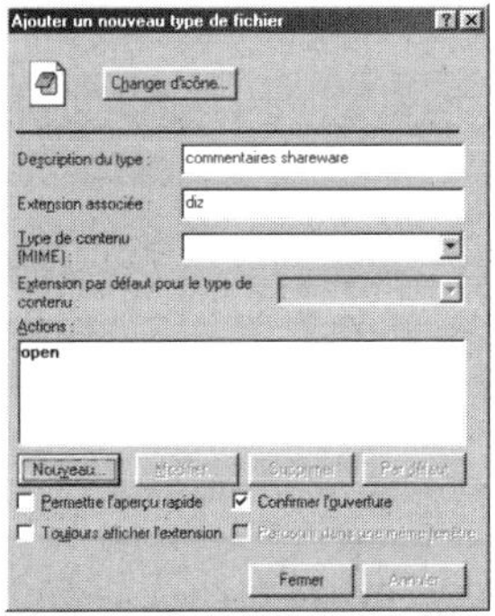

Figure 5.34 : Création d'une nouvelle association fichier/application.

La zone de liste **Actions** peut contenir une ou plusieurs commandes qui apparaîtront dans le menu de raccourci des fichiers de ce type. Pour ajouter une nouvelle commande, cliquez sur **Nouveau**, puis définissez le nom de la commande et l'action associée. Dans l'exemple de la Figure 5.35, l'action déclenchée est l'ouverture des fichiers du type courant avec le Bloc-notes de Windows.

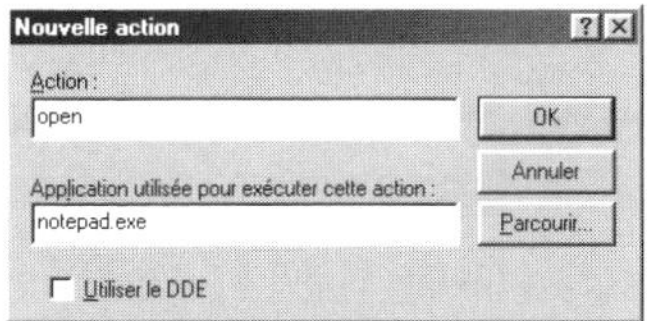

Figure 5.35 : Les fichiers de ce type seront ouverts avec le Bloc-notes.

Une fois la boîte de dialogue **Options des dossiers** fermée d'un clic sur **OK**, tout clic droit sur des fichiers d'extension **.diz** donnera accès à la commande **Ouvrir** pour visualiser le fichier dans le Bloc-notes (voir Figure 5.36).

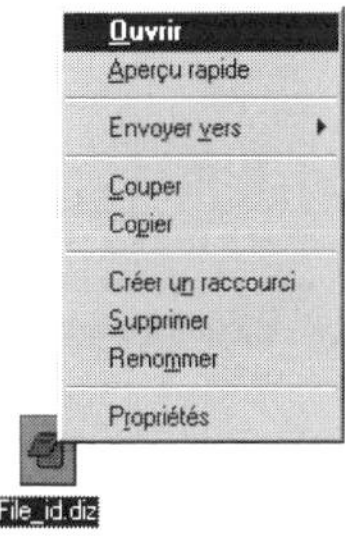

Figure 5.36 : Le menu contextuel contient la commande Ouvrir.

Réparer un disque avec ScanDisk

L'utilitaire **ScanDisk** permet d'analyser les fichiers et les dossiers d'une unité de disque, pour déterminer s'ils ne sont pas endommagés. Les éventuels secteurs défectueux pourront être réparés ou supprimés. Il est aussi possible d'examiner l'état de la surface d'une unité de disque, afin d'invalider certaines zones non fiables.

Les lecteurs de disques ne sont pas fragiles. Il est cependant conseillé de lancer régulièrement ScanDisk (par exemple, tous les mois) pour détecter tout défaut et le réparer en libérant (éventuellement) un espace disque occupé par des fichiers défectueux.

Pour lancer ScanDisk, cliquez sur **Démarrer** et sélectionnez **Programmes**, **Accessoires**, **Outils système** puis **ScanDisk**. La boîte de dialogue de ScanDisk est affichée (voir Figure 5.37).

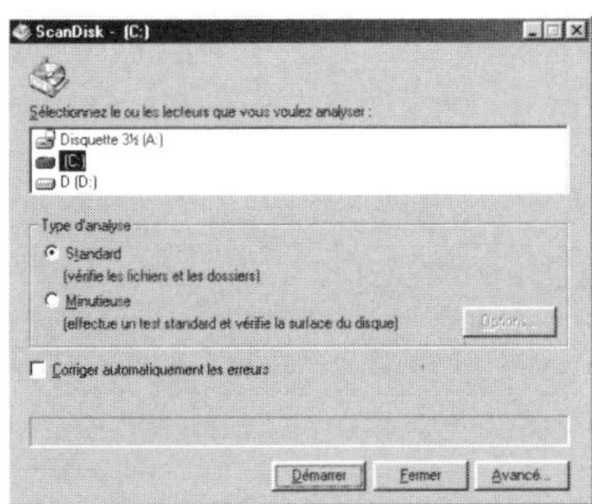

Figure 5.37 : La boîte de dialogue principale de ScanDisk.

Sélectionnez les disques à vérifier. Choisissez le type de l'analyse : ***Standard*** vérifie l'intégrité des fichiers et des dossiers, ***Minutieuse*** vérifie aussi la surface du disque. Cochez éventuellement la case **Corriger automatiquement les erreurs**, et cliquez sur **Démarrer** pour lancer l'analyse. Une jauge horizontale vous indique la progression du processus. Vous pouvez à tout moment interrompre l'analyse en cliquant sur **Annuler**.

Avancé donne accès aux options de fonctionnement de ScanDisk (voir Figure 5.38).

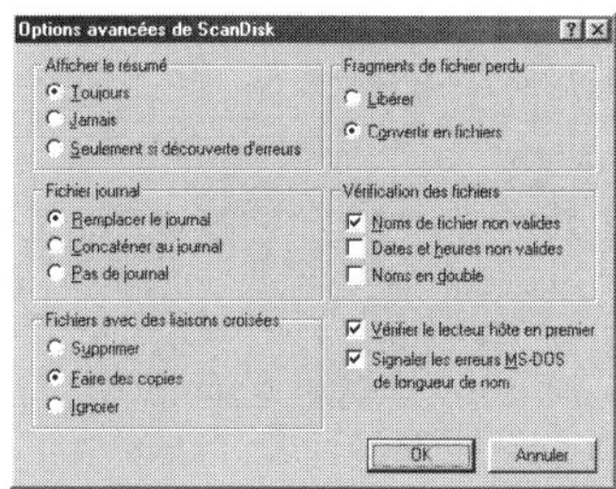

Figure 5.38 : Paramétrage de ScanDisk.

Les options par défaut conviennent dans la plupart des cas. Pour modifier le paramétrage par défaut, cliquez du bouton droit sur l'une des options et sélectionnez Qu'est-ce que c'est dans le menu contextuel pour vous assurer de l'opportunité de la correction.

Accélérer un disque en le défragmentant

Petit à petit, tous les disques durs ont tendance à ressembler à un morceau de gruyère. Les trous correspondent à l'espace disque inoccupé, et le fromage, aux données. Lorsque vous stockez un nouveau fichier sur le disque, il est possible que la taille du plus "gros trou" ne soit pas suffisante pour stocker le fichier. Ce dernier est alors découpé, et les divers fragments sont répartis en divers endroits non contigus sur le disque : le fichier est fragmenté. Il est simple de comprendre que le temps nécessaire pour accéder à un fichier est influencé par le nombre et la disposition des fragments. Windows 98 est fourni avec un outil fort utile, qui rassemble les morceaux et optimise donc les accès au disque.

Pour lancer le Défragmenteur, cliquez sur **Démarrer** et sélectionnez **Programmes**, **Accessoires**, **Outils système**, puis **Défragmenteur de disque**. Sélectionnez un lecteur dans la zone de liste centrale (voir Figure 5.39), puis cliquez sur **OK**. Quelques instants plus tard, la défragmentation commence. La durée du processus peut varier de quelques minutes à plusieurs heures en fonction de :

- l'état de fragmentation du disque ;
- la taille du disque ;
- la puissance de l'ordinateur.

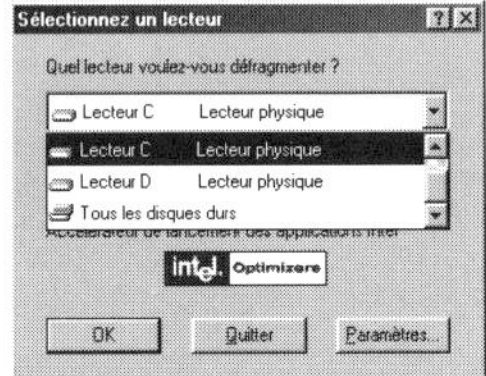

Figure 5.39 : La boîte de dialogue du programme de défragmentation.

Paramètres de la boîte de dialogue **Sélectionnez un lecteur** donne accès à une nouvelle boîte de dialogue dans laquelle vous indiquez les actions qui doivent être accomplies par le Défragmenteur (voir Figure 5.40).

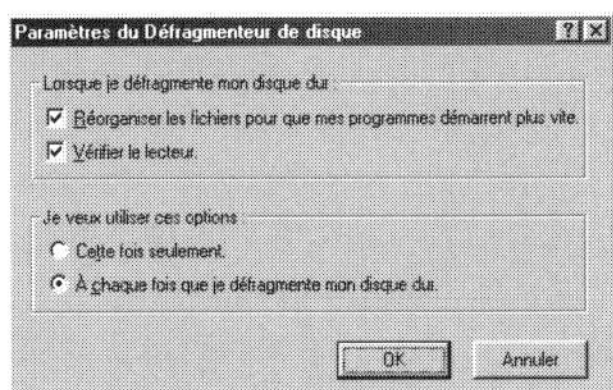

Figure 5.40 : Paramétrage du Défragmenteur.

Si vous cochez la case **Vérifier le lecteur**, le Défragmenteur vérifie les fichiers et les dossiers du disque avant de lancer la défragmentation. Toute erreur détectée annule l'opération et demande un nettoyage du disque avec **ScanDisk**.

Si vous cochez la case **Réorganiser les fichiers pour que mes programmes démarrent plus vite**, le Défragmenteur réarrange les fichiers de telle sorte que les programmes les plus souvent utilisés

soient lancés le plus rapidement possible. Si cette case est décochée, les fichiers sont déplacés pour éliminer les "trous de gruyère", mais aucune optimisation de lancement n'est effectuée.

Comme nous le verrons dans la section intitulée "Le planificateur de tâches" de ce chapitre, il est conseillé de lancer la défragmentation d'un disque à une heure où l'ordinateur reste inoccupé ; par exemple, entre douze et quatorze heures. Cette opération peut être facilement systématisée à l'aide du planificateur de tâches.

La Figure 5.41 montre un exemple de défragmentation détaillée dans laquelle les zones libres, les zones occupées et les "trous de gruyère" sont clairement mis en évidence.

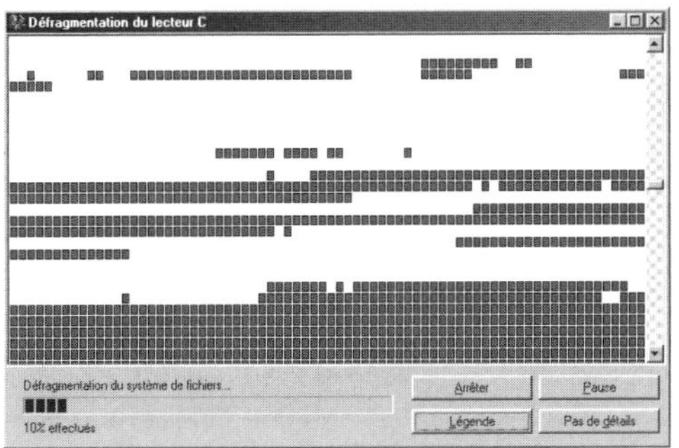

Figure 5.41 : Réorganisation des fichiers et des zones libres par le Défragmenteur

N'hésitez pas à utiliser souvent le Défragmenteur (par exemple, toutes les semaines) pour conserver des performances disque optimales, surtout si vous brassez de grandes quantités de données.

Augmenter la capacité d'un disque avec DriveSpace

DriveSpace est un outil de compression de disques et de disquettes livré avec Windows 98. Son taux de compression moyen se situe

aux alentours de 2,5. En d'autres termes, si votre disque a une capacité de 500 Mo, vous pourrez y stocker plus de 1 Go après l'utilisation de DriveSpace.

Pour lancer l'outil de compression DriveSpace, cliquez sur **Démarrer**, sélectionnez **Accessoires**, **Outils système**, puis **DriveSpace**. Après quelques instants, une fenêtre vous indique le type du ou des périphériques de masse de votre ordinateur (voir Figure 5.42).

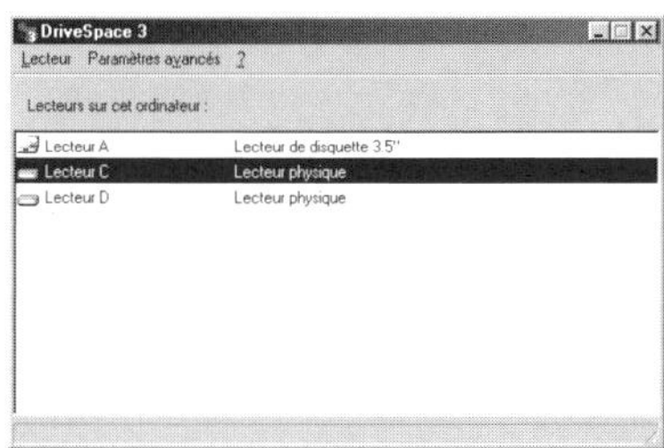

Figure 5.42 : Type des disques de l'ordinateur.

Dans cet exemple, l'ordinateur contient deux disques durs non compressés (**C:** et **D:**).

Pour compresser un nouveau disque, sélectionnez-le et lancez la commande **Compresser** du menu **Lecteur**. Au bout de quelques instants, DriveSpace affiche la taille estimée du disque après compression (voir Figure 5.43).

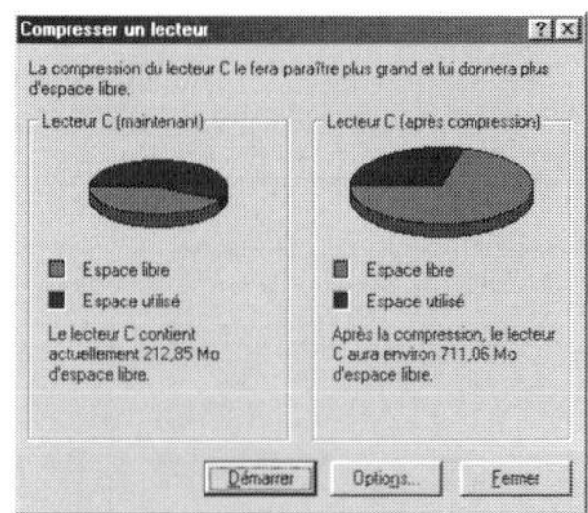

Figure 5.43 : Estimation de la taille du disque après compression.

Un clic sur **Démarrer** lance la compression. Cette opération peut être très longue (plusieurs heures) sur les disques de grande capacité. Patience, le jeu en vaut la chandelle…

Pour connaître le taux de compression d'un lecteur, cliquez sur son icône dans la fenêtre **DriveSpace** et lancez la commande **Propriétés** du menu **Lecteur**. L'espace libre, l'espace utilisé et le taux de compression constaté sont affichés (voir Figure 5.44).

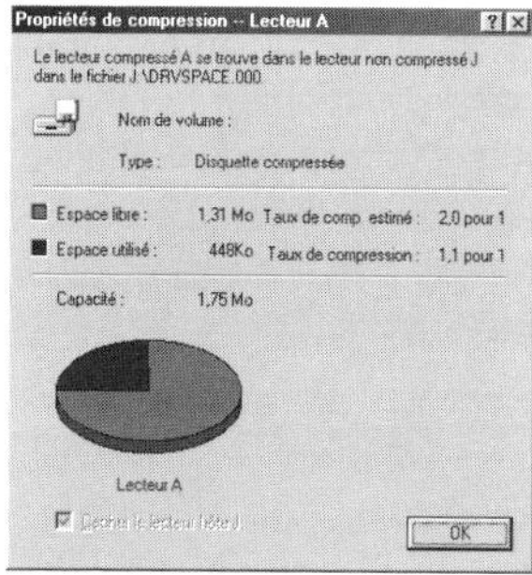

Figure 5.44 : Propriétés d'un lecteur compressé.

Si le disque dur de votre ordinateur utilise le système de fichiers FAT32 de Windows 98, vous ne devez en aucun cas lancer un utilitaire de défragmentation ou de diagnostics développé par une autre société que Microsoft sans vous assurer de sa compatibilité FAT32. Préférez plutôt les programmes FDISK, FORMAT, SCANDISK et DEFRAG fournis avec Windows 98, qui sont totalement compatibles FAT32.

Formater une disquette compressée

Si vous essayez de formater une disquette compressée à partir du Poste de travail ou de l'Explorateur, un message d'erreur est affiché (voir Figure 5.45).

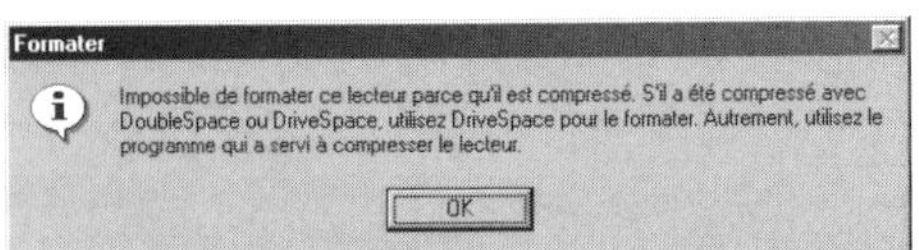

Figure 5.45 : Une disquette compressée ne peut pas être formatée par des moyens conventionnels.

Lancez DriveSpace. Pour cela, cliquez sur **Démarrer** et sélectionnez **Accessoires**, **Outils système**, puis **DriveSpace**. Dans la fenêtre de DriveSpace, une des entrées de la zone de liste centrale indique que la disquette est compressée. Cliquez sur cette ligne et lancez la commande **Formater** du menu **Lecteur**. Le formatage commence après confirmation.

Décompresser un disque compressé

Il est parfois nécessaire de décompresser un disque compressé avec DriveSpace. Pour ce faire, cliquez sur **Démarrer** et sélectionnez **Accessoires**, **Outils système**, puis **DriveSpace**. Lorsque la fenêtre DriveSpace 3 est affichée, cliquez sur l'entrée qui représente le disque compressé et lancez la commande **Décompresser** du menu **Lecteur**. Ici aussi, l'opération demande un temps non négligeable. Si vous décidez de décompresser un disque, faites-le de préférence lorsque l'ordinateur n'est pas utilisé.

Nettoyage d'un disque dur

Outre ses caractéristiques intrinsèques, les performances d'un disque dur sont liées à son état de fragmentation et… à l'espace disponible. Ce dernier paramètre est surtout sensible sur les disques IDE, c'est-à-dire sur les disques durs les plus courants.

Les ingénieurs de Microsoft ont eu la bonne idée de définir un utilitaire de nettoyage qui tente de récupérer de l'espace disque par tous les moyens. Pour accéder à cet utilitaire, cliquez sur **Démarrer** et sélectionnez **Programmes**, **Accessoires**, **Outils système**, puis **Nettoyage de disque**. Quelques instants plus tard, une boîte de dialogue similaire à celle de la Figure 5.46 est affichée.

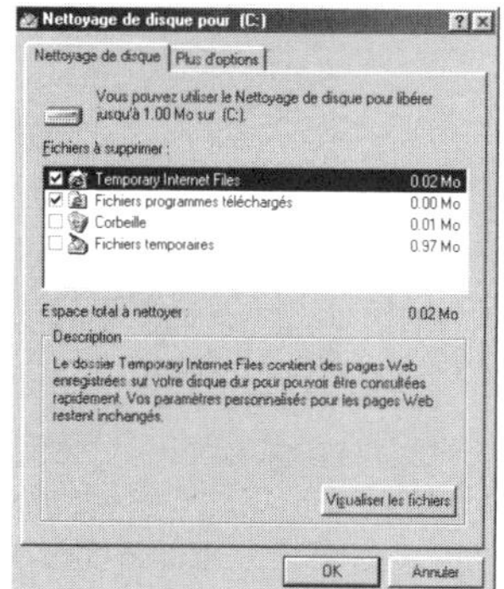

Figure 5.46 : La boîte de dialogue Nettoyage de disque.

Cochez une ou plusieurs des cases affichées dans la zone de liste centrale, en vous aidant des informations qui apparaissent dans le groupe d'options **Description**, puis cliquez sur **OK** pour procéder au nettoyage.

Si nécessaire, vous pouvez visualiser le contenu des fichiers à supprimer en cliquant sur Visualiser les fichiers. Mais, attention, une fois la suppression lancée, les fichiers ne pourront pas être récupérés.

Parfois, l'espace disque récupéré par le nettoyage du disque est des plus réduits. Dans ce cas, sélectionnez l'onglet **Plus d'options** dans la boîte de dialogue **Nettoyage de disque**, et lancez une des trois options proposées (voir Figure 5.47).

Nettoyer du groupe d'options **Installation de Windows** donne accès à l'onglet **Installation de Windows** de la boîte de dialogue **Propriétés de Ajout/Suppression de programmes** (voir Figure 5.48). Utilisez cette boîte de dialogue pour supprimer les composantes que vous n'utilisez pas. Dans certains cas, le gain d'espace disque est réellement substantiel.

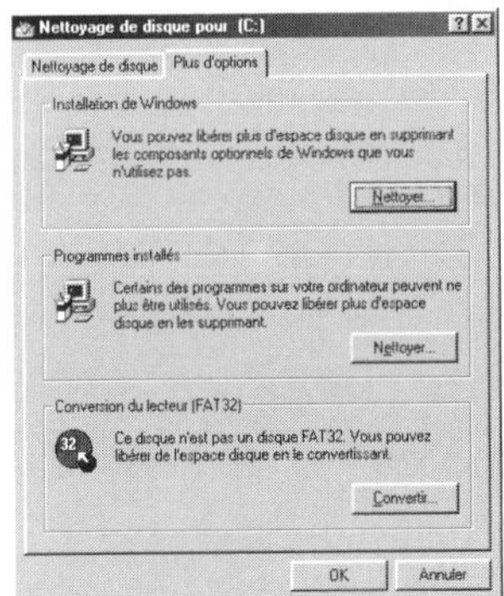

Figure 5.47 : Options avancées de nettoyage d'un disque dur.

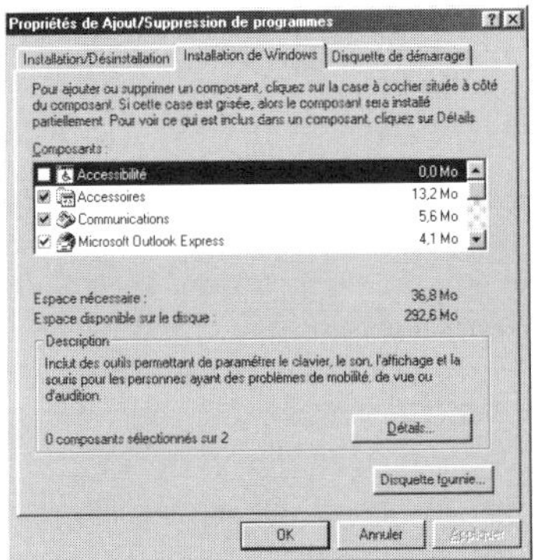

Figure 5.48 : Pour nettoyer un disque, pourquoi ne pas supprimer les composantes de Windows que vous n'utilisez pas ?

Nettoyer du groupe d'options **Programmes installés** donne accès à l'onglet **Installation/Désinstallation** de la boîte de dialogue **Propriétés de Ajout/Suppression de programmes** (voir Figure 5.49). Utilisez cette boîte de dialogue pour désinstaller une ou plusieurs applications que vous n'utilisez plus.

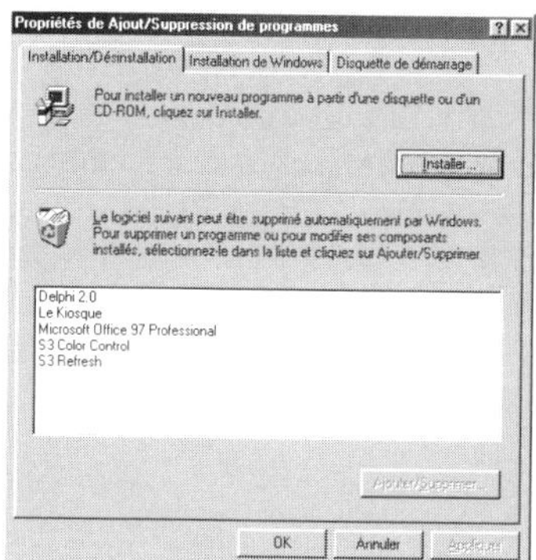

Figure 5.49 : Si vous n'utilisez plus une application, pourquoi ne pas la désinstaller ?

Quelques applications ne peuvent pas être désinstallées par l'intermédiaire de cette boîte de dialogue. Certaines sont dotées un programme de désinstallation propriétaire qui se trouve généralement dans le dossier où elles ont été installées. D'autres ne sont tout bonnement pas désinstallables par des moyens classiques. Pour parvenir à vos fins, vous devrez faire appel à un utilitaire spécialisé dans la désinstallation des applications.

Enfin, **Convertir** du groupe d'options **Conversion du lecteur (FAT32)** permet de transformer le système de fichiers d'un disque FAT16 en FAT32. Reportez-vous à la section de ce chapitre intitulée "Le système de fichiers FAT32" pour avoir de plus amples renseignements sur ce sujet.

Le planificateur de tâches

Le planificateur de tâches est un outil très précieux qui peut lancer automatiquement une ou plusieurs tâches destinées à optimiser l'ordinateur, à récupérer votre courrier électronique, ou encore à vous rappeler des rendez-vous importants.

L'icône du planificateur de tâches est affichée dans la partie droite de la barre des tâches (voir Figure 5.50). Pour afficher sa fenêtre, il suffit de double-cliquer sur cette icône. Si l'icône du planificateur de tâches n'apparaît pas dans la barre des tâches, cliquez sur **Démarrer** et sélectionnez **Programmes**, **Accessoires**, **Outils système**, puis **Tâches planifiées**.

Figure 5.50 : L'icône du planificateur des tâches.

Les tâches planifiées apparaissent dans la partie centrale de la fenêtre. Dans l'exemple de la Figure 5.51, une seule tâche a été planifiée : le démarrage du programme de réglages de Windows.

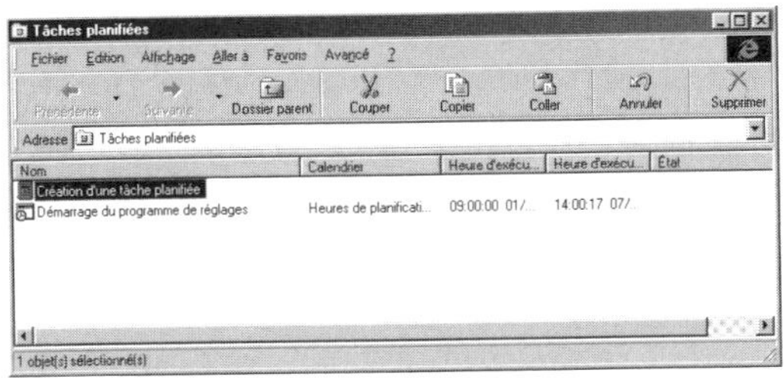

Figure 5.51 : Liste des tâches planifiées.

Pour visualiser ou modifier le paramétrage d'une des tâches recensées dans la fenêtre **Tâches planifiées**, il suffit de double-cliquer dessus. Cette action provoque l'affichage de la boîte de dialogue **Démarrage du programme de réglages**, à partir de laquelle vous devez spécifier le nom de la tâche à lancer et activer ou désactiver son démarrage automatique (voir Figure 5.52).

Sélectionnez l'onglet **Calendrier** pour visualiser et/ou modifier la date et l'heure d'activation de la tâche (voir Figure 5.53).

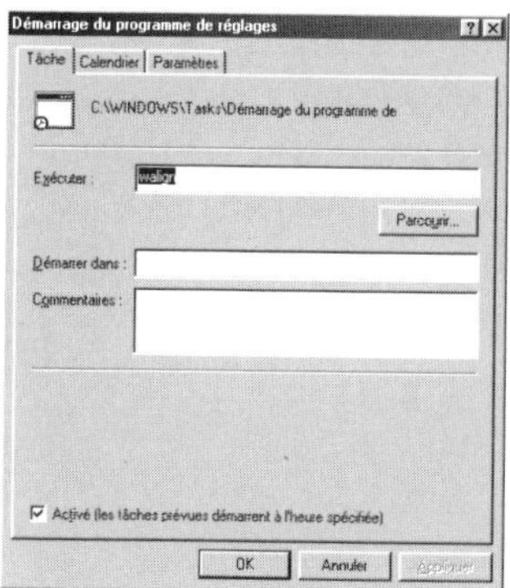

Figure 5.52 : L'onglet Tâche indique le nom du programme à lancer.

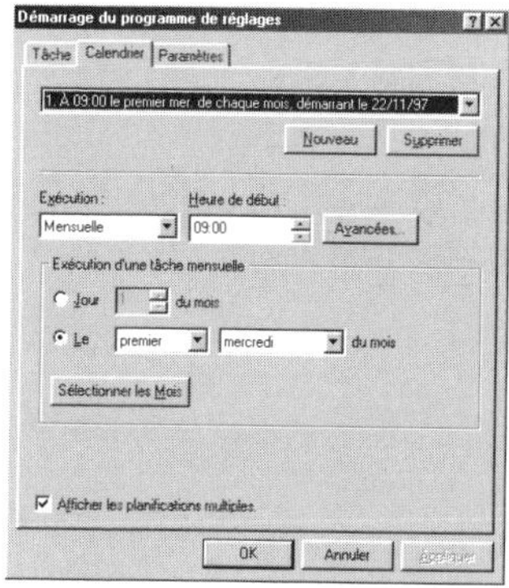

Figure 5.53 : L'onglet Calendrier permet de modifier l'horaire d'activation de la tâche.

Enfin, l'onglet **Paramètres** définit les conditions d'activation et d'arrêt de la tâche. Comme vous le voyez dans la Figure 5.54, la tâche peut être fermée lorsqu'elle est terminée, ou arrêtée après une durée paramétrable. Elle peut aussi ne démarrer que lorsque l'ordinateur est inactif ou sur batteries (dans le cas d'un ordinateur portable).

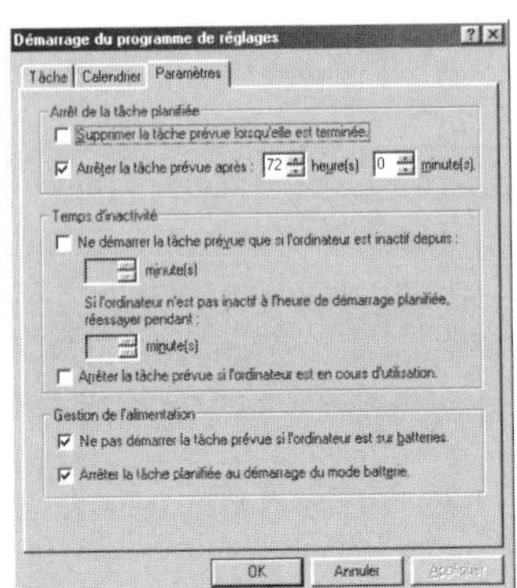

Figure 5.54 : Définitions des conditions nécessaires pour démarrer la tâche.

Pour planifier une nouvelle tâche, double-cliquez sur l'entrée **Création d'une tâche planifiée**. Cette action déclenche l'exécution d'un assistant qui vous demande de désigner la tâche que vous désirez planifier (voir Figure 5.55).

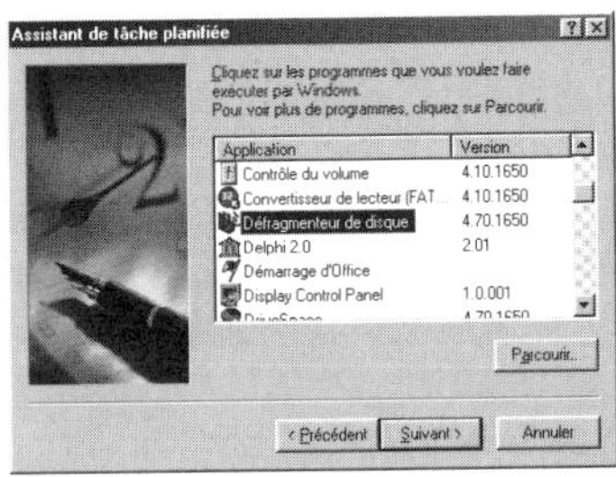

Figure 5.55 : Choix de la tâche à planifier.

Si l'application à lancer ne se trouve pas dans la boîte de dialogue, cliquez sur Parcourir et désignez-la manuellement.

Après avoir désigné l'application à exécuter, cliquez sur **Suivant** et choisissez la fréquence d'exécution (voir Figure 5.56).

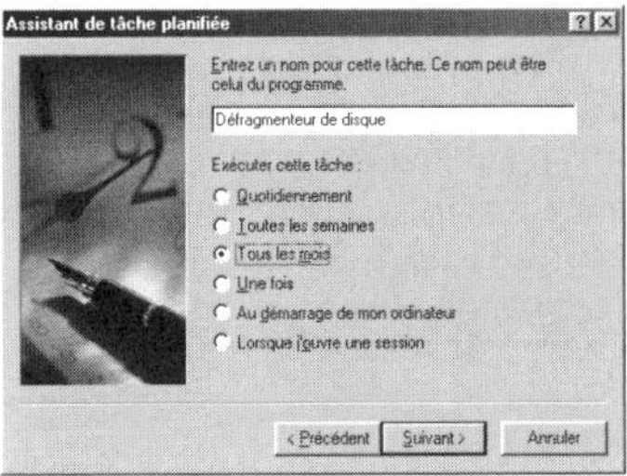

Figure 5.56 : Choix de la fréquence d'exécution de la nouvelle tâche planifiée.

Cliquez de nouveau sur **Suivant** et choisissez l'heure, le jour et le mois d'exécution de la nouvelle tâche (voir Figure 5.57).

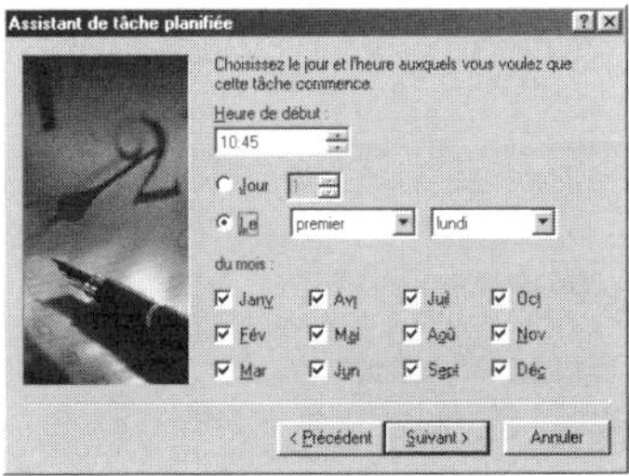

Figure 5.57 : Choix des dates et heures d'exécution.

Cliquez sur **Suivant**, puis sur **Terminer**. La nouvelle tâche apparaît dans la fenêtre des tâches planifiées (voir Figure 5.58).

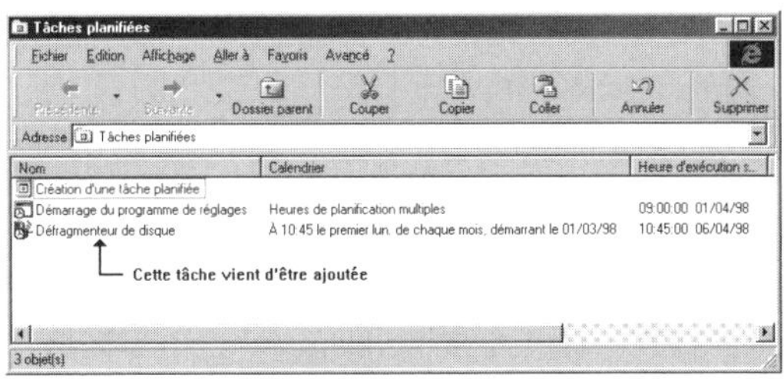

Figure 5.58 : Une nouvelle tâche a été ajoutée dans la liste des tâches planifiées.

Certaines tâches (comme la recherche d'erreurs ou la défragmentation d'un disque) sont gourmandes en ressources. S'il arrive qu'une telle tâche soit exécutée alors que l'ordinateur est en cours d'utilisation, il est toujours possible de la suspendre : cliquez du bouton droit sur l'icône du planificateur des tâches (dans la barre d'outils) et sélectionnez Suspendre le planificateur de tâches dans le menu contextuel.

Informations système

Windows 98 est fourni avec un outil d'informations système très complet. Pour y accéder, cliquez sur **Démarrer**, sélectionnez **Programmes**, **Accessoires**, **Outils système** et **Informations système**. D'une façon comparable à l'Explorateur de fichiers, la fenêtre des informations système se divise en deux parties : à gauche, la liste des éléments qui peuvent être examinés ; à droite, le détail de l'élément sélectionné (voir Figure 5.59).

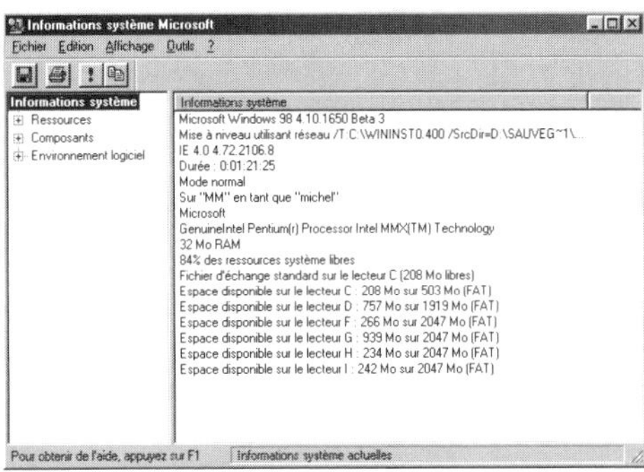

Figure 5.59 : L'outil d'informations système de Windows 98.

Certaines entrées sont précédées d'un signe +. Cliquez dessus pour afficher les éléments correspondants. Cet outil est en particulier utile pour résoudre les problèmes de conflits de DMA, d'IRQ et d'adresses mémoire. A titre d'exemple, un clic sur l'entrée **Ressources/DMA** (voir Figure 5.60) montre que les DMA 0, 5 et 6 sont

libres. Si vous devez connecter une nouvelle carte non plug-and-play sur votre ordinateur qui nécessite une ressource DMA, choisissez l'une de ces trois valeurs.

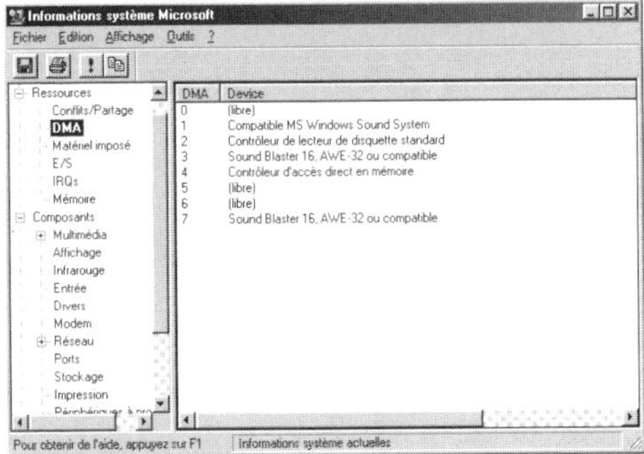

Figure 5.60 : Liste des affectations de DMA.

Le menu Outils donne accès à la plupart des outils système livrés avec Windows 98.

Vérification des fichiers système

Windows 98 utilise de nombreux fichiers système dont l'intégrité est primordiale pour garantir un fonctionnement sans faille de votre interface graphique. Un outil de vérification des fichiers système est fourni avec Windows. Pour y accéder, cliquez sur **Démarrer**, puis sélectionnez **Programmes**, **Accessoires**, **Outils système** et **Vérificateur des fichiers système** (voir Figure 5.61).

Cliquez sur **Démarrer** pour lancer la vérification. Après quelques instants, une boîte de dialogue indique le résultat de l'opération (voir Figure 5.62).

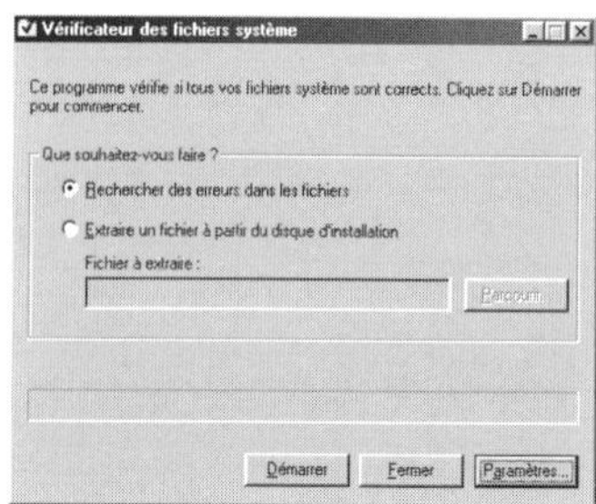

Figure 5.61 : La fenêtre du Vérificateur des fichiers système.

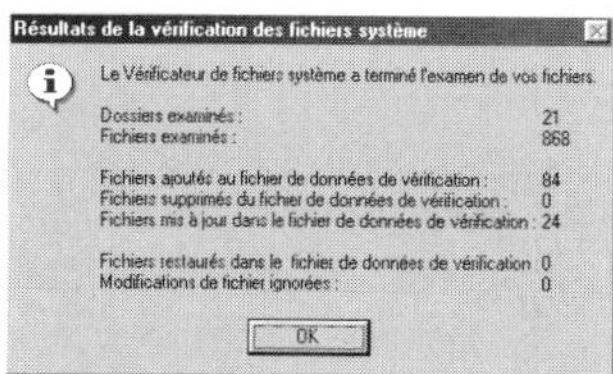

Figure 5.62 : Cette boîte de dialogue indique si un ou plusieurs fichiers système ont été restaurés.

Le paramétrage par défaut du Vérificateur convient dans la plupart des cas. Si nécessaire, vous pouvez cependant cliquez sur **Paramètres** pour accéder aux options de fonctionnement du Vérificateur de fichiers (liste des dossiers à vérifier, type des fichiers à vérifier, gestion du journal qui récapitule les erreurs rencontrées, etc.).

Réglage de Windows

Un utilitaire de réglage est fourni avec Windows 98. Grâce à lui, vous pourrez tirer en permanence les performances optimales de votre machine. Pour y accéder, cliquez sur **Démarrer**, puis sélectionnez **Programmes**, **Accessoires**, **Outils système** et **Réglage de Windows** (voir Figure 5.63).

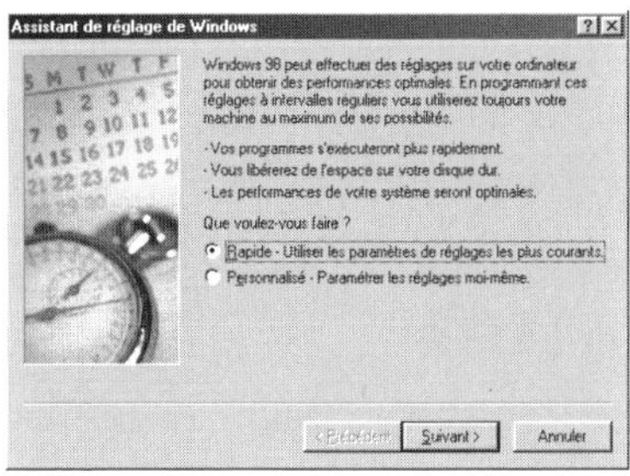

Figure 5.63 : La fenêtre de l'assistant de réglage de Windows.

Si vous sélectionnez l'option **Rapide**, l'assistant vous demande de préciser l'heure à laquelle les réglages doivent être effectués. Choisissez une plage horaire et cliquez sur **Suivant**. La liste des réglages apparaît dans la boîte de dialogue suivante (voir Figure 5.64). Dans cet exemple, les outils **Défragmenteur de disque**, **ScanDisk** et **Nettoyage du disque dur** sont lancés la nuit, entre minuit et trois heures.

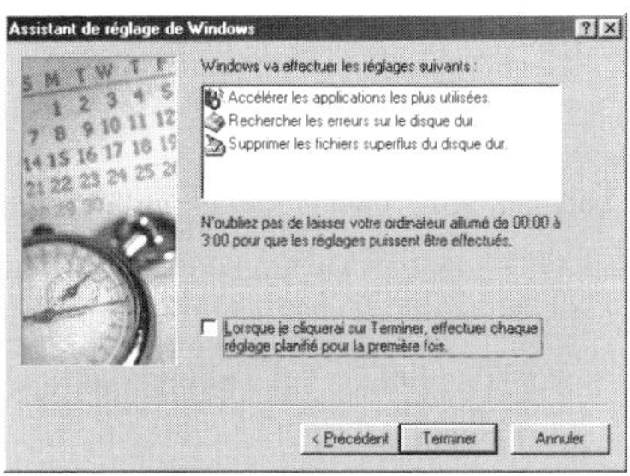

Figure 5.64 : Liste des réglages et horaires d'application.

Si vous optez pour un réglage personnalisé, l'assistant vous demande de définir des paramètres additionnels, tels que la date et l'heure précise de l'exécution de chaque utilitaire, les disques concernés et le type des fichiers qui doivent être supprimés par l'outil de nettoyage.

Le système de fichiers FAT32

Par défaut, les disques durs utilisés sous Windows 98 sont basés sur un système de fichiers de type **FAT16**. Lorsque l'on formate un disque dur en FAT16, ses pistes et secteurs sont divisés en unités logiques appelées "clusters". La taille du disque (ou de la partition) fixe la taille des clusters. Une partition FAT16 ne peut en aucun cas dépasser **2 Go**.

A titre d'exemple, les clusters ont une taille de :

- 4 Ko sur un disque de 256 Mo ;
- 8 Ko sur un disque de 512 Mo ;
- 16 Ko sur un disque de 1 Go ;
- 32 Ko sur un disque de 2 Go.

Vous pensez peut-être que ces informations techniques ne présentent aucun intérêt. Détrompez-vous ! La taille des clusters est aussi la taille du plus petit fichier enregistrable sur le disque. Cela signifie, par exemple, qu'un fichier d'un seul octet occupera quelques 32 Ko sur un disque de 2 Go formaté en FAT16 !

Le système de fichiers FAT32 ne se contente pas de remédier à un tel gaspillage. Il permet aussi de formater des disques durs de taille supérieure à 2 Go en une seule partition. La taille maximale est de **2 téraoctets** (2 000 Go si vous préférez).

Les clusters ont une taille fixe de 4 Ko. Microsoft garantit une économie d'espace de 10 à 15 %. En pratique, la fourchette se situe plutôt entre 20 et 50 %. Ce gain d'espace justifie à lui seul le passage au format FAT32.

Windows 98 est fourni avec un assistant qui permettra de transiter du format FAT16 vers le format FAT32 en quelques clics. Cliquez sur **Démarrer** et sélectionnez **Programmes**, **Accessoires**, **Outils système**, puis **Convertisseur de lecteur (FAT32)**. Cette sélection provoque le lancement de l'assistant **Convertisseur de lecteur**. Seuls les disques de grande capacité peuvent être convertis. Dans l'exemple de la Figure 5.65, le disque **C** (520 Mo) ne peut être converti en FAT32, car sa capacité est trop réduite.

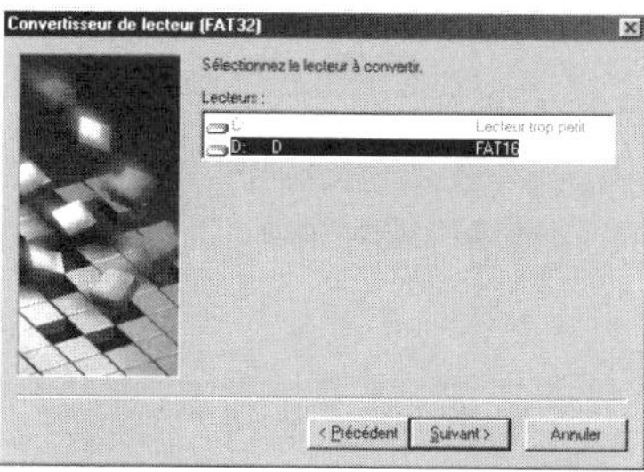

Figure 5.65 : Seul un lecteur peut être converti en FAT32.

Lorsque tous les renseignements ont été fournis, la conversion en FAT32 commence. Cette opération s'effectue sous MS-DOS. Elle peut demander de quelques minutes à plusieurs heures, selon la capacité du disque à convertir et la puissance de l'ordinateur utilisé. Lorsque le disque est entièrement converti, l'ordinateur est relancé et le disque nouvellement converti est défragmenté. Pour vous assurer que le disque est bien formaté en FAT32, ouvrez le Poste de travail, cliquez du bouton droit sur son icône et sélectionnez **Propriétés** dans le menu contextuel. La boîte de dialogue des propriétés indique clairement que le disque utilise un système de fichiers FAT32 (voir Figure 5.66).

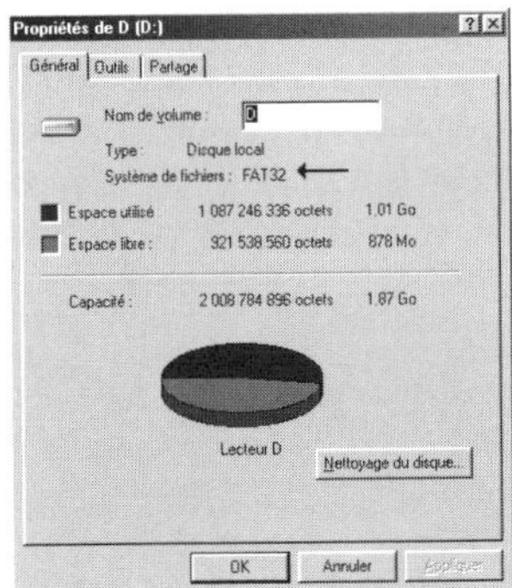

Figure 5.66 : Le disque D: utilise un système de fichiers FAT32.

L'outil de sauvegarde

Si votre PC est utilisé professionnellement ou si les données que vous manipulez sont importantes, vous avez intérêt à effectuer des sauvegardes sur un deuxième disque dur (fixe ou amovible), un périphérique de sauvegarde à bande, ou tout autre support de grande capacité. Windows 98 est fourni avec un outil de sauvegarde simple et efficace. Pour y accéder, cliquez sur **Démarrer** et sélectionnez **Programmes**, **Accessoires**, **Outils système**, puis **Sauvegarde**.

Cette commande provoque l'affichage d'une boîte de dialogue contenant trois options (voir Figure 5.67).

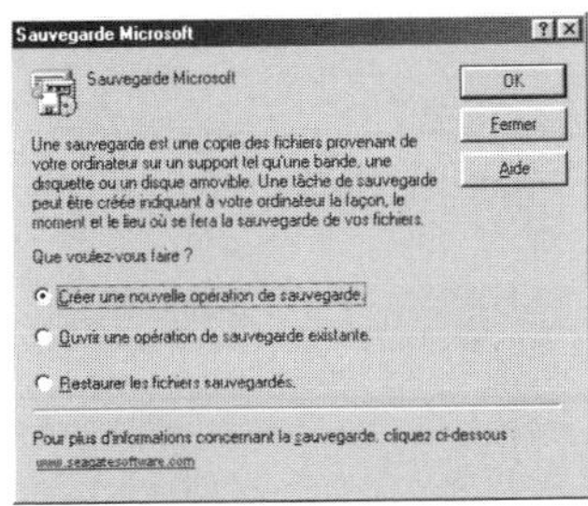

Figure 5.67 : Choix de l'opération à effectuer.

Si le menu Démarrer ne donne pas accès à l'outil de sauvegarde, cela signifie qu'il n'a pas été installé. Affichez le Panneau de configuration (commande Paramètres/Panneau de configuration dans le menu Démarrer) et double-cliquez sur l'icône Ajout/Suppression de programmes. Sélectionnez l'onglet Installation de Windows et le composant Outils système. Cliquez sur Détails et placez une coche devant le composant Sauvegarde. Une fois la boîte de dialogue Propriétés pour Ajout/Suppression de programmes fermée, l'outil de sauvegarde sera accessible dans le menu Démarrer.

Sauvegarde

Pour lancer une nouvelle sauvegarde en utilisant un assistant, sélectionnez l'option **Créer une nouvelle opération de sauvegarde** et validez en cliquant sur **OK**. Deux options vous sont proposées. Vous pouvez sauvegarder l'ensemble de vos unités de masse ou seulement les fichiers sélectionnés (voir Figure 5.68).

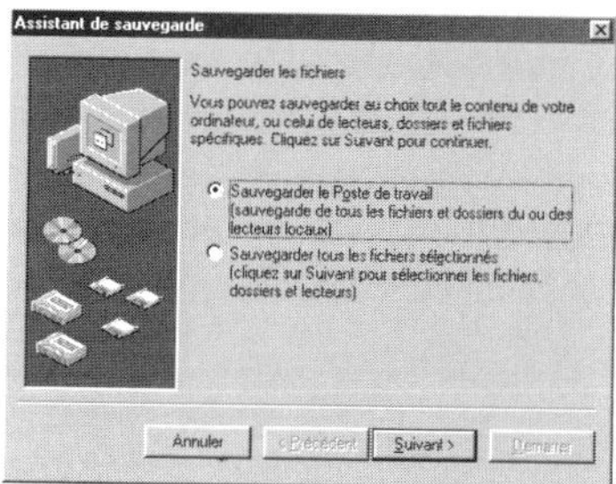

Figure 5.68 : Choix du type de sauvegarde.

Si vous avez choisi d'effectuer une sauvegarde partielle de votre système, vous devez spécifier le disque, le(s) dossier(s) et le(s) fichier(s) à sauvegarder. Dans l'exemple de la Figure 5.69, seuls les fichiers contenus dans le dossier **Mes Documents** du disque **C:** sont sauvegardés.

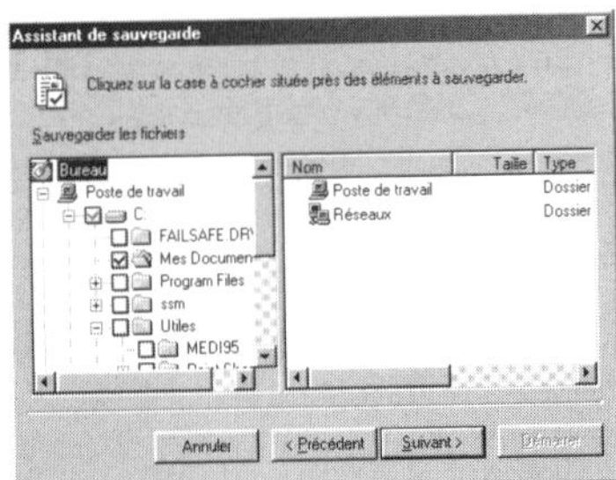

Figure 5.69 : Désignation des fichiers à sauvegarder.

L'assistant vous demande quelques renseignements complémentaires :

- Le mode de sauvegarde : tous les fichiers ou seulement ceux qui ont été modifiés/créés depuis la dernière sauvegarde.
- Le périphérique de sauvegarde : un périphérique spécifique ou un fichier disque.
- Les options de sauvegarde : comparaison des fichiers originaux et des fichiers sauvegardés, compression des données.
- Le nom de la sauvegarde.

Une fois ces renseignements entrés, un dernier clic sur **Terminer** déclenche la sauvegarde.

Après avoir effectué plusieurs sauvegardes, vous désirerez certainement vous passer de l'assistant de sauvegarde. Pour ce faire, fermez la boîte de dialogue affichée lors du lancement de l'application de sauvegarde et agissez directement dans la fenêtre principale de l'application.

Restauration

Pour effectuer une première restauration, vous souhaiterez peut-être faire appel à un assistant dédié. Lancez le programme de sauvegarde de Windows (commande **Programmes**, **%SYS_DESC%** et **Sauvegarde** dans le menu **Démarrer**). Sélectionnez l'option **Restaurer**

les fichiers sauvegardés et validez. Désignez l'emplacement à partir duquel vous voulez restaurer les fichiers (bande, disque dur, etc.), puis choisissez les éléments à restaurer (voir Figure 5.70).

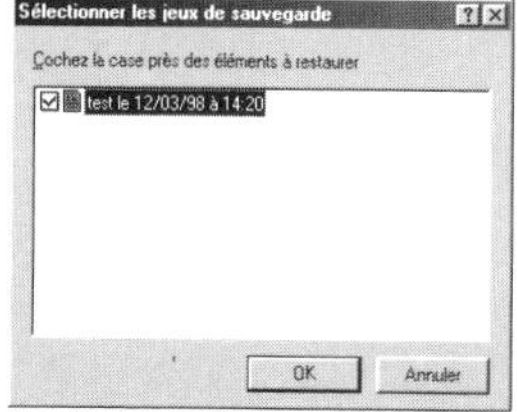

Figure 5.70 : Dans cet exemple, un seul élément peut être restauré.

L'étape suivante consiste à indiquer l'emplacement vers lequel les fichiers vont être restaurés. Il peut s'agir de l'emplacement d'origine ou d'un autre emplacement.

Dans la dernière étape, indiquez si les fichiers existants doivent être remplacés sur le disque lors de la restauration (voir Figure 5.71).

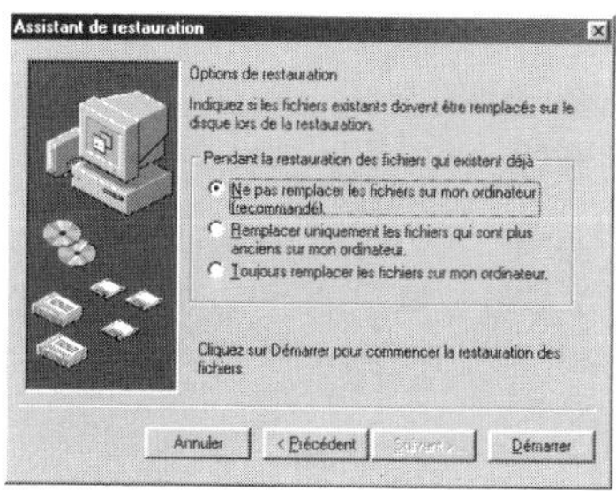

Figure 5.71 : Restauration avec ou sans écrasement.

Validez. Quelques instants plus tard, les fichiers ont été restaurés. Cliquez sur **Rapport** de la boîte de dialogue **Restauration en cours** pour afficher un rapport de restauration. Vous connaîtrez ainsi

la taille des fichiers restaurés et la durée de l'opération, et vous aurez un compte-rendu des éventuelles erreurs (voir Figure 5.72).

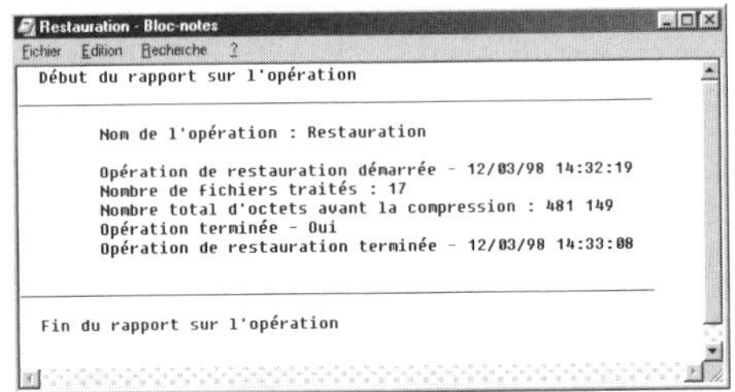

Figure 5.72 : La restauration a duré 49 secondes. 17 fichiers ont été restaurés, soit un total de 481 149 octets.

L'assistant de restauration est certes pratique, mais son maniement vous semblera peut-être un peu trop lourd après quelques utilisations. Dans ce cas, fermez la boîte de dialogue affichée lors du lancement de l'application de sauvegarde, et agissez directement sous l'onglet Restauration de la fenêtre principale de l'application.

Rechercher un fichier

Windows 98 possède un outil de recherche fort appréciable qui permet de localiser très rapidement un fichier sur un, deux ou plusieurs disques.

Pour activer l'outil de recherche, cliquez sur **Démarrer** et sélectionnez **Rechercher**, puis **Fichiers ou dossiers**. La boîte de dialogue de la Figure 5.73 est affichée.

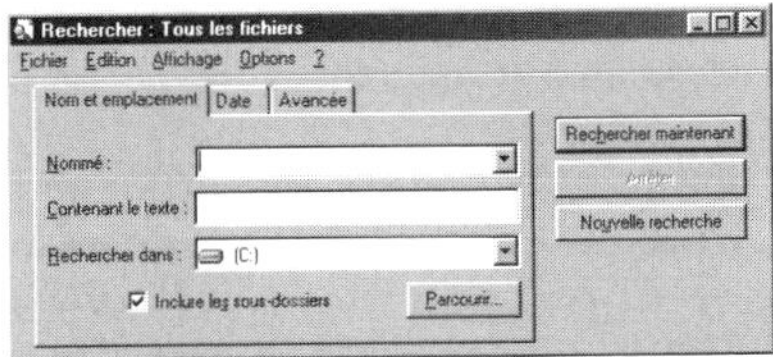

Figure 5.73 : La boîte de dialogue de recherche.

Entrez le nom ou une partie du nom du fichier recherché dans la liste modifiable **Nommé**. Sélectionnez les disques dans lesquels doit s'effectuer la recherche, à l'aide de la liste modifiable **Rechercher dans**. Cliquez enfin sur **Rechercher maintenant**. La boîte de dialogue s'agrandit. Dans sa partie inférieure, une zone de liste recense tous les fichiers correspondant au modèle recherché (voir Figure 5.74).

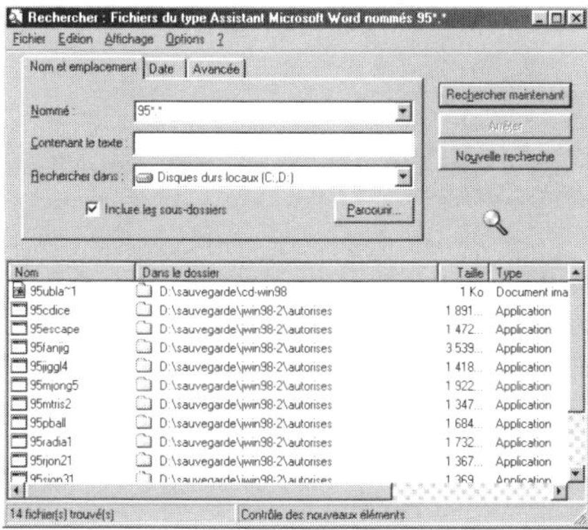

Figure 5.74 : Recherche des fichiers dont le nom contient "95" dans tous les disques de l'ordinateur.

Vous pouvez double-cliquer sur l'un des fichiers de la liste pour l'ouvrir.

Rechercher un texte dans un fichier

Supposons que vous recherchiez un fichier dont vous avez oublié le nom. Vous connaissez uniquement le type (par exemple, un document MS Word) et un mot ou un groupe de mots caractéristiques du fichier recherché. L'outil de recherche de Windows apporte une solution élégante au problème.

Cliquez sur **Démarrer** et sélectionnez **Rechercher**, puis **Fichiers ou dossiers**. Cliquez sur l'onglet **Avancée**. Renseignez la liste modi-

fiable **De type** pour préciser le type du fichier recherché, et la zone **Contenant le texte** sous l'onglet **Nom et emplacement** pour préciser un fragment de texte caractéristique du fichier recherché. Un clic sur **Rechercher maintenant** affiche le résultat de la recherche (voir Figure 5.75).

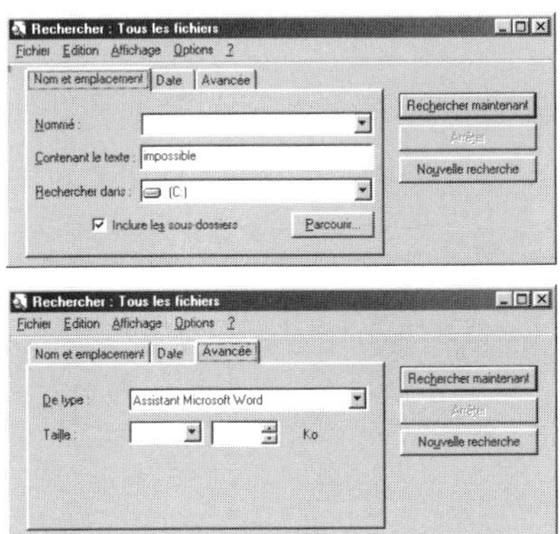

Figure 5.75 : Recherche du texte "Impossible" dans tous les documents Microsoft Word.

Avant de lancer la recherche, vous devez bien entendu sélectionner les disques de recherche sous l'onglet Nom et emplacement.

Docteur Watson

Lorsqu'il est activé, le programme **Dr Watson** intercepte les erreurs logicielles, recueille des informations sur le système au moment où elles se produisent et indique ce qui s'est passé.

Pour activer cet outil, cliquez sur **Démarrer**, sélectionnez **Exécuter**, entrez **drwatson** dans la zone de texte, et validez en cliquant sur **OK**.

Une nouvelle icône est ajoutée dans la partie droite de la barre des tâches. En restant très discret, le docteur Watson examine désormais

le système, à l'affût de toute erreur. Si une erreur se produit, double-cliquez sur l'icône "Dr Watson" dans la barre des tâches pour prendre un cliché du système. Les informations collectées sont affichées dans une boîte de dialogue. Vous pouvez utiliser la commande **Affichage avancé** du menu **Affichage** pour accéder au détail de l'analyse (voir Figure 5.76).

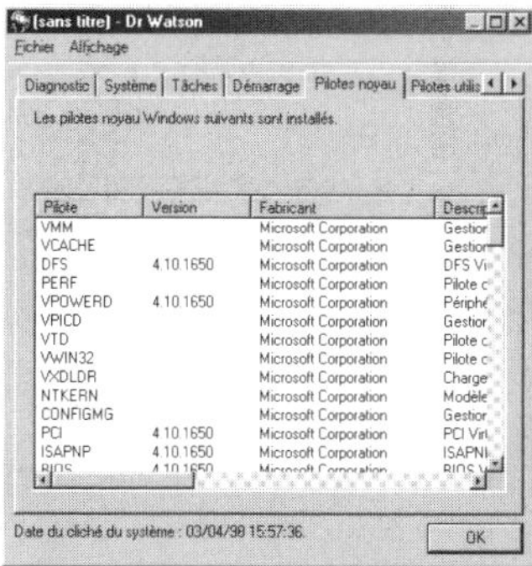

Figure 5.76 : Le docteur Watson prend un instantané de Windows et présente les paramètres capturés.

Avec WSH, Windows a son langage batch

L'abréviation **WSH** (entendez par là *Windows Scripting Host*) désigne le digne successeur du langage batch du MS-DOS. Les fichiers WSH sont une nouveauté de Windows 98. Ils peuvent être écrits en **JavaScript** ou en **VBScript**. Non content d'utiliser les instructions propres à ces deux langages, les scripts WSH peuvent entre autres :

- créer, lire, écrire et effacer des entrées dans la base de registres ;
- créer et modifier des raccourcis Windows ;
- afficher des boîtes de dialogue ;
- lancer des applications, des scripts et des fichiers batch ;
- prendre le contrôle de certaines applications.

Chapitre 6

L'application WordPad

Au sommaire de ce chapitre

- Faciliter le lancement de WordPad
- Créer, ouvrir, sauvegarder et imprimer un document
- Bien utiliser le clavier et la souris
- Travailler avec des blocs de texte
- Insérer des illustrations graphiques, des sons et des vidéos dans un document
- Effectuer la mise en forme avant l'impression

Digne successeur de Write, WordPad est en mesure de lire et d'écrire des documents dans divers formats qui le rendent compatible avec la plupart des traitements de texte Windows. Ce chapitre vous montre comment utiliser les outils et commandes de cette nouvelle application.

Lancement de WordPad

WordPad est un petit traitement de texte monodocument sans prétention, qui peut cependant rendre de grands services. Il est capable de lire et enregistrer des fichiers aux formats Word 6.0/ 7.0, Write, RTF, TXT ANSI et ASCII. WordPad est doté d'une barre d'outils, d'une barre de format, d'une règle et d'une barre d'état. Les utilisateurs de Word ne seront pas dépaysés.

Pour lancer WordPad, cliquez sur **Démarrer**, puis sélectionnez **Programmes**, **Accessoires** et **WordPad**. La fenêtre de WordPad est affichée (voir Figure 6.1).

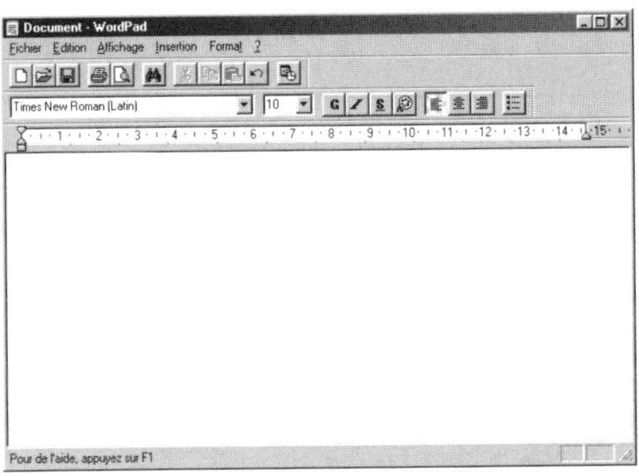

Figure 6.1 : La fenêtre de l'application WordPad.

Si vous utilisez souvent WordPad, vous pouvez faciliter son lancement en définissant un raccourci sur le Bureau ou un raccourci clavier.

Définition d'un raccourci sur le Bureau

Pour ajouter une icône de raccourci vers WordPad sur le Bureau, procédez ainsi :

1. Cliquez du bouton droit sur **Démarrer** et choisissez **Ouvrir**.
2. Double-cliquez sur **Programmes** puis sur **Accessoires**.

3. Maintenez la touche ***Ctrl*** enfoncée et faites glisser l'icône de WordPad sur le Bureau. Une nouvelle icône de raccourci est créée (voir Figure 6.2).

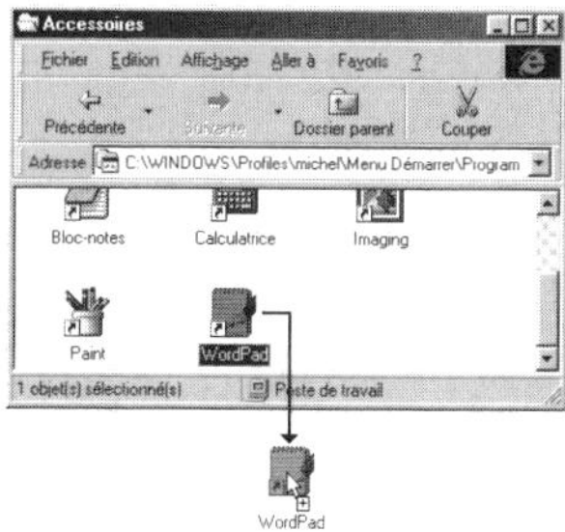

Figure 6.2 : Création d'un raccourci pour l'application WordPad.

Il suffit maintenant de double-cliquer sur cette icône pour lancer WordPad.

Définition d'un raccourci clavier pour activer WordPad

Toutes les applications Windows 98 peuvent être lancées par une combinaison de touches à base de ***Ctrl***, ***Alt*** et ***Maj***. Pour affecter un raccourci clavier à WordPad, procédez ainsi :

1. Cliquez du bouton droit sur **Démarrer** et choisissez **Ouvrir**.
2. Double-cliquez sur **Programmes** puis sur **Accessoires**.
3. Cliquez du bouton droit sur l'icône de WordPad et sélectionnez **Propriétés**.
4. Cliquez sur l'onglet **Raccourci**.
5. Définissez le raccourci clavier dans la zone de texte **Touche de raccourci**, en cliquant simultanément sur les touches correspondantes (voir Figure 6.3).

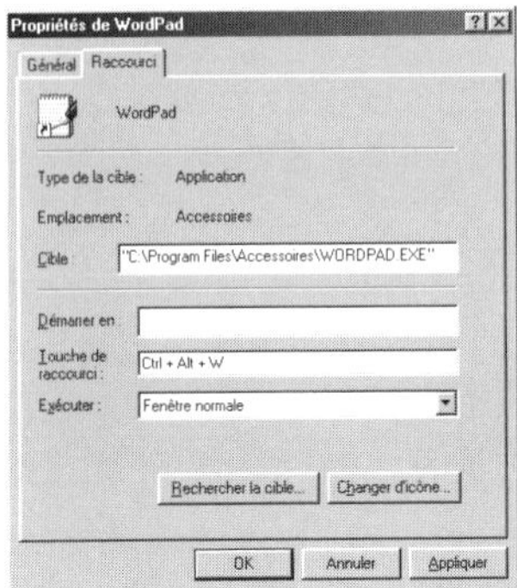

Figure 6.3 : Affectation d'un raccourci clavier à WordPad.

Créer, ouvrir et sauvegarder un document

Le but premier de tout traitement de texte est de créer, ouvrir et sauvegarder un document. Après la lecture des quelques lignes qui suivent, vous saurez tout sur ces opérations.

Créer un nouveau document

Pour créer un nouveau document, lancez la commande **Nouveau** du menu **Fichier**. Ou appuyez sur ***Ctrl-N***. Ou cliquez sur **Nouveau** dans la barre d'outils. Choisissez le type du nouveau document (voir Figure 6.4) :

- **Document Word 6.** Le document pourra être ouvert dans Word 6.0 sans conversion.
- **Document texte enrichi (RTF).** Le format RTF est utilisable par de nombreux traitements de texte et langages de programmation.
- **Texte seulement.** Le document ne pourra contenir aucun caractère d'enrichissement ou de formatage.
- **Document texte Unicode.** Le document pourra inclure des caractères internationaux : romains, grecs, cyrilliques, chinois, etc. (voir Figure 6.4).

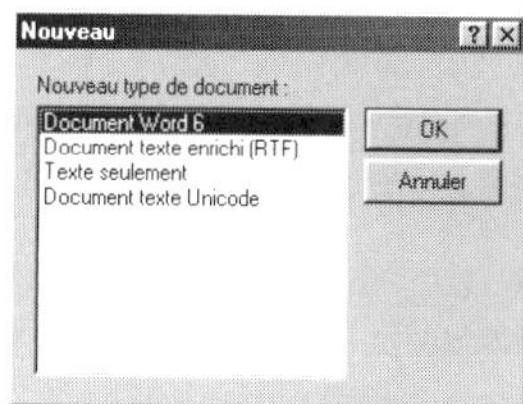

Figure 6.4 : Définition du type du nouveau document.

Validez en cliquant sur **OK**. La saisie peut se faire en mode **insertion** ou en mode **remplacement**. Dans le premier cas, les caractères tapés au clavier sont affichés à gauche du point d'insertion, sans effacer les éventuels caractères qui suivent ce dernier. Dans le second cas, les caractères entrés se superposent aux éventuels caractères qui suivent le point d'insertion. Pour passer du mode insertion au mode remplacement (et inversement), appuyez sur la touche ***Inser*** du clavier.

Ouvrir un document

Pour ouvrir un document, lancez la commande **Ouvrir** du menu **Fichier**. Appuyez ensuite sur ***Ctrl-O***, ou cliquez sur l'icône **Ouvrir** dans la barre d'outils. Quelle que soit la méthode utilisée, la boîte de dialogue **Ouverture** est affichée (voir Figure 6.5).

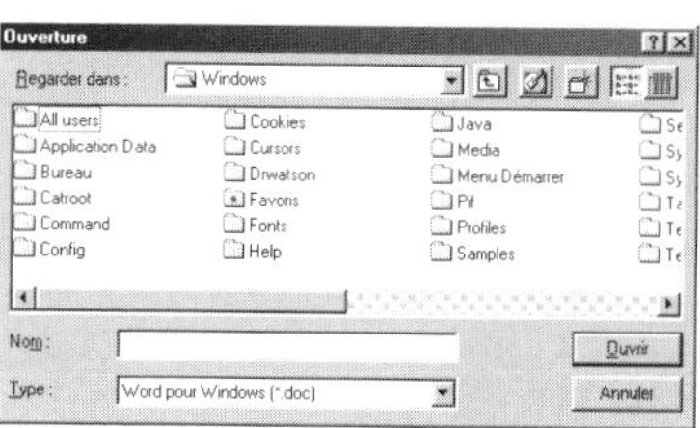

Figure 6.5 : La boîte de dialogue Ouverture.

Indiquez :

- Le type du fichier dans la liste modifiable **Type** (Word pour Windows, Write, RTF, Texte ANSI, Texte MS-DOS ou Documents texte Unicode).
- Le disque et le dossier contenant le document, à l'aide de la liste modifiable **Regarder dans** et de la zone de liste centrale.
- Le nom du document, en cliquant sur l'icône correspondante dans la zone centrale de la boîte de dialogue.

Validez en cliquant **Ouvrir**. Le document est ouvert.

WordPad mémorise les quatre derniers documents ouverts du menu Fichier. Pour accéder de nouveau à l'un d'eux, il suffit de dérouler le menu Fichier et de cliquer sur son nom.

Sauvegarder le document en cours d'édition

Pour sauvegarder le document courant, lancez la commande **Enregistrer** du menu **Fichier**, puis appuyez sur ***Ctrl-S***, ou cliquez sur **Enregistrer** dans la barre d'outils. S'il s'agit de la première sauvegarde, la boîte de dialogue **Enregistrer sous** est affichée (voir Figure 6.6).

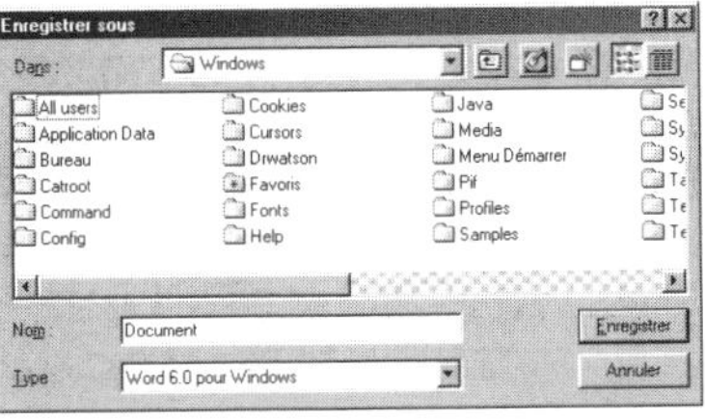

Figure 6.6 : La boîte de dialogue Enregistrer sous est affichée lors de la première sauvegarde.

Indiquez le type du fichier dans la liste modifiable **Type**. Choisissez le dossier de sauvegarde à l'aide de la liste modifiable **Dans** et de la

zone de texte centrale. Si nécessaire, vous pouvez créer un nouveau dossier en cliquant sur **Créer un nouveau dossier**. Entrez enfin le nom du document dans la zone de texte **Nom** et cliquez sur **Enregistrer**.

Imprimer un document

Vous désirez imprimer le document en cours d'édition. Mettez l'imprimante sous tension et lancez la commande **Imprimer** du menu **Fichier**. Vous pouvez aussi utiliser le raccourci clavier ***Ctrl-P***, ou cliquer sur **Imprimer** dans la barre d'outils. Dans les deux premiers cas, la boîte de dialogue **Impression** est affichée (voir Figure 6.7).

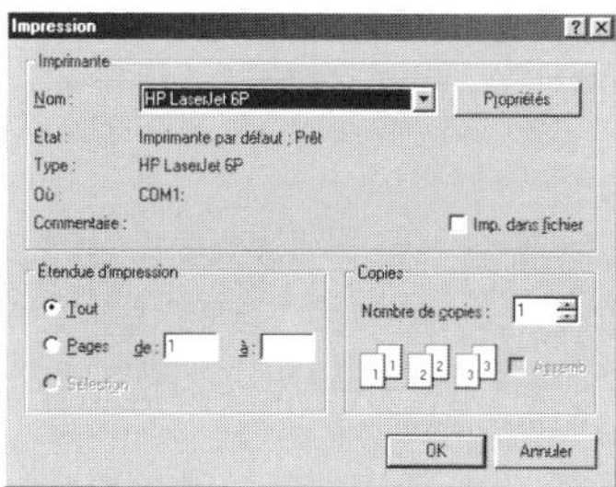

Figure 6.7 : Paramétrage de l'impression dans la boîte de dialogue Impression.

Dans la zone **Etendue d'impression**, définissez celle-ci : la zone sélectionnée, une ou plusieurs pages (zone de texte **de** et **à**), ou tout le document. Dans la zone **Nombre de copies**, indiquez le nombre d'exemplaires à imprimer. Un clic sur **OK** lance l'impression.

Si vous cliquez sur **Imprimer** dans la barre d'outils, la boîte de dialogue **Impression** n'est pas affichée. L'impression est directement lancée en utilisant les paramètres les plus courants : tout le document est imprimé en un seul exemplaire.

Avant d'imprimer un document, vous pouvez vous assurer visuellement qu'il ne contient aucune erreur de mise en forme en lançant la commande Aperçu avant impression du menu Fichier, ou en cliquant sur Aperçu avant impression dans la barre d'outils.

Utiliser le clavier et la souris

Selon votre humeur et vos préférences, vous utiliserez le clavier ou la souris pour vous déplacer dans un document.

Avec la souris

Pour placer le point d'insertion sur un caractère qui apparaît dans la fenêtre du document, pointez ce caractère et cliquez. Pour placer le point d'insertion sur un caractère qui n'apparaît pas dans la fenêtre, utilisez les barres de défilement pour l'afficher, pointez-le et cliquez.

Avec le clavier

Les professionnels de l'édition ont tendance à préférer les raccourcis clavier à la souris, car cette dernière manque de précision et fait perdre beaucoup de temps. Si vous faites partie de ces gens pressés qui doivent rendre un document avant même d'avoir commencé à l'écrire, apprenez les quelques raccourcis clavier du tableau suivant.

Raccourci clavier	Déplacement vers
Droite	Le caractère suivant
Gauche	Le caractère précédent
Bas	La ligne suivante
Haut	La ligne précédente
Origine	Le début de la ligne courante
Fin	La fin de la ligne courante

Raccourci clavier	Déplacement vers
PgPréc	La page précédente
PgSuiv	La page suivante
Ctrl-Droite	Le premier caractère du mot suivant
Ctrl-Gauche	Le premier caractère du mot précédent
Ctrl-Haut	Le premier caractère du paragraphe précédent
Ctrl-Bas	Le premier caractère du paragraphe suivant
Ctrl-Origine	Le premier caractère du document
Ctrl-Fin	Le dernier caractère du document
Ctrl-PgPréc	Le premier caractère de la première ligne de la fenêtre
Ctrl-PgSuiv	Le premier caractère de la dernière ligne de la fenêtre

Travailler avec des blocs de texte

De nombreuses commandes s'appliquent au bloc de texte sélectionné : modification de la police et des attributs, couper/copier/coller, impression sélective, retraits, tabulations, etc.

Pour sélectionner un bloc, vous pouvez utiliser la souris ou le clavier.

Avec la souris

Pour sélectionner un mot, pointez une lettre de celui-ci et double-cliquez.

Pour sélectionner une ligne, placez le pointeur dans la marge gauche, en face de la ligne. Le pointeur se transforme en une flèche orientée nord-est. Cliquez. La ligne est sélectionnée.

Pour sélectionner un paragraphe, placez le pointeur dans la marge gauche, en face d'une des lignes du paragraphe, et double-cliquez.

Pour sélectionner tout le document, placez le pointeur dans la marge gauche et triple-cliquez.

Vous pouvez aussi sélectionner un bloc d'un autre type. Pour cela, cliquez sur le premier caractère du bloc afin d'y placer le point d'insertion. Déplacez le pointeur vers le dernier caractère du bloc. Maintenez la touche *Maj* du clavier enfoncée et cliquez. Le bloc de texte est sélectionné.

Avec le clavier

La sélection d'un bloc de texte avec le clavier est rapide et précise. Entraînez-vous à utiliser les raccourcis clavier suivants et choisissez en toute connaissance entre la souris et le clavier.

Raccourci clavier	Sélection
Maj-Droite	Du caractère suivant
Maj-Gauche	Du caractère précédent
Maj-Bas	De la ligne suivante
Maj-Haut	De la ligne précédente
Maj-Origine	De la position du pointeur au début de la ligne courante
Maj-Fin	De la position du pointeur à la fin de la ligne courante
Maj-PgPréc	De la position du pointeur au même caractère dans la page précédente
Maj-PgSuiv	De la position du pointeur au même caractère dans la page suivante
Maj-Ctrl-Droite	De la position du pointeur au premier caractère du mot suivant
Maj-Ctrl-Gauche	De la position du pointeur au premier caractère du mot précédent
Maj-Ctrl-Haut	De la position du pointeur au premier caractère du paragraphe précédent

Raccourci clavier	Sélection
Maj-Ctrl-Bas	De la position du pointeur au premier caractère du paragraphe suivant
Maj-Ctrl-Origine	De la position du pointeur au premier caractère du document
Maj-Ctrl-Fin	De la position du pointeur au dernier caractère du document
Maj-Ctrl-PgPréc	De la position du pointeur au premier caractère de la première ligne de la fenêtre
Maj-Ctrl-PgSuiv	De la position du pointeur au premier caractère de la dernière ligne de la fenêtre

Couper/copier-coller

Dans Windows, les opérations de couper/copier/coller sont très courantes. Elles permettent de déplacer et de dupliquer rapidement des informations à l'intérieur d'une même application, ou entre deux applications différentes. Les données transitent de manière transparente par le Presse-papiers de Windows.

WordPad, comme les autres applications Windows, dispose de commandes en rapport avec le Presse-papiers du menu Edition :

- ***Couper*** (raccourci clavier ***Ctrl-X***) efface la sélection et la place dans le Presse-papiers.
- ***Copier*** (raccourci clavier ***Ctrl- C***) place la sélection dans le Presse-papiers sans l'effacer.
- ***Coller*** (raccourci clavier ***Ctrl-V***) place le contenu du Presse-papiers à la position courante du point d'insertion.

Vous pouvez aussi utiliser les trois icônes de la barre d'outils pour couper, copier et coller des données (voir Figure 6.8).

Figure 6.8 : Les icônes Couper, Copier et Coller.

Vous avez dit police ?

Windows dispose de plusieurs polices de caractères (ou fontes) par défaut, mais, comme nous le verrons dans un autre chapitre, il est très simple d'en ajouter de nouvelles. Pour modifier la police d'un bloc de texte, sélectionnez celui-ci et lancez la commande **Police** du menu **Format**. La boîte de dialogue **Police** est affichée (voir Figure 6.9).

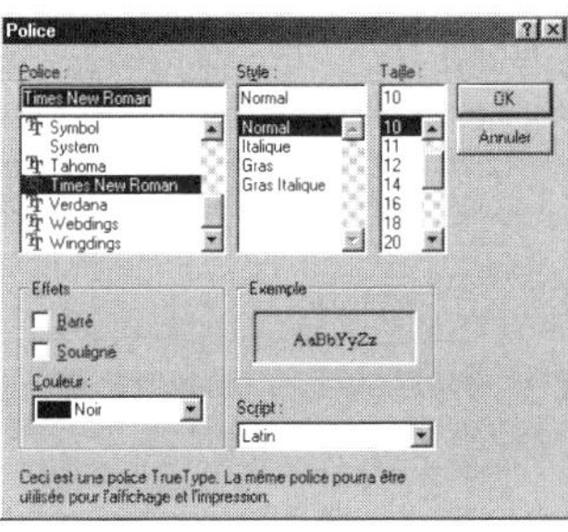

Figure 6.9 : La boîte de dialogue Police.

La police actuelle apparaît dans la zone de texte **Police**. Pour la modifier, déroulez la zone de liste **Police** et sélectionnez l'une des entrées, en vous aidant de la zone **Exemple**. Comme vous le remarquez, certains noms de polices sont précédés des caractères **TT**, et d'autres, d'une icône d'imprimante. Les premiers correspondent à des polices **TrueType**. Leurs caractères apparaissent sur l'écran tels qu'ils seront imprimés. Les seconds correspondent aux polices internes de l'imprimante ; leur affichage est moins précis.

Dans la boîte de dialogue **Police**, vous pouvez aussi modifier le style (normal, gras, italique) et la taille des caractères. Si nécessaire,

vous pouvez barrer ou souligner les caractères du bloc sélectionné en cochant les cases correspondantes dans le groupe d'options **Effets**.

Enfin, la liste modifiable **Couleur** donne accès à 16 couleurs de base. Elle est utilisée pour les impressions en couleurs et pour attirer l'attention sur l'écran ; par exemple, lorsqu'une portion de texte doit être vérifiée ou complétée.

La plupart des réglages de la boîte de dialogue **Police** sont accessibles dans la barre de format (voir Figure 6.10).

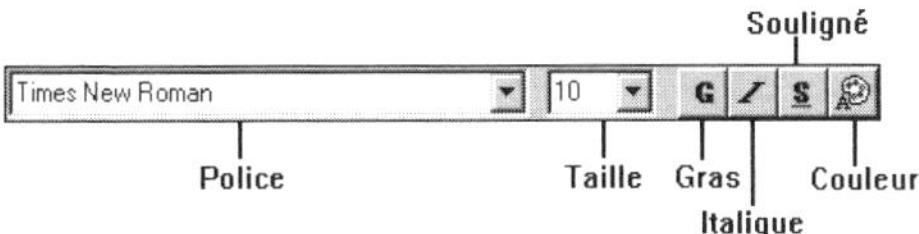

Figure 6.10 : La barre de format.

Alignement des paragraphes

Dans un document WordPad, les paragraphes peuvent être alignés à gauche, à droite, ou centrés (voir Figure 6.11).

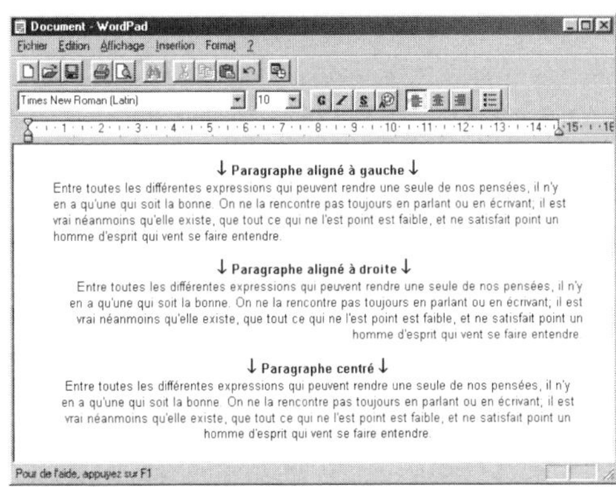

Figure 6.11 : Les trois types d'alignements dans WordPad.

Pour modifier le type d'alignement d'un paragraphe, placez le point d'insertion dans celui-ci et cliquez sur l'une des icônes d'alignement de la barre de format (voir Figure 6.12).

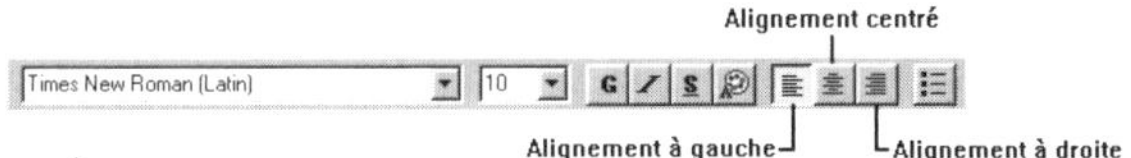

Figure 6.12 : Les trois icônes d'alignement de la barre de format.

Vous pouvez aussi employer la boîte de dialogue **Paragraphe** pour parvenir au même résultat. Lancez la commande **Paragraphe** du menu **Format** et utilisez la liste modifiable **Alignement** pour choisir le type de l'alignement (voir Figure 6.13).

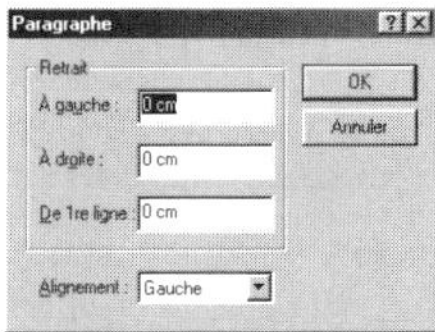

Figure 6.13 : Choix de l'alignement dans la boîte de dialogue Paragraphe.

Pour modifier simultanément l'alignement de plusieurs paragraphes, sélectionnez tout ou une partie de ces paragraphes, et utilisez l'une des deux méthodes précédentes.

Retraits dans un paragraphe

Outre la possibilité d'aligner les paragraphes d'un document WordPad, vous pouvez aussi effectuer :

- un retrait à gauche sur toutes les lignes d'un paragraphe ;
- un retrait à gauche limité à la première ligne d'un paragraphe ;

- un retrait à droite de toutes les lignes d'un paragraphe.

Ces différents retraits sont utiles pour décaler les éléments d'une liste, ou encore pour limiter l'affichage à une zone particulière de la feuille.

Pour définir des retraits dans un paragraphe, vous devez au préalable placer le point d'insertion dans celui-ci. Le plus simple consiste ensuite à utiliser les curseurs de la règle (voir Figure 6.14).

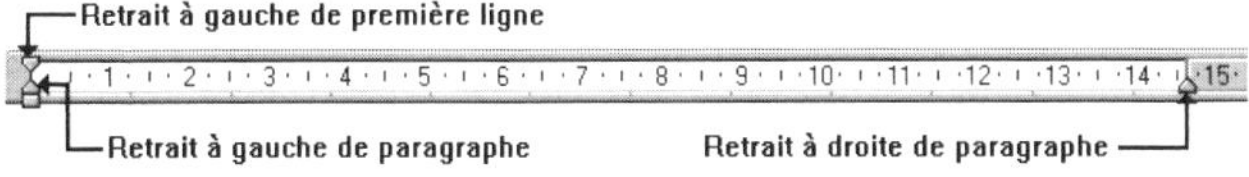

Figure 6.14 : Utilisation de la règle pour définir des retraits.

Pour obtenir un positionnement plus précis des retraits, lancez la commande **Paragraphe** du menu **Format**. Ajustez ensuite les zones de texte du groupe d'options **Retrait** selon vos besoins (voir Figure 6.15).

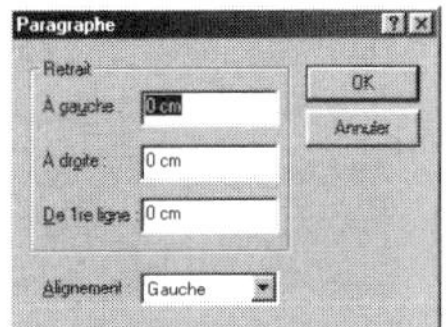

Figure 6.15 : Utilisation de la boîte de dialogue Paragraphe pour définir des retraits.

Dans cet exemple, un retrait de première ligne a été appliqué au premier paragraphe, et un retrait à gauche aux cinq paragraphes suivants (voir Figure 6.16).

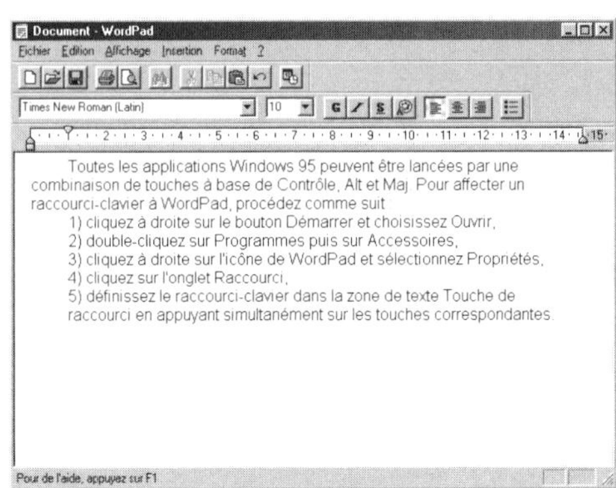

Figure 6.16 : Illustration des retraits de paragraphes.

Pour formater rapidement les paragraphes d'une énumération, vous pouvez utiliser le style Puces. Sélectionnez les paragraphes concernés et lancez la commande Style de puce du menu Format, ou cliquez sur Puces dans la barre d'outils.

Les tabulations dans un document

Peut-être avez-vous essayé d'aligner verticalement des informations en insérant des caractères d'espacement ? Quoique contraignante, cette technique fonctionne à merveille tant que la police utilisée est non proportionnelle, c'est-à-dire tant que les caractères ont tous la même largeur. Dans le cas contraire, il est quasi impossible d'obtenir un alignement parfait.

La solution consiste à insérer une tabulation devant chacune des données à aligner. Lorsque tous les paragraphes sont ainsi formatés, sélectionnez-les et lancez la commande **Tabulations** du menu **Format**. Définissez la position de la tabulation et validez en cliquant sur **OK**. Dans l'exemple de la Figure 6.17, nous définissons une tabulation à 5 centimètres pour aligner les données de la seconde colonne.

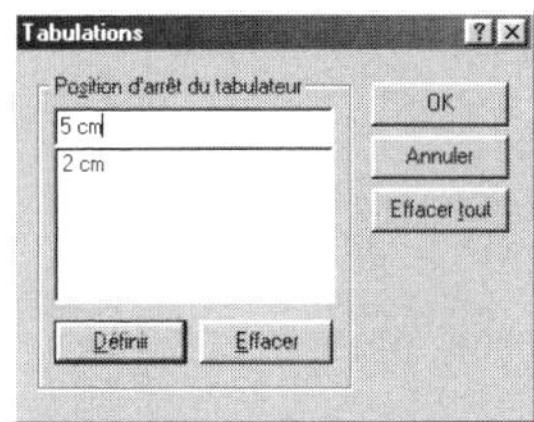

Figure 6.17 : Alignement de données à l'aide de la boîte de dialogue Tabulations.

Si nécessaire, vous pouvez effacer un ou plusieurs taquets de tabulation. Sélectionnez les paragraphes concernés et cliquez sur Effacer ou Tout effacer de la boîte de dialogue Tabulations.

Insérer des images dans un document

Vous aurez parfois intérêt à illustrer vos documents pour en faciliter la compréhension. La méthode à utiliser est simple.

Pour placer une illustration dans un document WordPad, positionnez le point d'insertion, puis lancez la commande **Objet** du menu **Insertion**. Cliquez sur radio **Créer à partir d'un fichier**, puis sur **Parcourir** (voir Figure 6.18).

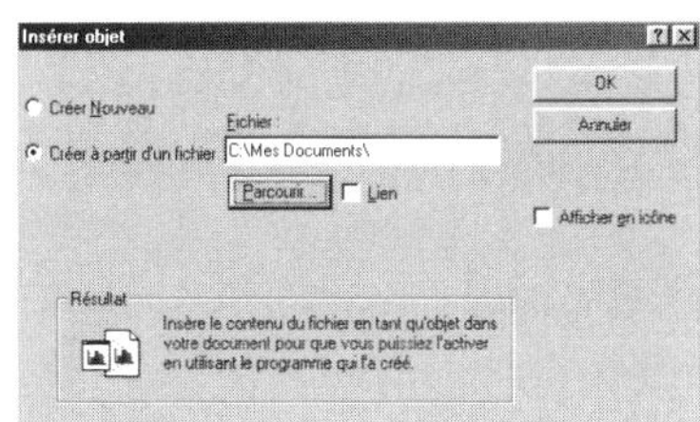

Figure 6.18 : Insertion d'une illustration dans un document.

Il suffit maintenant de localiser l'image à insérer et de valider en cliquant sur **OK**. Si nécessaire, vous pouvez apporter des modifications à l'image en double-cliquant dessus.

Dans l'exemple de la Figure 6.19, une image bitmap est insérée dans un document. Nous avons ensuite édité cette image dans l'accessoire Paint en double-cliquant dessus.

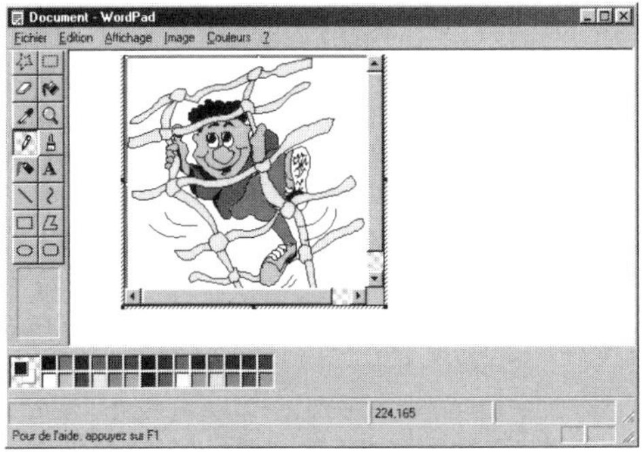

Figure 6.19 : Edition d'une image BMP dans Paint.

Remarquez que les menus et les barres d'outils sont ceux de Paint, alors que la barre de titre de l'application indique que l'on se trouve dans WordPad.

Lorsque les modifications ont été apportées, il suffit de cliquer en dehors de l'image pour retrouver les fonctionnalités classiques de WordPad.

Insérer d'autres types d'objets dans un document

La technique permettant d'insérer des images existantes dans un document WordPad peut être étendue à de nombreux autres objets. Lancez la commande **Objet** du menu **Insertion**, et déroulez la zone de liste **Type d'objet** pour vous faire une idée des objets insérables (voir Figure 6.20).

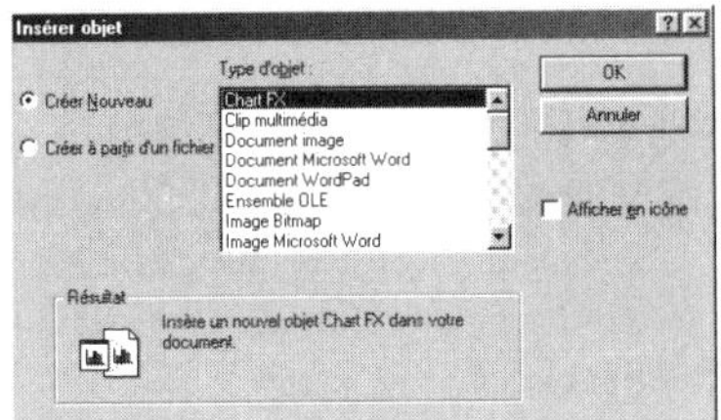

Figure 6.20 : Insertion d'un objet dans un document.

Si vous souhaitez créer un nouvel objet, sélectionnez **Créer nouveau**, choisissez son type et validez. Si, au contraire, vous voulez placer un objet existant, activez **Créer à partir du fichier**, sélectionnez le fichier et validez.

Comme précédemment, il suffit de double-cliquer sur un objet à insérer pour l'ouvrir en mode édition.

Recherches et remplacements

Quand vous travaillez avec de longs documents, il est pratique d'utiliser les commandes de recherche et de remplacement pour trouver ou remplacer rapidement une partie du texte.

Pour rechercher un texte, lancez la commande **Rechercher** du menu **Edition**, utilisez le raccourci clavier ***Ctrl-F*** ou cliquez sur **Rechercher** de la barre d'outils (voir Figure 6.21).

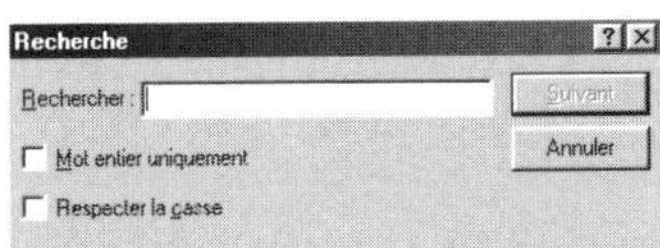

Figure 6.21 : La boîte de dialogue de recherche.

Entrez le texte recherché dans la zone de texte **Rechercher**. Si vous cochez la case **Mot entier uniquement**, le terme recherché est

considéré comme tel, et non comme une partie d'un mot. Si vous cochez la case **Respecter la casse**, les lettres majuscules et minuscules (la casse) du terme recherché sont prises en compte. Un clic sur **Suivant** met en surbrillance la prochaine occurrence du terme. Pour poursuivre la recherche, cliquez autant de fois que nécessaire sur **Suivant**, ou appuyez sur la touche de fonction ***F3*** après avoir refermé la boîte de dialogue **Rechercher**.

Pour remplacer un terme par un autre, lancez la commande **Remplacer** du menu **Edition**, ou appuyez sur ***Ctrl-H*** (voir Figure 6.22).

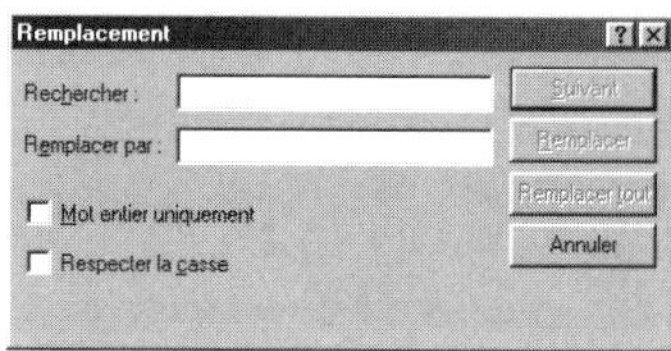

Figure 6.22 : La boîte de dialogue de remplacement.

Entrez le terme recherché dans la zone de texte **Rechercher**, et le texte de remplacement dans la zone de texte **Remplacer**. Les cases à cocher **Mot entier uniquement** et **Respecter la casse** ont la même signification que précédemment. Pour afficher la prochaine occurrence du terme recherché, cliquez sur **Suivant**. Lorsque le terme est trouvé, vous pouvez le remplacer en cliquant sur **Remplacer**, ou passer à sa prochaine occurrence en cliquant sur **Suivant**. Il est aussi possible d'effectuer un remplacement dans tout le document en cliquant sur **Remplacer tout**.

Mise en page

Dans WordPad, les possibilités de mise en forme sont assez sommaires. Elles se limitent au choix de l'orientation du papier (portrait ou paysage) et à la définition des marges. Pour accéder à ces paramètres, lancez la commande **Mise en page** du menu **Fichier** (voir Figure 6.23).

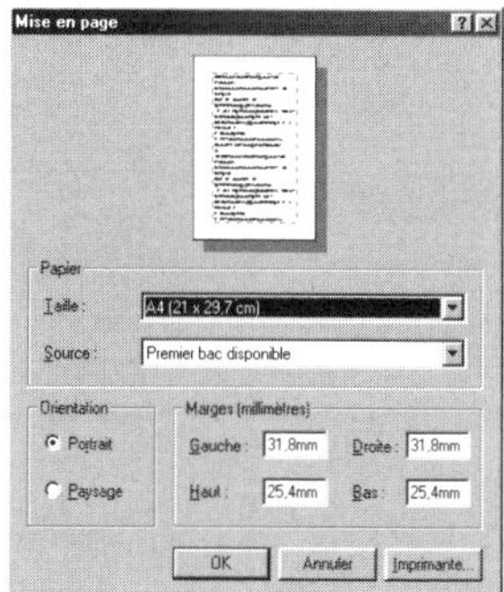

Figure 6.23 : Configuration des pages avant l'impression.

Modifiez si nécessaire les groupes d'options **Orientation** et **Marges**, puis validez en cliquant sur **OK**.

Chapitre 7

Les applications Paint et Imaging

Au sommaire de ce chapitre

- Faciliter le lancement de Paint
- La boîte à outils
- La palette de couleurs
- Créer, importer et sauvegarder des images
- Les effets spéciaux de Paint
- Choisir et modifier le papier peint
- L'application Imaging

Deux applications graphiques sont livrées avec Windows 98 : **Paint** et **Imaging**.

Paint sert à la manipulation d'images en mode point. En lisant ce chapitre, vous apprendrez à créer vos propres graphiques, à modifier des fichiers BMP existants et à modifier le papier peint du Bureau.

Imaging sert à visualiser et à convertir des images de nombreux formats et, si vous possédez un scanner, à le piloter en mode Twain. Dans ce chapitre, vous apprendrez à bien utiliser les multiples aspects d'Imaging.

Lancement de Paint

Paint est un outil de traitement d'images en mode point (on dit aussi ***bitmap***), qui travaille exclusivement avec des fichiers au format BMP. Paint est doté d'une boîte à outils, d'une palette de couleurs et d'une barre d'état particulièrement simples à employer. Les utilisateurs de Paintbrush ne seront pas dépaysés.

Pour lancer Paint, cliquez sur **Démarrer**, puis sélectionnez **Programmes**, **Accessoires** et **Paint**. La fenêtre de Paint est affichée (voir Figure 7.1).

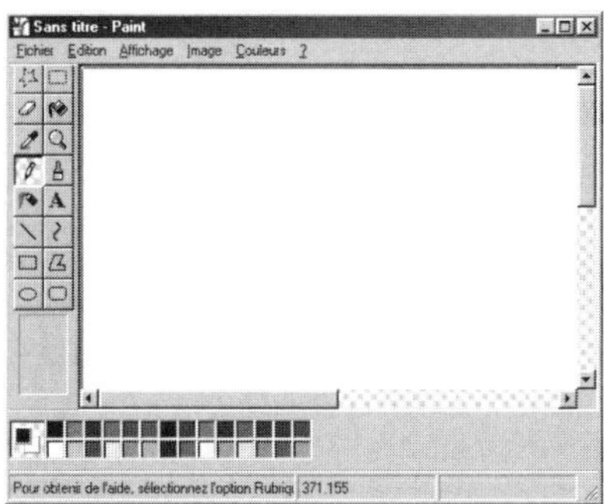

Figure 7.1 : La fenêtre de l'application Paint.

Si vous utilisez souvent Paint, vous pouvez faciliter son lancement en définissant un raccourci sur le Bureau, ou un raccourci clavier.

Définition d'un raccourci sur le Bureau

Pour ajouter un raccourci vers Paint sur le Bureau, procédez ainsi :

1. Cliquez du bouton droit sur **Démarrer** et choisissez **Ouvrir**.

2. Double-cliquez sur **Programmes** puis sur **Accessoires.**
3. Maintenez la touche ***Ctrl*** enfoncée et faites glisser l'icône de Paint sur le Bureau. Une nouvelle icône de raccourci est créée. Il suffit maintenant de double-cliquer dessus pour lancer Paint (voir Figure 7.2).

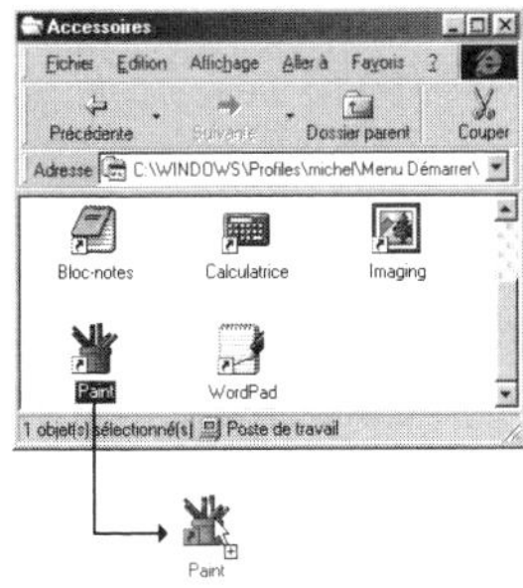

Figure 7.2 : Création d'un raccourci pour l'application Paint.

Définition d'un raccourci clavier pour activer Paint

Comme nous l'avons déjà dit, toutes les applications Windows 95 peuvent être lancées par une combinaison de touches à base de ***Ctrl***, ***Alt*** et ***Maj***. Pour affecter un raccourci clavier à Paint, procédez ainsi :

1. Cliquez du bouton droit sur **Démarrer** et choisissez **Ouvrir**.
2. Double-cliquez sur **Programmes** puis sur **Accessoires**.
3. Cliquez du bouton droit sur l'icône de Paint et sélectionnez **Propriétés**.
4. Cliquez sur l'onglet **Raccourci**.
5. Définissez le raccourci clavier dans la zone de texte **Touche de raccourci**, en cliquant simultanément sur les touches correspondantes (voir Figure 7.3).

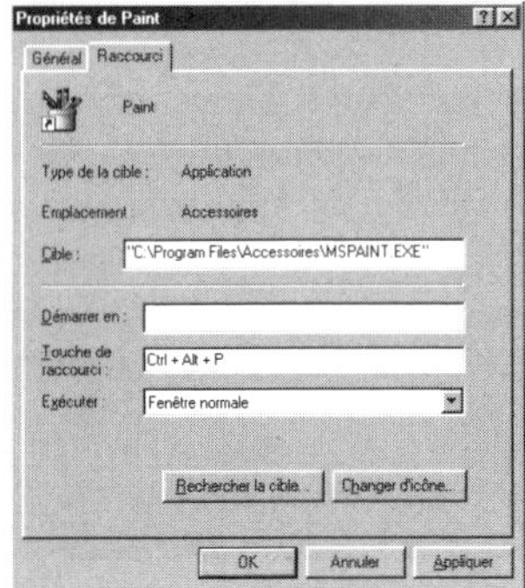

Figure 7.3 : Affectation d'un raccourci clavier à Paint.

La boîte à outils

La boîte à outils de Paint contient des éléments simples à utiliser. Si la fonction d'un outil ne vous paraît pas évidente, pointez-le. Au bout d'un instant, une bulle d'aide et un message dans la barre d'outils donnent des précisions sur ses possibilités (voir Figure 7.4).

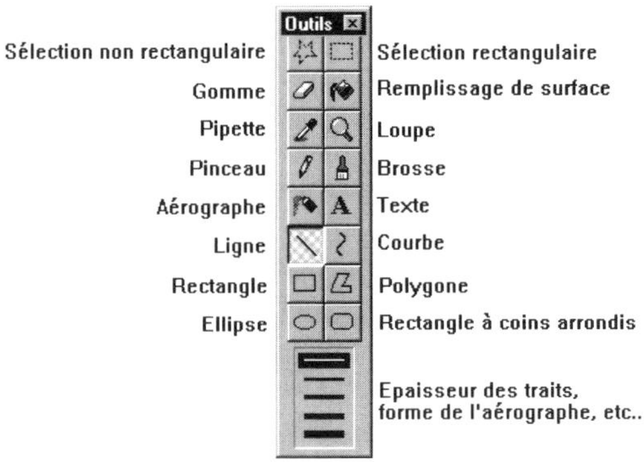

Figure 7.4 : La boîte à outils de Paint.

Pour utiliser un outil, cliquez sur son icône. Celle-ci reste enfoncée jusqu'à ce que vous sélectionniez un autre outil. Le tableau suivant indique comment employer les seize icônes de la boîte à d'outils.

Icône	Fonction	Utilisation
	Sélection non rectangulaire	Placez le pointeur sur un des points de la zone à sélectionner. Maintenez gauche de la souris enfoncé et tracez une forme quelconque qui rejoigne le point de départ. La zone sélectionnée peut être placée dans le Presse-papiers (commande **Couper** ou **Copier** dans le menu **Edition**) ou effacée (commande **Effacer la sélection** dans le menu **Edition**).
	Sélection rectangulaire	Placez le pointeur sur un des coins du rectangle à sélectionner. Maintenez gauche de la souris enfoncé et déplacez le pointeur jusqu'à l'angle opposé du rectangle. La zone sélectionnée peut être placée dans le Presse-papiers (commande **Couper** ou **Copier** dans le menu **Edition**) ou effacée (commande **Effacer** la sélection dans le menu **Edition**).
	Gomme	Lorsque vous maintenez le bouton gauche de la souris enfoncé, la gomme efface tout sur son passage. La couleur de remplacement est celle qui est affectée au bouton droit. En maintenant le bouton gauche de la souris enfoncé, la couleur affectée au bouton droit est remplacée par celle qui est affectée au bouton gauche lorsqu'elle est rencontrée.
	Remplissage de surface	La surface pointée doit être délimitée par un contour fermé. Selon qui est pressé, elle est remplie avec la couleur affectée au bouton droit ou au bouton gauche de la souris.
	Pipette	Affecte au bouton droit, ou au bouton gauche, la couleur du pixel qui se trouve sous le pointeur lors du clic.
	Loupe	Agrandit la zone pointée avec un facteur de grossissement compris entre 2 et 8.
	Pinceau	Permet de dessiner un trait fin, à main levée, avec la couleur affectée au bouton gauche ou au bouton droit de la souris.

Icône	Fonction	Utilisation
	Brosse	Dessine un trait plus ou moins épais (selon la sélection effectuée dans la partie inférieure de la boîte à outils) avec la couleur affectée au bouton gauche ou droit de la souris.
	Aérographe	Simule l'effet d'une bombe de peinture. La couleur utilisée peut être celle du bouton droit ou gauche de la souris.
A	Texte	Insère un texte sur l'image. Les caractéristiques (police, taille et attributs) du texte sont définies dans la boîte de dialogue **Polices**. Il peut être nécessaire de lancer la commande **Barre d'outils texte** du menu **Affichage** pour afficher cette boîte de dialogue.
	Ligne	Pointez une des extrémités de la ligne. Maintenez gauche ou droit de la souris enfoncé et déplacez le pointeur vers l'autre extrémité de la ligne. L'épaisseur des traits peut être choisie dans la partie inférieure de la boîte à outils.
	Courbe	Dans un premier temps, tracez une ligne, comme vous le feriez avec l'outil **Ligne**. Maintenez un des boutons de la souris enfoncé, et déformez la ligne selon son premier angle de courbure. Recommencez pour définir le deuxième angle de courbure. L'épaisseur des courbes peut être choisie dans la partie inférieure de la boîte à outils.
	Rectangle	Selon la sélection effectuée dans la partie inférieure de la boîte à outils, trace un rectangle vide, plein ou sans contour.
	Polygone	Trace un polygone vide, plein ou sans contour, en assemblant plusieurs lignes droites. Le tracé prend fin lorsque vous sélectionnez un autre outil dans la boîte à outils. Si nécessaire, le polygone est automatiquement fermé.
	Ellipse	Selon la sélection effectuée dans la partie inférieure de la boîte à outils, trace une ellipse vide, pleine ou sans contour.
	Rectangle à coins arrondis	Selon la sélection effectuée dans la partie inférieure de la boîte à outils, trace un rectangle à coins arrondis vide, plein ou sans contour.

La palette de couleurs

La palette de couleurs est le complément indispensable de la boîte à outils. Elle permet d'affecter une couleur au bouton gauche de la souris, une autre au bouton droit, et de redéfinir une ou plusieurs des 28 couleurs proposées par défaut.

Pour affecter une couleur au bouton gauche de la souris, pointez cette couleur dans la palette et cliquez du bouton gauche. Pour faire de même avec droit, pointez une couleur dans la palette et cliquez du bouton droit. Les couleurs des boutons de la souris apparaissent dans la partie gauche de la palette (voir Figure 7.5).

Figure 7.5 : La palette par défaut et les couleurs affectées aux boutons de la souris.

Si l'une des couleurs par défaut ne vous convient pas, vous pouvez la modifier très simplement. Double-cliquez dessus et cliquez sur **Définir les couleurs personnalisées** pour agrandir la boîte de dialogue (voir Figure 7.6).

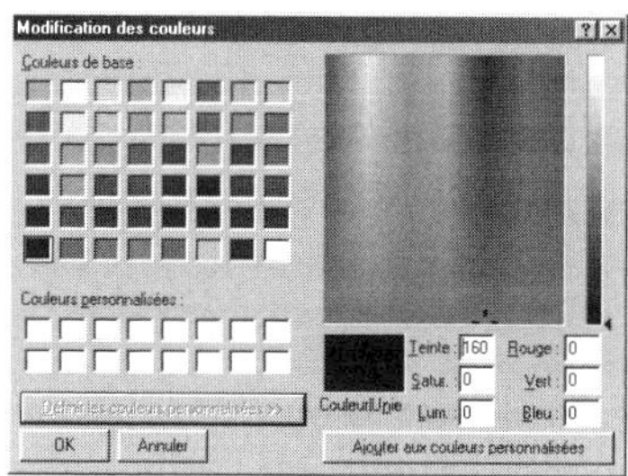

Figure 7.6 : La boîte de dialogue Modification des couleurs.

Il suffit maintenant de faire glisser la mire sur la palette ou de modifier les zones de texte **Teinte**, **Satur.**, **Lum**, **Rouge**, **Vert** et **Bleu** pour définir la nouvelle couleur.

Si nécessaire, vous pouvez redéfinir une ou plusieurs autres couleurs. Pour cela, sélectionnez la couleur à modifier et utilisez le même processus que précédemment. Un clic sur **OK** ferme la boîte de dialogue et applique les modifications.

Si vous désirez conserver la palette modifiée pour créer d'autres images, lancez la commande Enregistrer des couleurs du menu Options. Choisissez un nom pour la palette, puis cliquez sur Enregistrer pour la sauvegarder sur le disque. Par la suite, vous utiliserez la commande Charger les couleurs du menu Options pour réutiliser la palette sauvegardée.

Créer, importer et sauvegarder des images

Lorsque vous lancez Paint, une feuille blanche permet de définir immédiatement un nouveau dessin. Les dimensions de cette feuille sont les mêmes que celles de la dernière image éditée dans Paint. Pour les modifier, lancez la commande **Attributs** du menu **Image**, ou appuyez sur ***Ctrl-E***. La boîte de dialogue **Attributs** est affichée (voir Figure 7.7).

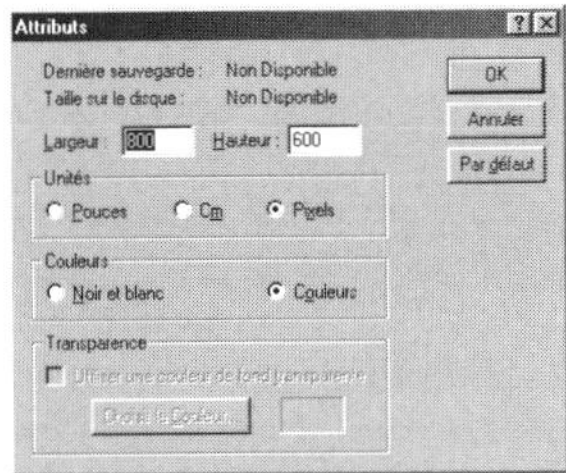

Figure 7.7 : Définition de la taille et de la palette de la nouvelle image.

Choisissez l'unité de mesure, la largeur, la hauteur et le type de palette à utiliser. Validez en cliquant sur **OK**. Les nouvelles caractéristiques de l'image entrent immédiatement en vigueur. Si une image était en cours d'édition, elle n'est pas perdue. Sa taille et sa palette sont simplement ajustées en conséquence.

Pour travailler sur une image BMP existante, lancez la commande **Ouvrir** du menu **Fichier**, ou appuyez sur ***Ctrl-O***. Effectuez les modifications nécessaires, puis sauvegardez l'image sous le même nom avec la commande **Enregistrer** du menu **Fichier** (raccourci clavier ***Ctrl-S***), ou sous un autre nom avec la commande **Enregistrer sous** du menu **Fichier**.

Il est aussi possible d'insérer une image existante dans celle en cours d'édition. Pour cela, utilisez la commande **Coller à partir de** du menu **Edition**.

Quand l'image courante est plus grande que la zone de travail de Paint, vous pouvez l'afficher en plein écran. Lancez la commande Afficher l'image du menu Affichage, ou appuyez sur *Ctrl-F*. Cliquez ou appuyez sur une touche quelconque du clavier pour revenir à un affichage fenêtré.

Accès aux dernières images

Comme la plupart des applications Windows, Paint garde en mémoire le nom des quatre dernières images avec lesquelles vous avez travaillé. Pour charger une de ces images, déroulez le menu **Fichier** et cliquez sur son nom (voir Figure 7.8).

Effets spéciaux

Le menu **Image** donne accès à des effets spéciaux intéressants. Pour utiliser les commandes qui le composent, vous devez au préalable sélectionner l'image ou la portion d'image sur laquelle vous voulez appliquer l'effet.

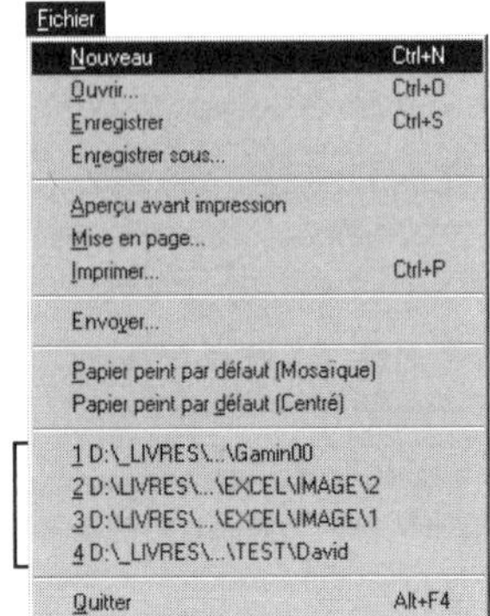

Figure 7.8 : Les quatre dernières images utilisées.

Retournement et pivotement

La commande **Retourner/Faire pivoter** (raccourci clavier ***Ctrl-R***) affiche la boîte de dialogue **Retourner et faire pivoter** (voir Figure 7.9).

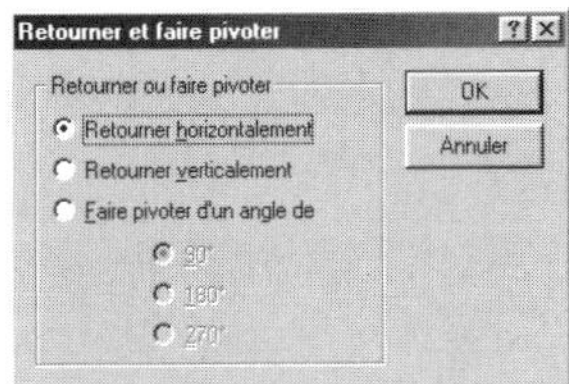

Figure 7.9 : La boîte de dialogue Retourner et faire pivoter.

Comme le montre la copie d'écran de la Figure 7.10, l'image de départ peut subir un retournement et/ou une rotation multiple de 90°.

Figure 7.10 : Illustration des possibilités de la commande Retourner/Faire pivoter.

Etirement et inclinaison

La commande **Etirer/Incliner** (raccourci clavier ***Ctrl-W***) affiche la boîte de dialogue **Etirer et incliner** (voir Figure 7.11).

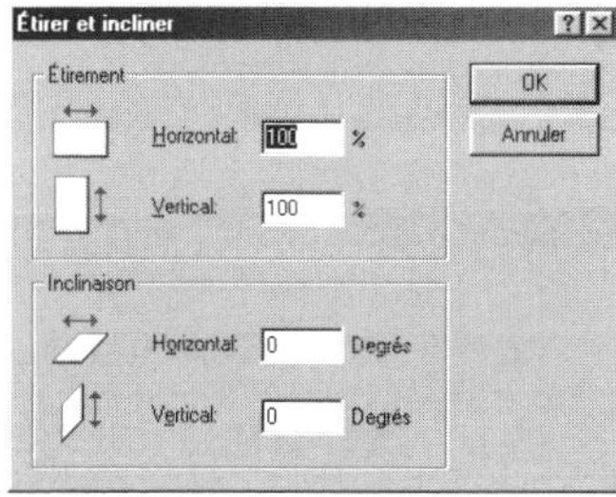

Figure 7.11 : La boîte de dialogue Etirer et incliner.

En utilisant le groupe d'options **Etirement**, vous pouvez étirer l'image sélectionnée horizontalement, verticalement, ou dans les deux sens (voir Figure 7.12). Cette dernière possibilité consiste à effectuer un étirement horizontal suivi d'un étirement vertical (ou inversement).

Figure 7.12 : Etirement d'une image.

En utilisant le groupe d'options **Inclinaison**, vous pouvez incliner horizontalement ou verticalement l'image sélectionnée. L'angle de l'inclinaison peut être choisi entre 0 et 89° (voir Figure 7.13).

Figure 7.13 : Inclinaison d'une image.

Inversion des couleurs

La commande **Inverser les couleurs** (raccourci clavier ***Ctrl-I***) provoque un remplacement de celles de la sélection par les couleurs complémentaires. Par exemple, le blanc devient noir et le rouge devient bleu (voir Figure 7.14).

Figure 7.14 : Inversion des couleurs.

Zoomer pour corriger un détail

Il est parfois utile d'agrandir une zone particulière dans une image pour y apporter des corrections précises. Pour ce faire, lancez la commande **Zoom/Personnaliser** du menu **Affichage**. Le zoom peut être réglé à 100, 200, 400, 600 ou 800 % (voir Figure 7.15).

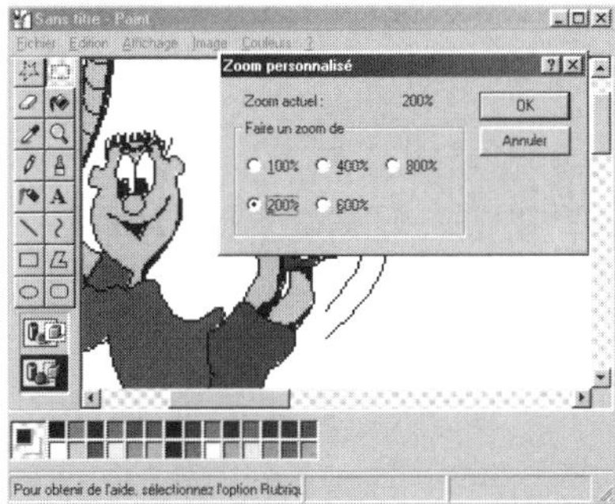

Figure 7.15 : Définition du facteur de zoom.

Si nécessaire, vous pouvez afficher une grille afin de repérer plus facilement les pixels sur la zone agrandie. Pour cela, lancez la commande **Zoom/Afficher la grille** du menu **Affichage**, ou cliquez sur ***Ctrl-G***.

Enfin, vous pouvez afficher la zone agrandie en taille réelle. Lancez la commande **Zoom/Afficher le chemin de fer** du menu **Affichage** (voir Figure 7.16).

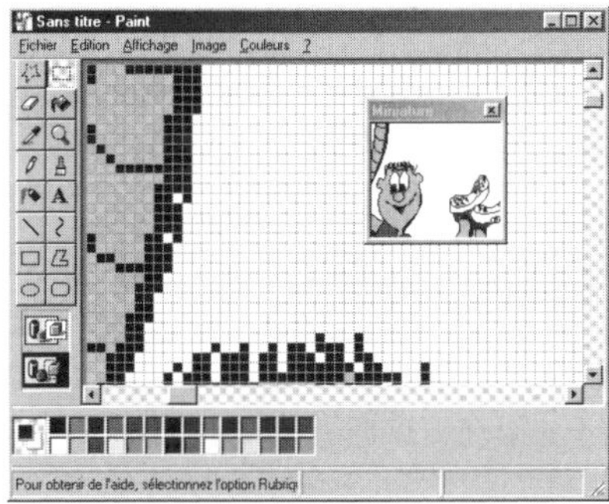

Figure 7.16 : La grille et le chemin de fer facilitent la définition précise de l'image.

Impression

Avant d'imprimer l'image, en cours d'édition, lancez la commande **Aperçu avant impression** du menu **Fichier** pour avoir une idée de la sortie papier. Modifiez, si nécessaire, les marges et l'orientation du papier. Pour cela, lancez la commande **Mise en page** du menu **Fichier** (voir Figure 7.17).

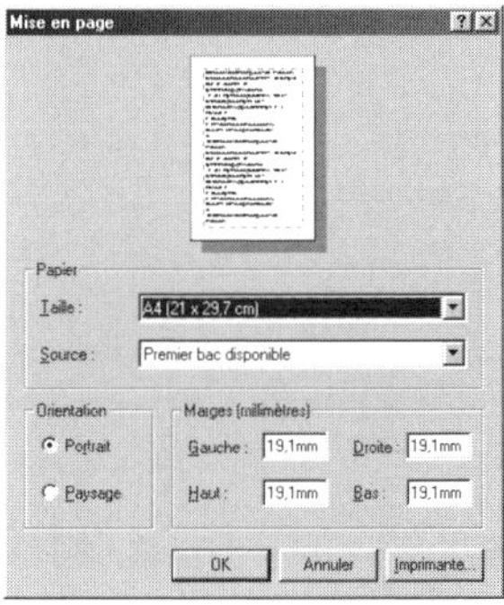

Figure 7.17 : Choix de l'orientation et des marges du papier.

Lorsque l'image est prête pour l'impression, lancez la commande **Imprimer** du menu **Fichier**, ou cliquez sur ***Ctrl-P***. La boîte de dialogue **Impression** est affichée (voir Figure 7.18).

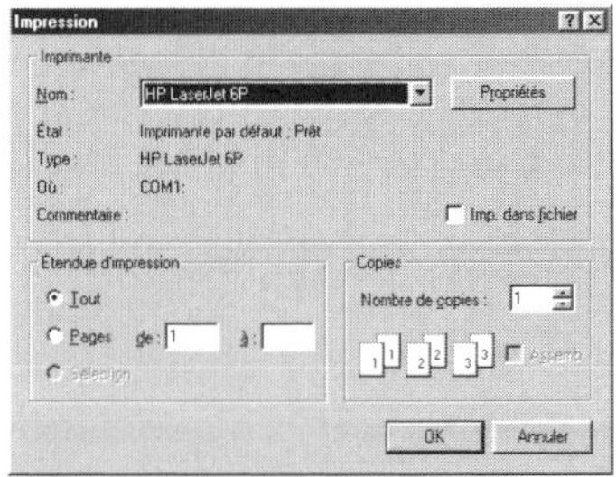

Figure 7.18 : Paramétrage de l'impression.

Indiquez l'étendue de l'impression et le nombre d'exemplaires à imprimer, puis validez en cliquant sur **OK**.

Choisir/modifier le papier peint avec Paint

Paint est très pratique pour choisir un nouveau papier peint. Utilisez les techniques passées en revue dans les paragraphes précédents pour définir une nouvelle image. Enregistrez-la. Sélectionnez alors la commande **Papier peint par défaut (Mosaïque)** ou **Papier peint par défaut (Centré)**, dans le menu **Fichier**, pour définir le nouveau papier peint.

Vous pouvez utiliser des images aux formats BMP, GIF et JPEG comme papiers peints.

L'application Imaging

Imaging est un outil de traitement d'images. C'est une nouveauté de Windows 98. Cet outil peut être utilisé pour :

- visualiser et annoter des images existantes ;
- numériser de nouvelles images par l'intermédiaire d'un numériseur TWAIN ;
- préparer des images destinées à être envoyées par fax ou par courrier électronique.

Pour lancer Imaging, cliquez sur **Démarrer** et sélectionnez **Programmes**, **Accessoires** puis **Imaging**. La fenêtre de l'application Imaging se présente comme dans la Figure 7.19.

La plupart des fonctions de cette application sont accessibles à travers des boutons disposés dans quatre barres d'outils. Vous utiliserez en particulier les boutons suivants :

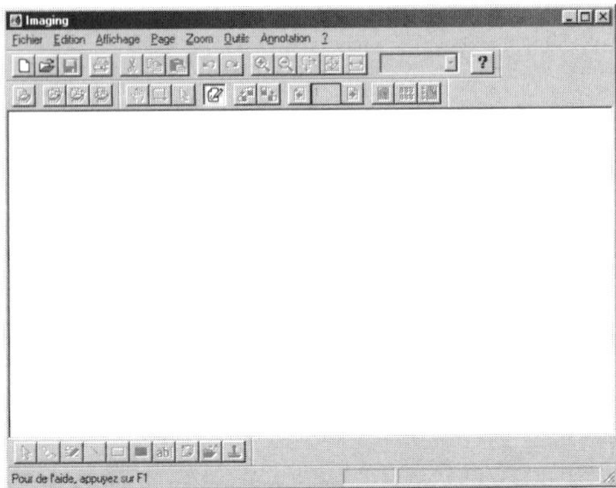

Figure 7.19 : La fenêtre de l'application Imaging.

Bouton	Fonction
	Numérisation d'une image
	Définition d'un nouvelle image
	Ouverture d'une image existante
	Sauvegarde de l'image en cours d'édition
	Accès aux outils d'annotation
	Pivotement de l'image
	Mode d'affichage des images

Définition d'un nouveau document

Pour définir une nouvelle image, lancez la commande **Nouveau** du menu **Fichier**, utilisez le raccourci clavier ***Ctrl-N*** ou cliquez sur **Nouveau** de la barre d'outils standard. Quelle que soit la méthode utilisée, la boîte de dialogue de la Figure 7.20 est affichée.

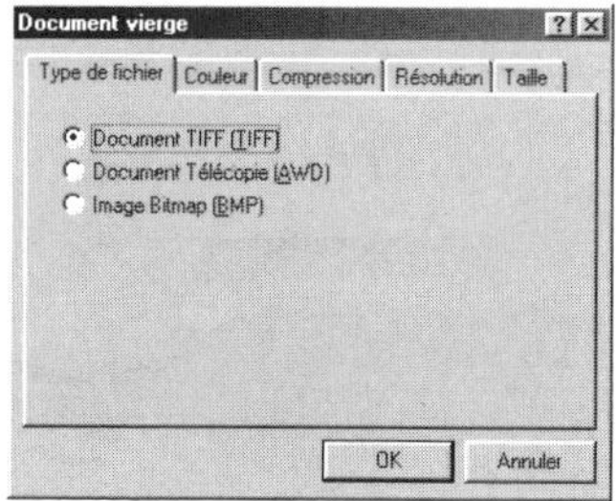

Figure 7.20 : La boîte de dialogue de création d'un nouveau document.

Utilisez les cinq onglets de cette boîte de dialogue pour définir :

1. Le type de l'image : TIFF, AWD ou BMP.
2. Le nombre de couleurs : noir et blanc, 16 ou 256 niveaux de gris, 256 couleurs ou couleurs 24 bits.
3. Le type de compression à utiliser.
4. La résolution et la taille de l'image.

Il ne vous reste plus qu'à définir l'image en utilisant la technique du copier/coller et les outils d'Imaging.

Visualisation d'images existantes

Cliquez sur **Ouvrir** de la barre d'outils, lancez la commande **Ouvrir** du menu **Fichier**, ou utilisez le raccourci clavier ***Ctrl-O***, pour ouvrir une image existante. Les formats reconnus par Imaging sont TIFF, AWD, BMP, JPEG, PCX, DCX, XIF, GIF et WIF.

Utilisation d'un numériseur Twain

Si un numériseur compatible Twain est relié à votre ordinateur, vous allez pouvoir utiliser Imaging pour numériser très simplement images et documents. Avant de cliquer sur **Scanner un nouveau document** dans la barre d'outils **Numérisation**, lancez la commande **Options de numérisation** du menu **Outils** pour choisir le mode de numérisation (voir Figure 7.21).

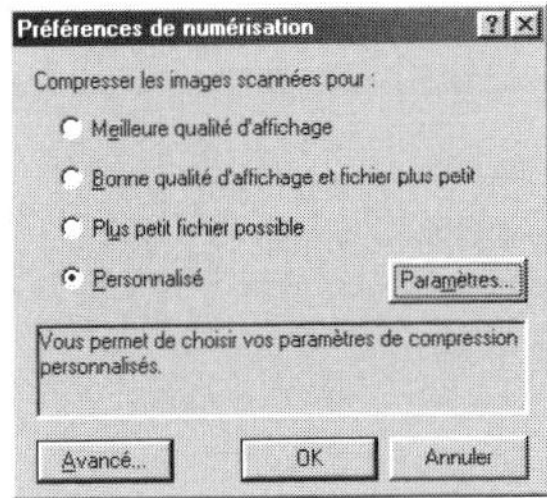

Figure 7.21 : Choix du mode de numérisation.

Vous pouvez vous contenter de sélectionner une des trois premières options, ou choisir l'option **Personnalisé** pour accéder aux paramètres avancés (voir Figure 7.22).

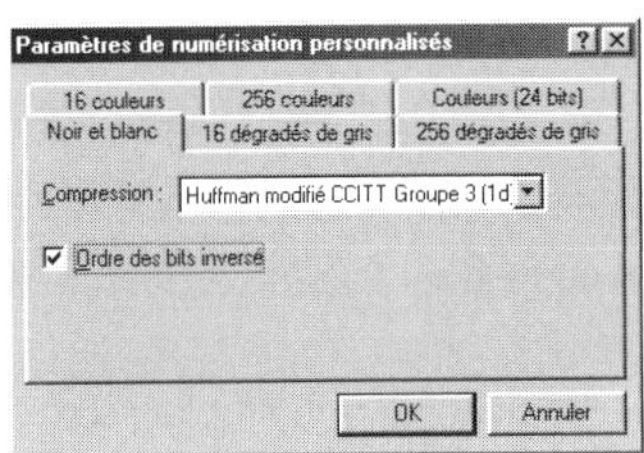

Figure 7.22 : Personnalisation des paramètres de numérisation.

Dans ce cas, sélectionnez un des onglets de la boîte de dialogue **Paramètres de numérisation personnalisés** et validez en cliquant sur **OK**. Il ne vous reste plus qu'à cliquer sur **Scanner un nouveau document** dans la barre d'outils pour lancer la numérisation.

Les boutons Pivoter à gauche et Pivoter à droite de la barre d'outils Imaging sont particulièrement appréciables, car les documents scannés doivent souvent subir une rotation pour être exploitables.

Annotations

Imaging peut aussi être utilisé pour porter des annotations textuelles sur des images. Le plus simple consiste à cliquer sur **Barre d'annotation**, dans la barre d'outils standard, pour faire apparaître la barre d'outils Annotation (voir Figure 7.23).

Figure 7.23 : Vous pouvez transformer la barre d'outils Annotation en une palette flottante en double-cliquant dessus.

Toutes les annotations placées sur une image peuvent être supprimées : activez l'outil de sélection, cliquez sur l'annotation à supprimer puis cliquez sur la touche ***Suppr*** du clavier.

L'outil **Cachet** est particulièrement performant. En quelques clics souris, il permet de coller un texte prédéfini sur l'image en cours d'édition. Quatre textes sont proposés par défaut (**Approuvé**, **Brouillon**, **Reçu** et **Refusé**), mais il est très simple de définir de nouveaux cachets. Pour ce faire, lancez la commande **Cachets** du menu **Annotation**. Les cachets disponibles sont affichés dans la boîte de dialogue **Propriétés des cachets** (voir Figure 7.24).

Pour créer un nouveau cachet, cliquez sur **Créer texte** et définissez le nom et le texte du cachet (voir Figure 7.25).

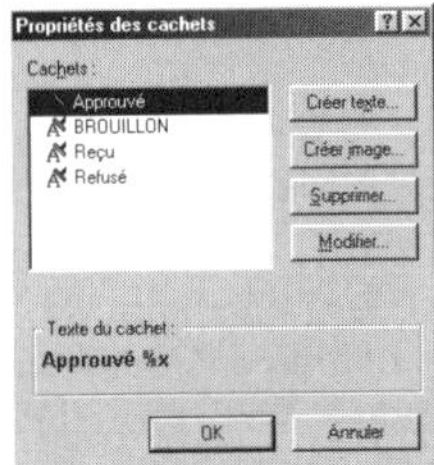

Figure 7.24 : Les quatre cachets prédéfinis.

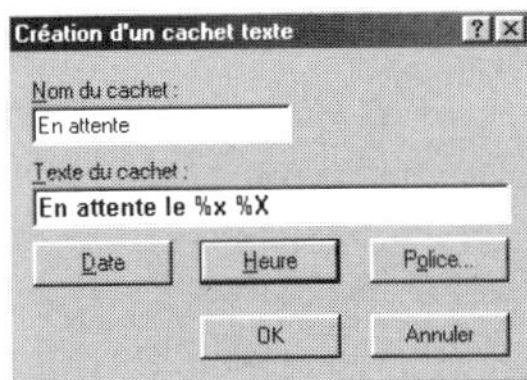

Figure 7.25 : Définition d'un nouveau cachet.

Vous pouvez ajouter la date et l'heure système au cachet en cliquant sur les boutons correspondants. Les paramètres concernant la police à utiliser et ses attributs sont accessibles à travers de commande **Police**.

Chapitre 8

Polices et impression

Au sommaire de ce chapitre

- Visualiser les polices installées
- Ajouter une nouvelle police
- Supprimer une police installée
- Installer et paramétrer une nouvelle imprimante
- Accéder à tous les caractères d'une police
- Imprimer plusieurs documents en une seule opération

La présentation d'un document est très importante. En utilisant judicieusement certaines polices de caractères, il est très simple d'attirer l'attention du lecteur sur un endroit précis. Ce chapitre vous montre comment installer et supprimer des polices, paramétrer l'imprimante installée ou encore accéder aux caractères non disponibles sur le clavier.

Les polices installées

Dans Windows 98, la liste des polices installées se trouve dans un dossier. Pour la consulter, cliquez sur **Démarrer**, sélectionnez **Paramètres**, **Panneau de configuration**, puis double-cliquez sur l'icône **Polices**. Le dossier **Fonts** est alors affiché (voir Figure 8.1).

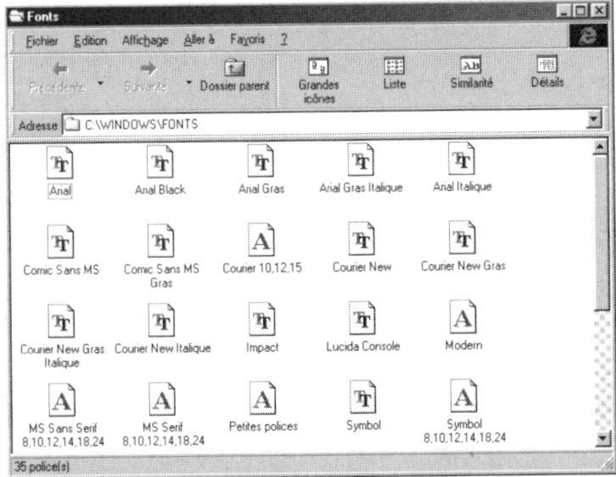

Figure 8.1 : La liste des polices installées.

Les icônes contenant les lettres **TT** représentent des polices TrueType, qui sont les plus utilisées sous Windows. Leur mode de fonctionnement diminue les escaliers, aussi bien sur l'écran que sur les pages imprimées.

Les icônes contenant la lettre **A** représentent des polices non TrueType. Il peut s'agir de polices vectorielles, bitmap ou d'imprimante.

Pour avoir un aperçu d'une police, double-cliquez dessus dans le dossier **Fonts**. Des informations sur cette police ainsi qu'un exemple de caractères dans différentes tailles sont affichés. Vous pouvez imprimer ces informations pour mémoire en cliquant sur **Imprimer** (voir Figure 8.2).

Figure 8.2 : Un aperçu de la police TrueType Arial.

Les polices affichées dans la fenêtre Fonts peuvent être recensées selon leur ressemblance avec une police donnée. Pour parvenir à ce résultat, lancez la commande Lister les polices selon leur ressemblance du menu Affichage, ou cliquez sur l'icône Similarité dans la barre d'outils, puis choisissez la police de référence dans la liste modifiable (voir Figure 8.3).

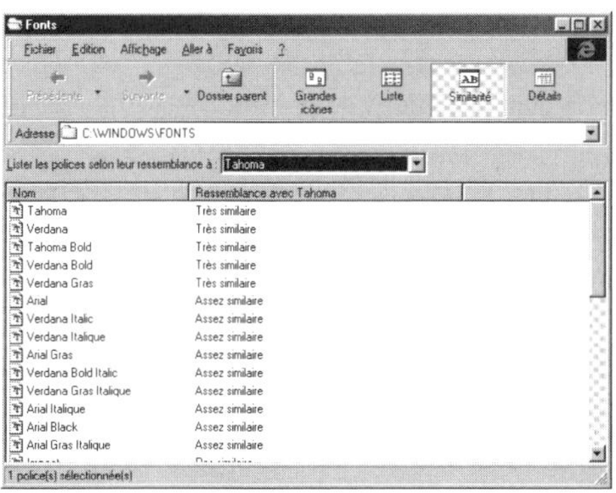

Figure 8.3 : Affichage des polices proches de Tahoma.

Ajouter une nouvelle police

Windows 98 est fourni avec plusieurs polices standards adaptées à la plupart des documents. Etant donné le faible coût et la diversité des polices proposées dans le domaine shareware ou commercial, vous serez probablement tenté d'en installer de nouvelles dans votre interface graphique. Procédez selon les étapes suivantes :

1. Cliquez sur **Démarrer**.
2. Cliquez sur **Paramètres**, puis sur **Panneau de configuration**.
3. Double-cliquez sur l'icône **Polices**.
4. Lancez la commande **Installer une nouvelle police** du menu **Fichier**. La boîte de dialogue **Ajout de polices** est affichée (voir Figure 8.4).

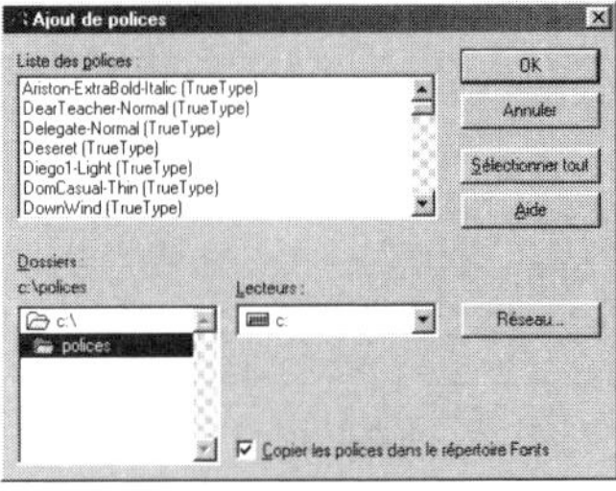

Figure 8.4 : La boîte de dialogue Ajout de polices.

5. Sélectionnez le disque, le dossier et les polices à installer, puis cliquez sur **OK** pour lancer l'installation.

Si vous devez installer plusieurs polices, maintenez la touche *Ctrl* enfoncée pendant que vous cliquez sur leur nom. Pour installer toutes les polices, cliquez simplement sur Sélectionner tout.

Supprimer une police

Il est parfois nécessaire de supprimer une police qui n'a plus aucune utilité et qui surcharge le disque dur de l'ordinateur. Vous vous en doutez, la suppression se fait dans le dossier des polices.

Cliquez sur **Démarrer**, choisissez **Paramètres**, **Panneau de configuration**, puis double-cliquez sur l'icône **Polices**. Dans le dossier **Fonts**, cliquez du bouton droit sur l'icône de la police à supprimer, et choisissez **Supprimer** dans le menu contextuel. La police est détruite après confirmation (voir Figure 8.5).

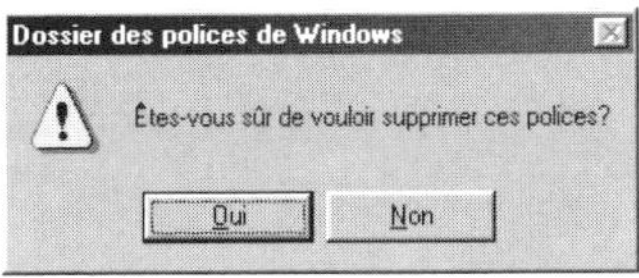

Figure 8.5 : Suppression d'une police dans le dossier Fonts.

Installer une nouvelle imprimante

Vous venez d'acquérir une nouvelle imprimante et vous êtes impatient de l'essayer. Cependant, vous devez d'abord installer le gestionnaire d'imprimante correspondant. Voici comment procéder.

Mettez l'imprimante sous tension et redémarrez Windows. Dans la plupart des cas, l'imprimante est détectée automatiquement et une boîte de dialogue indiquant la détection d'un nouveau matériel est affichée. Si votre imprimante fait partie de la liste des imprimantes recensées par Windows, quelques clics suffiront à l'installer. Dans le cas contraire, vous devrez insérer les disquettes contenant le pilote Windows (ces disquettes doivent vous être fournies par la société qui vous a vendu l'imprimante).

Si votre imprimante n'est pas reconnue au démarrage de Windows, vous devrez utiliser la technique suivante :

1. Cliquez sur **Démarrer**.

2. Sélectionnez **Paramètres**, puis **Imprimantes**. Le dossier *Imprimantes* s'affiche.

3. Double-cliquez sur l'icône **Ajout d'imprimante** pour lancer l'assistant d'installation (voir Figure 8.6).

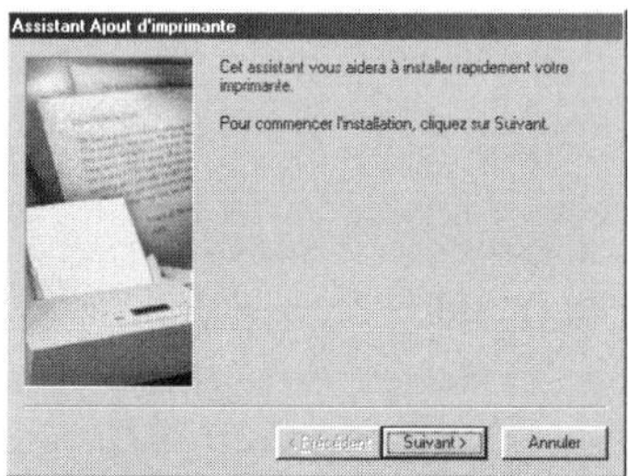

Figure 8.6 : Premier écran de l'assistant d'installation d'imprimantes.

4. Cliquez sur **Suivant** et déterminez s'il s'agit d'une imprimante locale ou réseau.

5. Un autre clic sur **Suivant** et vous devez définir le nom du constructeur et le modèle de l'imprimante. Si le modèle n'apparaît pas dans la liste, insérez la disquette fournie par le constructeur dans le lecteur et cliquez sur **Disquette fournie** (voir Figure 8.7).

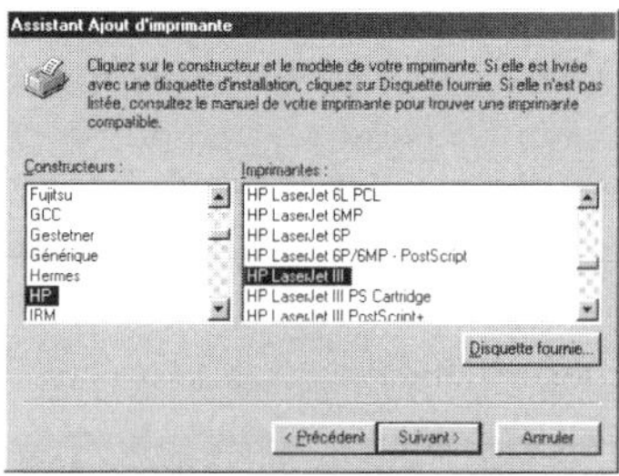

Figure 8.7 : Spécification du constructeur et du modèle de l'imprimante.

6. Indiquez le port utilisé par l'imprimante, donnez un nom à celle-ci, et imprimez une page de test pour vous assurer du bon paramétrage de l'assistant. Une fois le pilote copié sur le disque dur, l'icône de l'imprimante apparaît dans le dossier **Imprimantes**.

Paramétrer une imprimante installée

Le paramétrage des imprimantes s'effectue dans le dossier **Imprimantes**.

Pour y accéder, cliquez sur **Démarrer** et sélectionnez **Paramètres**, puis **Imprimantes**. Le dossier Imprimantes est affiché.

Cliquez du bouton droit sur l'icône de l'imprimante à paramétrer et choisissez **Propriétés** dans le menu contextuel. Les paramètres sont accessibles à travers divers onglets qui varient d'une imprimante à l'autre (voir Figure 8.8).

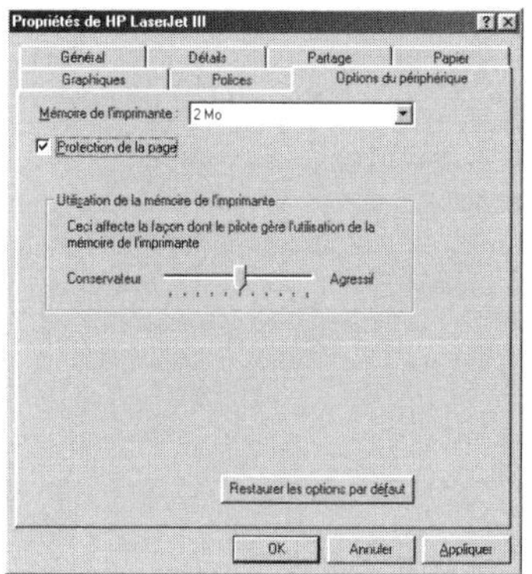

Figure 8.8 : L'onglet Options du périphérique.

Vous pouvez, par exemple, indiquer l'orientation et le nombre de copies par défaut, ou encore préciser la quantité de mémoire installée dans l'imprimante.

Lorsque le paramétrage est complet, cliquez sur **OK** pour fermer la boîte de dialogue et appliquer les modifications.

Sélectionner une imprimante par défaut

Si votre ordinateur peut utiliser plusieurs imprimantes, vous désirerez probablement en définir une par défaut, pour ne pas avoir à spécifier son nom lors de chaque impression. La sélection de l'imprimante par défaut s'effectue dans le dossier **Imprimantes**. Pour y accéder, cliquez sur **Démarrer** et sélectionnez **Paramètres**, puis **Imprimantes**.

Cliquez du bouton droit sur l'icône d'une des imprimantes. Si la commande **Définir par défaut** est cochée, cela signifie que cette imprimante est déjà sélectionnée par défaut. Dans le cas contraire, activez la commande **Définir par défaut**.

Dans l'exemple de la Figure 8.9, l'imprimante HP Laserjet 6P est déjà sélectionnée par défaut.

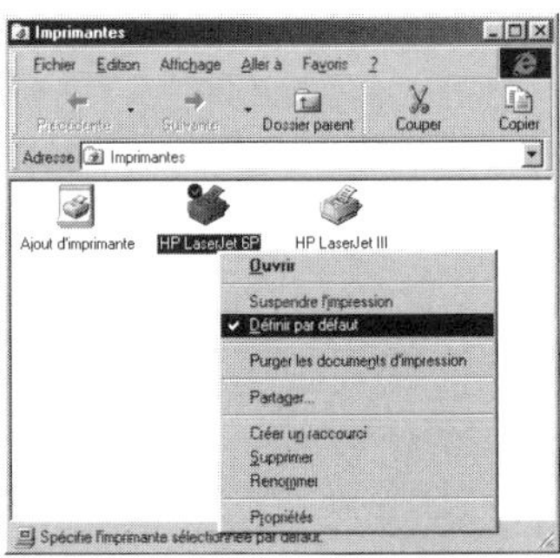

Figure 8.9 : Sélection d'une imprimante par défaut.

Les caractères spéciaux

Tous les caractères d'une police ne sont pas directement ou facilement accessibles au clavier, particulièrement les polices fantaisie ou

celles qui contiennent des symboles. Heureusement, Windows possède un accessoire qui facilite grandement l'utilisation des caractères hors clavier et des polices "exotiques" : la table de caractères.

Pour afficher la table de caractères, cliquez sur **Démarrer** et sélectionnez **Programmes**, **Accessoires**, **Outils système**, puis **Table de caractères**. La fenêtre du même nom s'affiche (voir Figure 8.10).

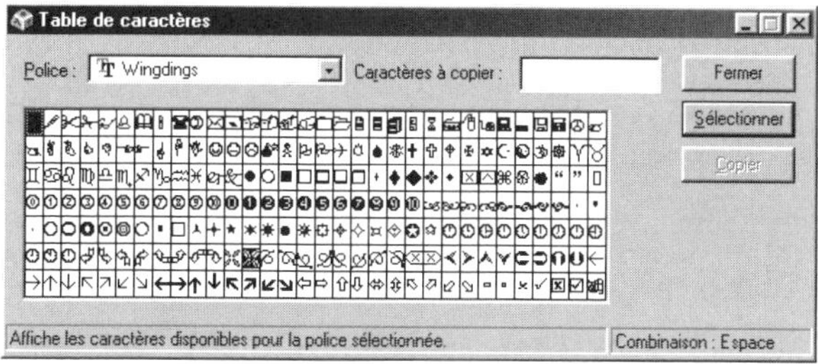

Figure 8.10 : L'accessoire Table de caractères.

Si la table de caractères n'apparaît pas dans le menu Démarrer, cela signifie qu'elle n'a pas été installée. Double-cliquez sur l'icône Ajout/Suppression de programmes dans le Panneau de configuration, et sélectionnez l'onglet Installation de Windows puis le composant Outils système. Cliquez sur Détails, cochez la case du composant Table de caractères et validez. Après quelques instants, la table de caractères est accessible depuis le menu Démarrer.

Choisissez une police dans la zone de liste **Police**. Les caractères qui la composent sont immédiatement affichés dans la grille. Si vous cliquez sur l'un d'eux, il s'agrandit, et la touche (ou la combinaison de touches) correspondante est affichée dans la partie droite de la barre d'état. Si nécessaire, ce caractère peut être copié dans le Presse-papiers en vue d'un collage dans une application Windows. Pour cela, il suffit de cliquer sur **Sélectionner**. Lorsque tous les caractères recherchés ont été placés dans le Presse-papiers, cliquez sur **Copier**, puis sur **Fermer**. Il suffit maintenant d'utiliser la

commande **Coller** dans l'application cible pour coller les caractères sélectionnés dans la table de caractères.

Dans la version actuelle de la table de caractères, il est impossible de copier dans le Presse-papiers des caractères appartenant à des polices différentes.

Imprimer plusieurs documents en une seule opération

Supposons que vous deviez imprimer plusieurs documents. A priori, vous pourriez procéder comme suit :

1. Lancez l'application dans laquelle ont été créés ces documents.
2. Ouvrez le premier document.
3. Lancez une commande d'impression.
4. Réitérez la manipulation pour tous les documents.

Rassurez-vous, il y a beaucoup plus simple. Dans l'Explorateur ou le Poste de travail, choisissez les documents à imprimer. Cliquez du bouton droit et sélectionnez **Imprimer** dans le menu contextuel (voir Figure 8.11).

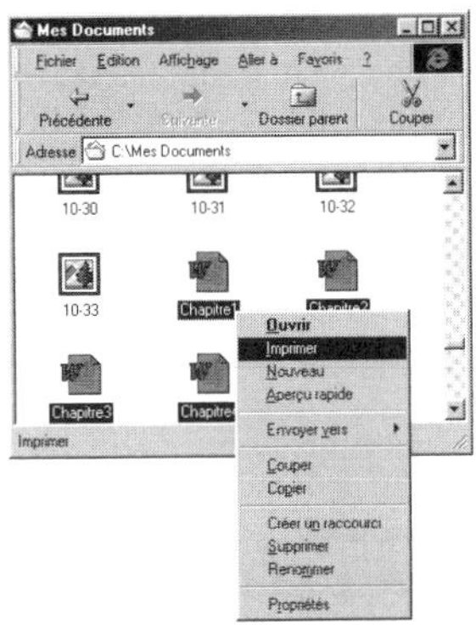

Figure 8.11 : Impression de plusieurs documents.

Les applications dans lesquelles ont été créés les documents sont automatiquement lancées, et les documents, ouverts et imprimés.

Pour sélectionner plusieurs fichiers consécutifs, il suffit de cliquer sur le premier, puis, en maintenant la touche *Maj* enfoncée, sur le dernier.

Pour sélectionner plusieurs fichiers non consécutifs, cliquez sur chacun d'eux en maintenant la touche *Ctrl* du clavier enfoncée.

Chapitre 9

Windows multimédia

Au sommaire de ce chapitre

- Ecouter des sons numérisés
- Enregistrer et modifier des sons numérisés
- Associer sons et événements Windows
- Ecouter des fichiers MIDI
- Lire un CD audio
- Visualiser une vidéo AVI ou MPEG

Windows 98 est résolument orienté Multimédia. Pour peu que vous soyez équipé en conséquence, vous pourrez enregistrer et écouter des sons, lire des fichiers MIDI, écouter des CD audio, ou encore visualiser des séquences filmées. Ce chapitre vous montre quels outils utiliser et comment s'en servir.

Ecouter des sons numérisés

Les sons joués sous Windows 98 sont des fichiers échantillonnés (ou numérisés) d'extension WAV. Pour les écouter, vous utiliserez au choix le magnétophone ou le lecteur multimédia. Ces deux accessoires sont fournis avec Windows. Le magnétophone est destiné à l'écoute et à l'enregistrement de fichiers WAV, alors que le lecteur multimédia est capable d'accéder à plusieurs types de périphériques multimédias.

Pour lancer le magnétophone, cliquez sur **Démarrer** et sélectionnez **Programmes**, **Accessoires**, **Divertissement**, puis **Magnétophone** (voir Figure 9.1).

Figure 9.1 : Le magnétophone de Windows.

Un ou plusieurs fichiers WAV se trouvent dans le dossier MEDIA de Windows. En lançant la commande **Ouvrir** du menu **Fichier**, vous pouvez accéder à ces fichiers. Une fois le son en mémoire, vous utilisez le bouton de commande **Lire** pour l'écouter (voir Figure 9.2).

Figure 9.2 : Lire.

Pour localiser facilement tous les fichiers WAV qui se trouvent sur vos unités de disques, vous pouvez utiliser l'outil de recherche de Windows. Cliquez sur **Démarrer** et sélectionnez **Rechercher**, puis **Fichiers ou dossiers**. Sous l'onglet **Nom et emplacement**, indiquez le disque sur lequel doit s'effectuer la recherche, en prenant bien garde à cocher la case **Inclure les sous-dossiers**, pour rechercher les fichiers dans tous les dossiers du disque. Sous l'onglet **Avancée**, sélectionnez le type **Son wave**, puis cliquez sur **Rechercher maintenant**. Les fichiers WAV sont rapidement localisés. Vous pouvez

les écouter directement en double-cliquant dessus dans la boîte de dialogue **Rechercher** (voir Figure 9.3).

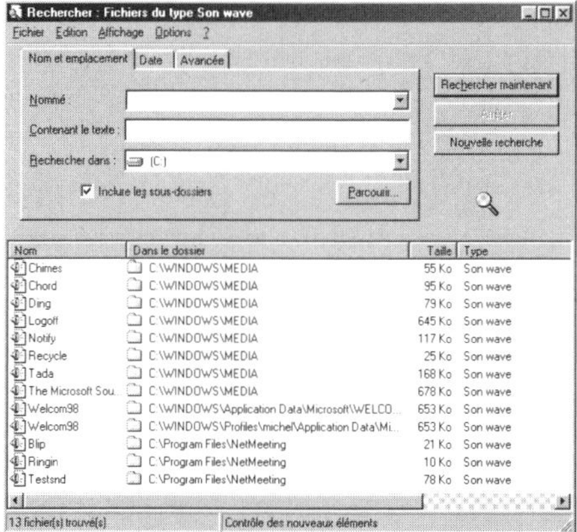

Figure 9.3 : Recherche des fichiers WAV sur une unité de disque.

Pour régler le volume sonore des diverses entrées et sorties, double-cliquez sur le haut-parleur situé dans la partie droite de la barre des tâches. Les réglages s'effectuent dans la boîte de dialogue Contrôle du volume (voir Figure 9.4).

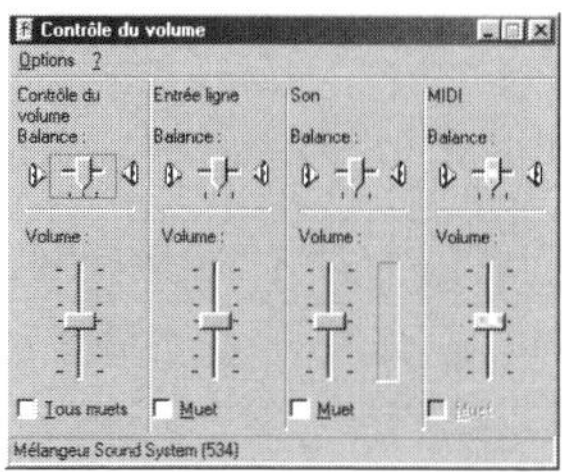

Figure 9.4 : Contrôle du volume des entrées et sorties son.

Enregistrer des sons

Si votre carte son est capable de numériser des sons (c'est le cas de la quasi-totalité des cartes audio actuelles), vous pouvez utiliser le magnétophone pour enregistrer des sons au format WAV. Cliquez sur **Démarrer** et sélectionnez **Programmes**, **Accessoires**, **Multimédia**, puis **Magnétophone**. La fenêtre du magnétophone est affichée.

Avant de commencer l'enregistrement, lancez la commande **Propriétés audio** du menu **Edition** pour définir le volume et la qualité de l'enregistrement. Une boîte de dialogue s'affiche (voir Figure 9.5).

Figure 9.5 : La boîte de dialogue Propriétés audio.

Le groupe d'options **Enregistrement** laisse apparaître le nom du périphérique utilisé pour enregistrer des sons WAV (**Microsoft Sound System** dans l'exemple de la Figure 9.6). En cliquant sur **Propriétés avancées**, vous pouvez choisir le taux d'échantillonnage de l'enregistrement (voir Figure 9.6).

Trois valeurs prédéfinies sont accessibles :

- **La meilleure qualité.** Cette qualité est excellente, puisqu'elle est comparable à celle d'un CD audio. Le revers de la médaille

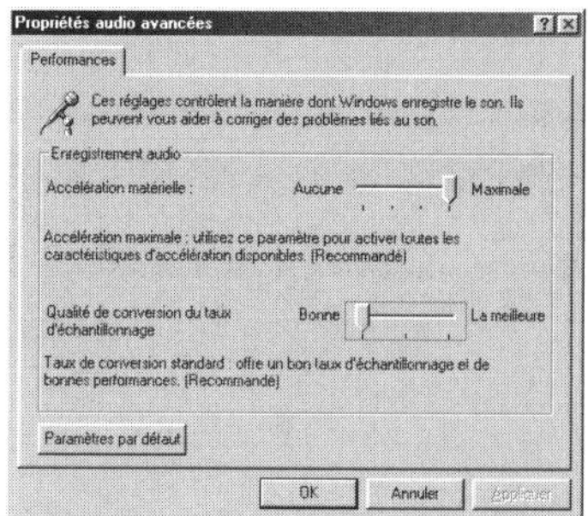

Figure 9.6 : Le taux d'échantillonnage est choisi avec le curseur Qualité de la conversion du taux d'échantillonnage.

est la grande quantité d'espace disque nécessaire. Ce niveau d'enregistrement n'est absolument pas justifié dans les utilisations courantes, telles que l'enregistrement d'un commentaire ou d'un échantillon musical destiné à être rejoué sur le PC.

- **Qualité améliorée.** Ce réglage est un bon compromis entre la qualité du son et l'espace disque nécessaire à son stockage. Il peut être utilisé pour enregistrer des voix ou de la musique qui doivent être rejouées sur un PC.
- **Qualité standard.** Cette qualité est à réserver à l'enregistrement de la voix. Vous l'utiliserez, par exemple, pour enregistrer des messages vocaux dans un document de traitement de texte.

Lorsque les réglages de niveau et de qualité sont effectués, refermez la boîte de dialogue **Propriétés Audio avancées** en cliquant sur **OK**. Cliquez sur **Enregistrer** pour démarrer l'enregistrement, et sur **Arrêter** pour le stopper.

Si vous avez raté l'enregistrement, lancez la commande **Nouveau** du menu **Fichier** et recommencez. Quand le résultat recherché est atteint, sauvegardez le son avec la commande **Enregistrer** du menu **Fichier**.

Modifier un son enregistré

Le magnétophone possède quelques options intéressantes qui permettront de donner un aspect fini à vos œuvres.

Copier, coller, insérer et mixer

Les fonctions de copier/coller classiques peuvent être utilisées dans le magnétophone. Elles sont accessibles à partir du menu **Edition** (voir Figure 9.7).

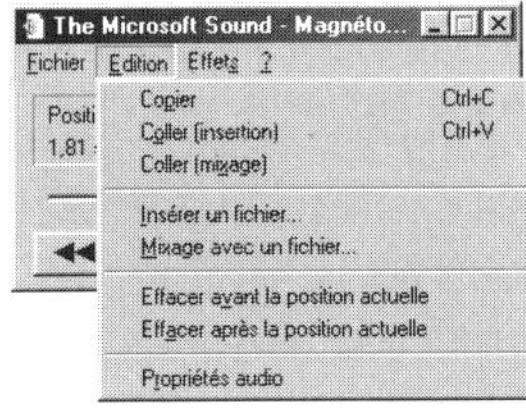

Figure 9.7 : Le menu Edition du magnétophone.

Pour copier le son en cours d'édition dans le Presse-papiers, lancez la commande **Copier** du menu **Edition**, ou utilisez le raccourci clavier ***Ctrl-C***.

Vous pouvez maintenant coller, avec ou sans mixage, le contenu du Presse-papiers dans le fichier WAV en cours d'édition. Choisissez la position d'insertion ou de mixage en utilisant les boutons **Lire** et **Arrêter** et/ou le curseur horizontal. Lancez la commande **Coller (insertion)** du menu **Edition** (raccourci clavier ***Ctrl-V***) pour insérer le contenu du Presse-papiers à la position actuelle. Lancez la commande **Coller (mixage)** du menu **Edition** pour mixer (c'est-à-dire mélanger) le contenu du Presse-papiers et le fichier WAV en mémoire, à partir de la position actuelle.

Si le son à insérer se trouve dans un fichier WAV, sur le disque, vous utiliserez les commandes **Insérer un fichier** et **Mixage avec un fichier** à la place de **Coller (insertion)** et **Coller (mixage)**.

Suppression des blancs de début et de fin

Lorsque vous enregistrerez un fichier WAV, il est fort probable que des "blancs" de début et de fin d'enregistrement s'insèrent malgré vous. Deux commandes du menu **Edition** permettent d'effacer ces données qui occupent inutilement de l'espace disque. En utilisant les boutons **Lire** et **Arrêter** et/ou le curseur horizontal, affichez le début des données sonores, puis lancez la commande **Effacer avant la position actuelle** du menu **Edition** pour effacer le blanc de début d'enregistrement. Déplacez-vous à la fin du fichier, puis remontez un peu en déplaçant le curseur vers la gauche, juste avant que l'onde ne prenne une forme non horizontale. Lancez alors la commande **Effacer après la position actuelle** du menu **Edition** pour effacer le blanc de fin d'enregistrement.

Modification du volume et de la vitesse

Le menu **Effets** permet, entre autres, de modifier le volume du son après l'enregistrement. Le résultat n'est pas mauvais du tout, mais faites attention à ne pas écrêter la forme d'onde. La qualité finale en pâtirait. Utilisez les commandes **Augmenter le volume** et **Réduire le volume** pour ajuster le volume du son en mémoire.

De même, vous pouvez employer les commandes **Augmenter la vitesse** et **Réduire la vitesse** pour accélérer ou ralentir le débit sonore (voir Figure 9.8).

Figure 9.8 : Le menu Effets du magnétophone.

Echo et inversion

Si votre enregistrement manque d'ampleur, vous pouvez lui ajouter de l'écho. Lancez simplement la commande **Ajouter de l'écho** dans le menu **Effets**. Le résultat est saisissant.

Enfin, la commande **Inverser** retourne purement et simplement la forme d'onde. Le résultat est parfois intéressant, mais il est difficile de prévoir à l'avance ce qui va résulter de l'inversion d'un son.

Vous venez d'effectuer une mauvaise manipulation qui a réduit à néant vos efforts sur le fichier WAV en cours d'édition. Pas de panique ! Lancez la commande Restaurer du menu Fichier, et vous retrouverez le son tel qu'il était lors de la dernière sauvegarde. Il est donc important de sauvegarder souvent un fichier WAV lorsque vous lui appliquez des effets spéciaux, des collages ou des mixages.

Associer sons et événements Windows

Windows 98 répertorie un certain nombre d'événements auxquels il est possible d'associer un fichier WAV. En choisissant des sons non conventionnels, vous modifierez radicalement l'aspect sonore de votre interface graphique.

Pour définir une nouvelle association événement/son, vous devez afficher la boîte de dialogue **Propriétés pour Sons**. Cliquez sur **Démarrer** et choisissez **Paramètres**, puis **Panneau de configuration**. Dans ce dernier, double-cliquez sur l'icône **Sons**. La boîte de dialogue **Propriétés pour Sons** est affichée (voir Figure 9.9).

Pour ajouter une nouvelle association, cliquez sur une des entrées de la zone de liste **Evénements**, puis choisissez un fichier WAV dans la liste modifiable **Nom**. Cette liste modifiable répertorie (par défaut) les fichiers WAV qui se trouvent dans le dossier \MEDIA de Windows. Si nécessaire, vous pouvez cliquer sur **Parcourir** pour accéder aux autres dossiers du disque.

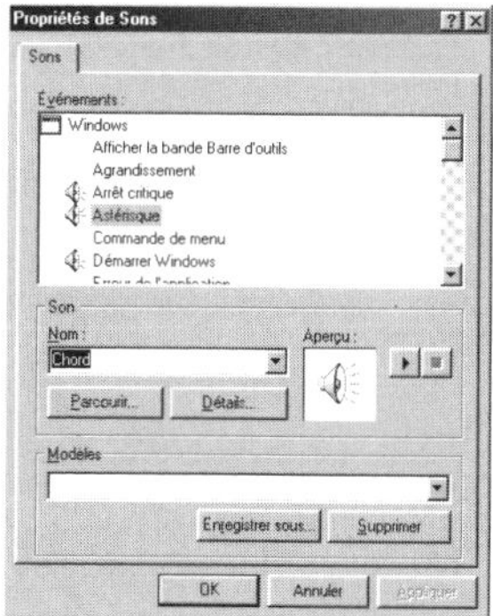

Figure 9.9 : Association de sons et d'événements dans la boîte de dialogue Propriétés pour Sons.

Lorsque les diverses associations événement/son ont été effectuées, cliquez sur **Enregistrer sous**, dans le groupe d'options **Modèles**, pour enregistrer la configuration courante. De la sorte, vous pourrez définir plusieurs configurations sonores. Par la suite, vous choisirez celle qui s'adapte le mieux à votre humeur du jour dans la liste modifiable **Modèles**.

Cliquez sur **Appliquer** puis sur **OK** pour utiliser le nouveau modèle.

Plusieurs modèles de sons complémentaires permettent d'enrichir les événements système de Windows. Ces modèles ne sont pas installés par défaut. Pour les installer, double-cliquez sur l'icône Ajout/Suppression de programmes dans le Panneau de configuration et sélectionnez l'onglet Installation de Windows dans la boîte de dialogue Propriétés de Ajout/Suppression de programmes. Sélectionnez le composant Multimédia, puis cliquez sur Détails. Cochez la case du composant Modèles de sons multimédias et validez. En quelques instants, de nombreux sons Wav sont ajoutés dans le dossier MEDIA de Windows (voir Figure 9.10).

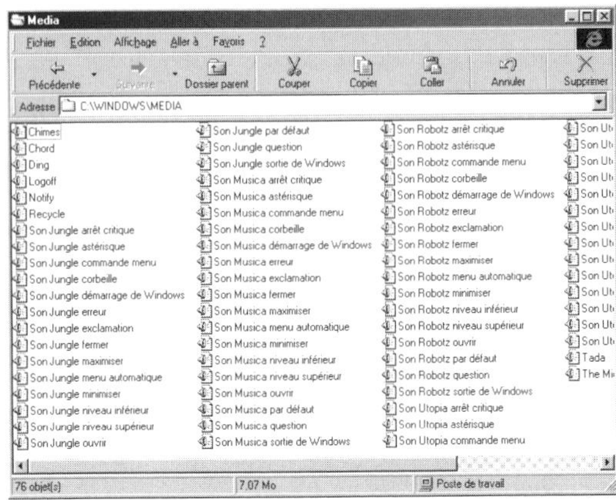

Figure 9.10 : Modèles de sons complémentaires.

Ecouter un fichier MIDI

Si votre carte son est compatible MIDI (*), vous allez pouvoir exploiter les fichiers d'extension MIDI pour, par exemple, travailler en musique. Vous ne surchargez pas pour autant votre disque dur : contrairement aux fichiers WAV, les fichiers MIDI sont en effet très compacts. Vous trouverez de nombreux fichiers MIDI dans le domaine du shareware (compilations, magazines, serveurs BBS, Internet, etc.).

Pour jouer un fichier MIDI, il suffit de double-cliquer dessus dans l'Explorateur ou dans le Poste de travail. Le lecteur multimédia est immédiatement ouvert en lecture (voir Figure 9.11).

Figure 9.11 : Le lecteur multimédia en action.

(*) La norme **MIDI** (*Musical Instrument Digital Interface*) a été définie en 1982. Elle permet de relier plusieurs instruments de musique numériques par un simple câble. Les fichiers son MIDI contiennent un ensemble de commandes destinées à un périphérique MIDI, tel qu'une carte son ou un *expander*. Ils sont donc bien plus compacts que les fichiers son WAV.

Vous pouvez aussi lancer le lecteur multimédia à partir du menu **Démarrer**.

Cliquez sur **Démarrer** et sélectionnez **Programmes**, **Accessoires**, **Divertissement** et **Lecteur multimédia**.

Le Panneau de contrôle du lecteur multimédia comprend de nombreux boutons (voir Figure 9.12).

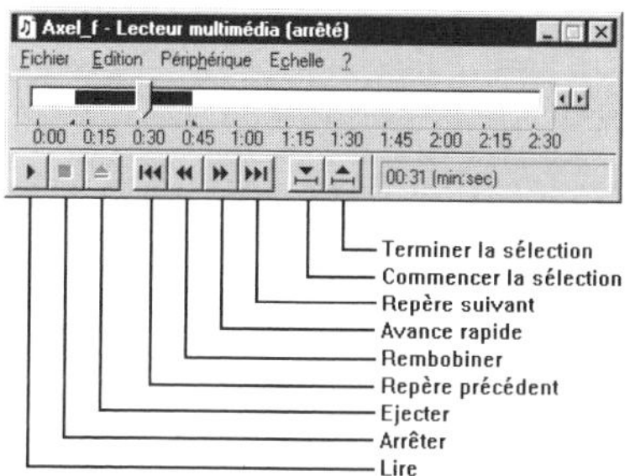

Figure 9.12 : Les boutons de contrôle du lecteur multimédia.

Dans la plupart des cas, vous n'utiliserez que les boutons Lire et Arrêter. Cependant, si vous ne voulez écouter qu'un passage dans un fichier MIDI très long, vous pouvez définir des repères de début et de fin de sélection, en utilisant les deux derniers boutons du Panneau de contrôle. La zone marquée apparaît en bleu. Les boutons Repère précédent et Repère suivant déplacent le curseur sur les repères de début et de fin de sélection.

Lire un CD audio

Vous aimez travailler en musique et votre ordinateur est équipé d'un lecteur de CD-ROM. Insérez simplement un CD audio dans le lecteur. Sa détection est automatique. Quelques secondes après son introduction, vous pouvez entendre le premier morceau du CD, sans avoir à effectuer une autre manipulation. Vous pouvez continuer à travailler avec d'autres applications Windows ou MS-DOS (dans une fenêtre MS-DOS ou en plein écran).

Dans la barre des tâches, l'icône **Lecteur CD** a été automatiquement ajoutée. Un clic sur cette icône affiche la fenêtre de l'application **Lecteur CD** (voir Figure 9.13).

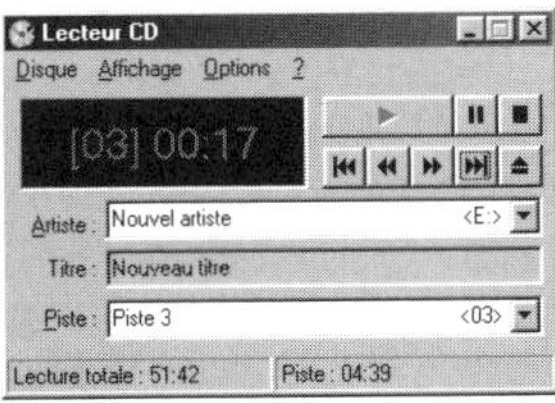

Figure 9.13 : La fenêtre Lecteur CD.

Son utilisation est très simple. Le Panneau de boutons donne accès aux fonctions classiques d'un lecteur de CD : lecture, pause, arrêt, piste précédente, retour et avance rapides, piste suivante et éjection du CD. Vous pouvez aussi utiliser la liste modifiable **Piste** pour choisir le morceau à écouter.

Dans le menu **Affichage**, la commande **Barre d'outils** complète la fenêtre du lecteur de CD (voir Figure 9.14).

Figure 9.14 : La barre d'outils du lecteur de CD.

Dans cette barre d'outils, le premier bouton permet de modifier la liste et l'ordre des morceaux à écouter (voir Figure 9.15).

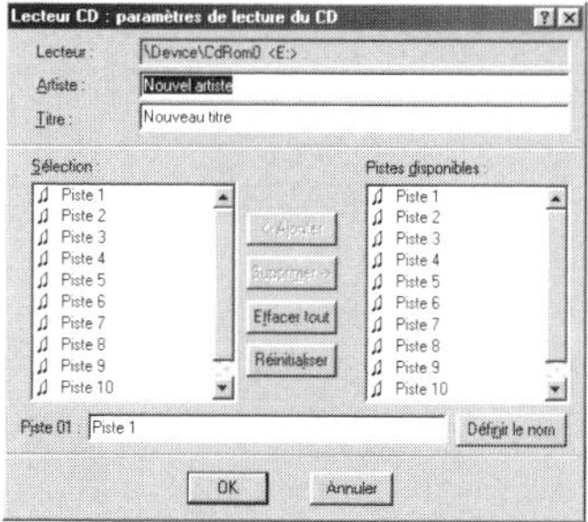

Figure 9.15 : Liste et ordre des morceaux joués.

En utilisant les boutons **Ajouter**, **Supprimer**, **Tout effacer** et **Réinitialiser**, vous pouvez choisir les morceaux que vous désirez écouter et l'ordre dans lequel ils doivent être joués. Il est aussi possible de donner un nom à chaque piste pour faciliter son identification. Un clic sur **OK** valide la sélection. Il ne reste plus qu'à appuyer sur **Lire** pour entendre les morceaux retenus.

Les trois boutons suivants modifient le type d'information affichée dans la zone centrale. Ils affichent respectivement :

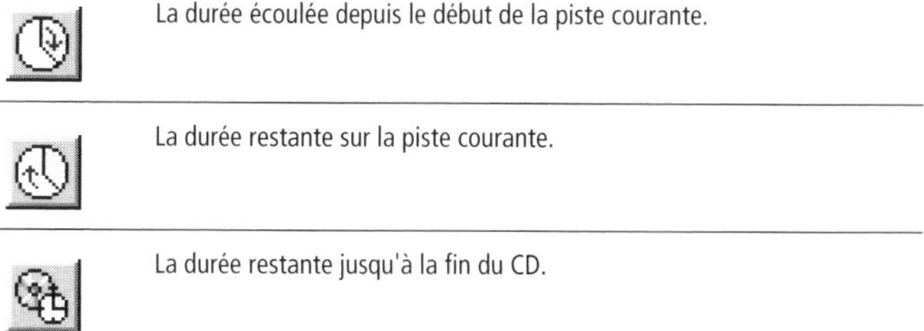

	La durée écoulée depuis le début de la piste courante.
	La durée restante sur la piste courante.
	La durée restante jusqu'à la fin du CD.

Ces trois boutons ont leur équivalent dans le menu **Affichage** (**Durée de piste écoulée**, **Durée de piste restante** et **Durée de disque restante**).

Enfin, les trois derniers boutons déterminent l'ordre de lecture des morceaux :

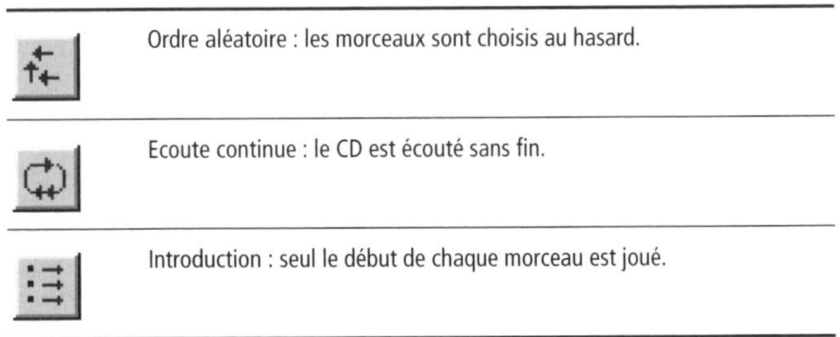

	Ordre aléatoire : les morceaux sont choisis au hasard.
	Ecoute continue : le CD est écouté sans fin.
	Introduction : seul le début de chaque morceau est joué.

Les commandes équivalentes se trouvent dans le menu **Options** (**Ordre aléatoire**, **Lecture continue** et **Lecture de l'intro**).

Visualiser une vidéo AVI ou MPEG

Windows 98 est livré avec un lecteur de fichiers vidéo AVI et ActiveMovie. Le lecteur ActiveMovie permet, entre autres, de lire des fichiers **MPEG** et **QuickTime**. Pour y avoir accès, vous devez lancer le lecteur multimédia. Deux possibilités vous sont offertes :

1. Double-cliquez sur un fichier vidéo dans le Poste de travail ou dans l'Explorateur.
2. Utilisez le menu **Démarrer** : cliquez sur **Démarrer** et sélectionnez **Programmes**, **Accessoires**, **Multimédia**, puis **Lecteur multimédia**.

Si vous avez opté pour la seconde option, lancez la commande **Vidéo pour Windows** (ou **ActiveMovie**) du menu **Périphérique**. Les fichiers AVI (ou ActiveMovie) contenus dans le dossier **MEDIA** de Windows sont immédiatement affichés. Si nécessaire, le

fichier vidéo peut être choisi dans un autre disque/dossier en utilisant la liste modifiable **Regarder dans** et **Remonter d'un niveau**.

Il suffit maintenant de cliquer sur **Lire** pour visualiser la vidéo (voir Figure 9.16).

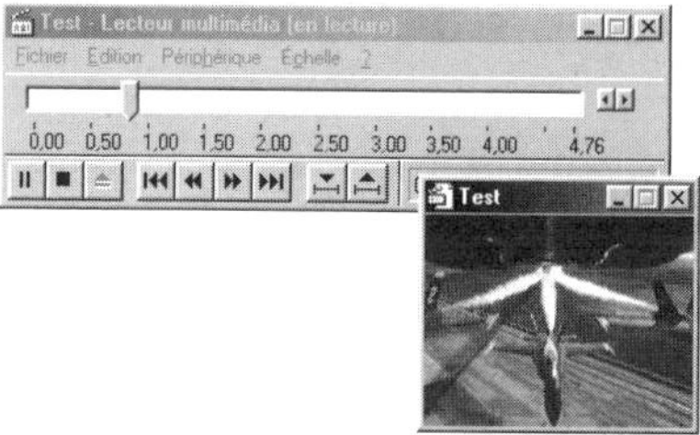

Figure 9.16 : Un exemple de fichier MPEG visualisé dans le lecteur multimédia.

Chapitre 10

Communication et réseau

Au sommaire de ce chapitre

- Installer un modem
- Appeler un service Minitel
- Connexion à un serveur BBS
- La couche logicielle Internet
- Les services en ligne de base
- Installer un réseau local
- Partager des ressources et accéder à des ressources partagées

Si vous possédez un modem, ce chapitre vous montre comment accéder à un service Minitel, à un serveur local, ou encore aux quatre services en ligne fournis avec Windows 98.

Si votre ordinateur est relié à un réseau local, vous découvrirez (entre autres) comment partager vos ressources et accéder aux ressources des autres ordinateurs du réseau.

Installer un modem

Votre nouveau modem trône sur le Bureau. Avant de pouvoir l'utiliser, vous allez devoir l'installer. Rassurez-vous, cette étape n'est qu'une formalité dans Windows 98.

Cliquez sur **Démarrer** et sélectionnez **Paramètres**, puis **Panneau de configuration**. Dans la fenêtre du Panneau de configuration, double-cliquez sur l'icône **Ajout de nouveau matériel**. L'assistant d'ajout de matériel est lancé. Mettez votre modem sous tension pour qu'il puisse être détecté automatiquement.

Double-cliquez sur **Suivant** dans la boîte de dialogue de l'assistant. Windows recherche les périphériques *plug-and-play* reliés à votre ordinateur. Avec un peu de chance, le modem sera détecté par défaut et apparaîtra dans la boîte de dialogue de l'assistant, comme dans la Figure 10.1.

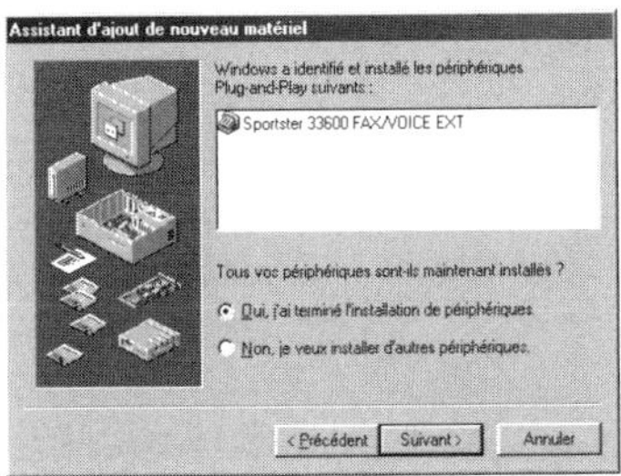

Figure 10.1 : Le modem a été automatiquement détecté par Windows.

Il ne vous reste plus qu'à cliquer sur **Suivant**, puis sur **Terminer** pour installer le modem.

Si l'ordinateur n'arrive pas à trouver le modem, la démarche sera un peu plus lourde. Sélectionnez **Non, je veux installer d'autres périphériques**, puis cliquez sur **Suivant**. Sélectionnez **Non, le périphérique ne figure pas dans la liste**, puis cliquez sur **Suivant**. Par défaut, l'assistant vous propose de rechercher le modem à votre place (voir Figure 10.2).

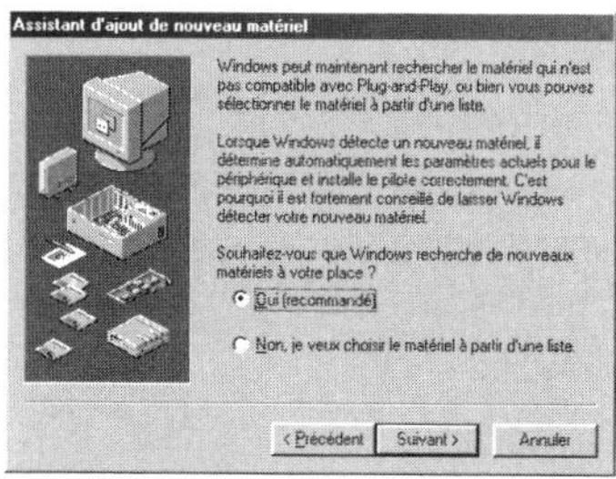

Figure 10.2 : La recherche du modem est automatique par défaut.

Si l'ordinateur se bloque, ou s'il n'identifie pas votre modem, vous allez devoir effectuer une sélection manuelle. Quittez le programme d'installation en cliquant sur **Annuler**. Relancez l'assistant d'ajout de nouveau matériel et sélectionnez l'option **Non, je veux choisir le matériel à partir d'une liste**. Un clic sur **Suivant**, et vous devez indiquer le type du nouveau matériel. Choisissez **Modem** dans la zone de liste **Types de matériels** et cliquez sur **Suivant** (voir Figure 10.3).

Cochez la case **Ne pas détecter mon modem, sélection dans une liste**, puis cliquez sur **Suivant**. Choisissez le constructeur et le modèle du modem. Si l'un de ces deux éléments n'est pas accessible, un driver pour Windows 95 ou 98 vous a certainement été fourni avec le modem. Cliquez sur **Disquette fournie**. Dans tous les cas, les fichiers nécessaires à l'installation du modem sont lus (sur les disquettes ou le CD-ROM de Windows, ou sur la disquette du constructeur du modem). Après leur copie sur le disque dur, Windows est enfin en mesure de communiquer avec le monde extérieur.

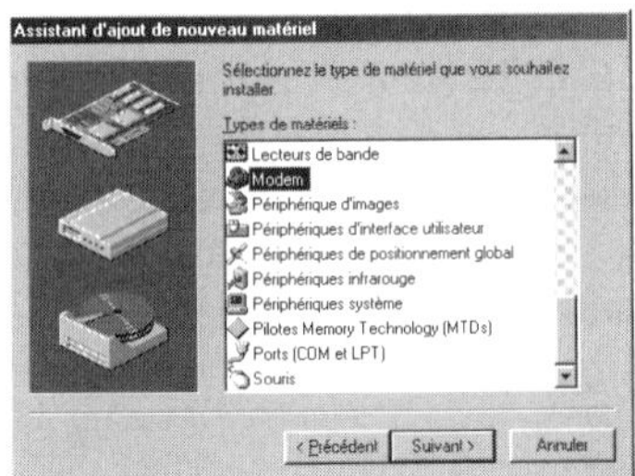

Figure 10.3 : Choix du type de périphérique à installer.

La plupart des modems actuels (pour ne pas dire tous) fonctionnent en mode *plug-and-play*. Ils sont donc automatiquement détectés par l'assistant d'ajout de nouveau matériel.

Composer des numéros de téléphone

Si votre ordinateur est équipé d'un modem, vous pouvez l'utiliser pour mémoriser, puis composer rapidement des numéros de téléphone.

Cliquez sur **Démarrer** et sélectionnez **Programmes**, **Accessoires**, **Communications**, puis **Numéroteur téléphonique**. Le numéroteur téléphonique est affiché (voir Figure 10.4).

Figure 10.4 : La fenêtre du numéroteur téléphonique.

Pour stocker en mémoire un numéro de téléphone, cliquez sur un bouton non utilisé dans le groupe d'options **Numérotation rapide**. La boîte de dialogue **Programmation de la numérotation rapide** est affichée (voir Figure 10.5).

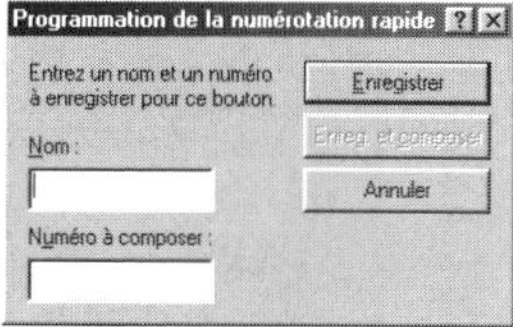

Figure 10.5 : Saisie d'un nouveau correspondant.

Renseignez les zones de texte **Nom** et **Numéro à appeler**, puis cliquez sur **Enregistrer**. Le nouveau correspondant est maintenant accessible dans le groupe d'options **Numérotation rapide**. Pour le joindre, il suffit de cliquer sur le bouton afférent.

Outre les boutons d'appel rapide, il est toujours possible de saisir directement un numéro au clavier ou en cliquant sur les touches numérotées. Cliquez sur Composer pour numéroter.

Tous les appels sont automatiquement mémorisés dans un journal accessible par la commande Afficher l'historique du menu Outils. Pour appeler un numéro du journal, double-cliquez sur son nom ou sur son numéro dans la fenêtre Historique des appels.

Appeler un service Minitel

Pour appeler un service Minitel, vous utiliserez le programme **HyperTerminal**. Fourni avec Windows, ce programme est accessible depuis le menu **Démarrer** (commande **Programmes**, **Accessoires**, **Communications**, **HyperTerminal**).

Si l'icône d'HyperTerminal n'est pas accessible dans le menu Démarrer, cela signifie que cette application n'a pas été installée. Double-cliquez sur l'icône Ajout/Suppression de programmes dans le Panneau de configuration. Sous l'onglet Installation de Windows, sélectionnez le composant Communications et cliquez sur Détails. Cochez la case du composant HyperTerminal et validez. Quelques instants plus tard, l'application HyperTerminal peut être lancée depuis le menu Démarrer.

Les manipulations à effectuer diffèrent selon qu'il s'agit ou non de la première connexion à un service.

Première connexion

Vous allez créer une nouvelle icône pour le service dans le dossier HyperTerminal.

Cliquez sur **Démarrer** et sélectionnez **Programmes**, **Accessoires**, **Communications**, puis **HyperTerminal**. Dans le dossier HyperTerminal, double-cliquez sur l'icône **Hypertrm**. L'application HyperTerminal est lancée.

Entrez le nom du service, choisissez une icône, puis cliquez sur **OK** (voir Figure 10.6).

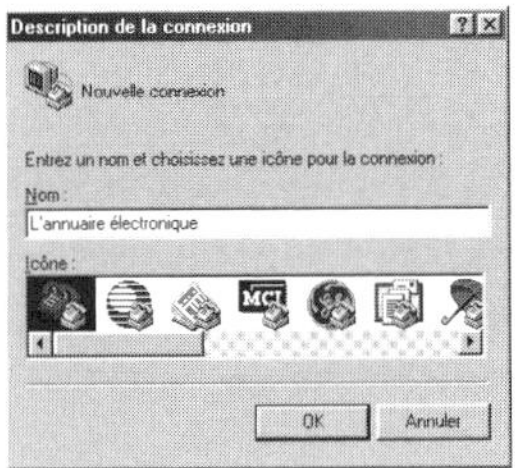

Figure 10.6 : Définition du nom du nouveau service.

Une nouvelle boîte de dialogue est affichée. Définissez le numéro de téléphone du nouveau service, puis cliquez sur **OK** (voir Figure 10.7).

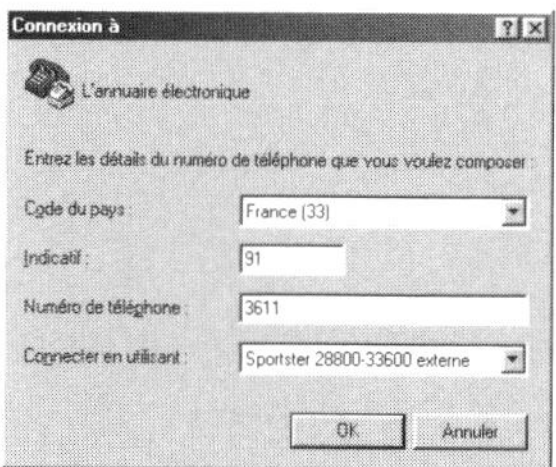

Figure 10.7 : Numéro de téléphone du service.

Une troisième boîte de dialogue est affichée. Cliquez sur **Composer un n°** pour tester le paramétrage de l'appel. Quelques instants plus tard, la page d'accueil du service est affichée (voir Figure 10.8).

Figure 10.8 : Ici, la page d'accueil de l'annuaire électronique.

Les touches spéciales (**Suite**, **Retour**, **Envoi**, etc.) sont accessibles par l'intermédiaire de boutons dans la partie gauche de la fenêtre.

Il vous reste maintenant à enregistrer le nouveau service. Lancez la commande **Enregistrer** du menu **Fichier**, ou cliquez sur ***Ctrl-S***. Une nouvelle icône est ajoutée dans le groupe HyperTerminal (voir Figure 10.9).

Figure 10.9 : L'icône du nouveau service.

Ce n'est pas la première connexion

Si vous avez déjà contacté un service Minitel par l'intermédiaire d'Hyperterminal, il est très simple d'y accéder à nouveau.

Cliquez sur **Démarrer** et sélectionnez **Programmes**, **Accessoires**, puis **HyperTerminal**. Dans le dossier HyperTerminal, double-cliquez sur l'icône du service à contacter. Il suffit maintenant de cliquer sur **Composer un n°** de la boîte de dialogue **Connexion** pour entrer en contact avec le service Minitel.

Connexion à un serveur BBS avec Hyperterminal

Pour vous connecter à un serveur télématique (**BBS** ou *Bulletin Board System*), vous utiliserez la même technique que pour la connexion à un service Minitel.

Première connexion

Double-cliquez sur l'icône **Hypertrm** dans le dossier **HyperTerminal**. Définissez le nom du BBS, choisissez une icône, indiquez son numéro et testez la connexion en cliquant sur **Composer un n°**.

Enregistrez le paramétrage avec la commande **Enregistrer** du menu **Fichier**, ou avec le raccourci clavier ***Ctrl-S***. Une nouvelle icône est ajoutée dans le dossier HyperTerminal.

Toutes les autres connexions

Ouvrez le dossier **HyperTerminal** et double-cliquez sur l'icône du **BBS**.

Si nécessaire, vous pouvez modifier le paramétrage de la liaison. Cliquez du bouton droit sur l'icône du BBS et sélectionnez Propriétés. Les paramètres du modem et de la liaison sont accessibles, sous l'onglet Connexion à, d'un clic sur Configurer.

Windows 98 et Internet

Microsoft Internet Explorer version 4.0 (MSIE pour les intimes) est un excellent navigateur Internet 32 bits pour Windows. Il est fourni avec Windows 98 et vous pouvez l'utiliser dès que Windows 98 a été installé. Cependant, comme nous allons le voir dans les pages suivantes, vous allez devoir définir un certain nombre de paramètres avant de pouvoir surfer sur le Web, envoyer vos messages e-mail ou consulter les groupes de nouvelles. Cette étape préliminaire est absolument nécessaire. Elle indique à Windows les divers paramètres qui vous ont été communiqués par votre fournisseur d'accès. Chez certains fournisseurs d'accès, un logiciel d'installation se charge de tout à votre place. Mais dans la plupart des cas, ces informations devront être entrées manuellement. Rassurez-vous, vous n'éprouverez aucune difficulté à accomplir cette tâche : un assistant vous guidera d'un bout à l'autre de la configuration.

Paramétrer la couche logicielle Internet

Windows 98 étant intimement lié avec le réseau des réseaux, la couche TCP/IP est automatiquement installée lors de l'installation de Windows. Pour vous en convaincre, il suffit de double-cliquer sur l'icône **Réseau** dans le Panneau de configuration (voir Figure 10.10).

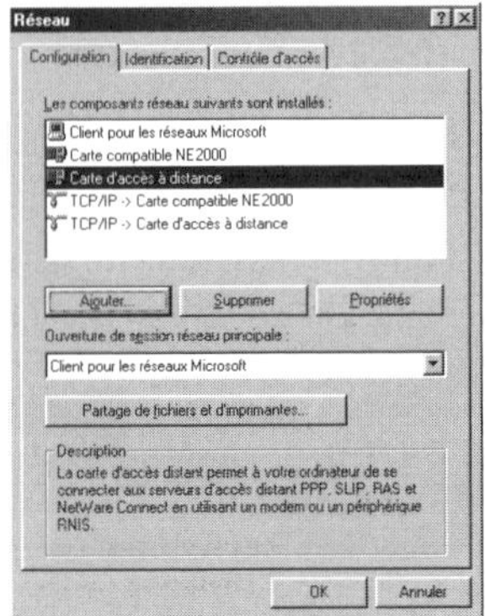

Figure 10.10 : TCP/IP est installé par défaut.

Dans l'exemple précédent :

- Les entrées **Carte d'accès à distance** et **TCP/IP -> Carte d'accès à distance** correspondent à la couche logicielle nécessaire pour utiliser Internet.
- Les entrées **Carte compatible NE2000** et **TCP/IP -> Carte compatible NE2000** correspondent à la couche logicielle nécessaire pour utiliser la carte réseau installée dans l'ordinateur.

Voyons maintenant comment paramétrer cette couche logicielle en fonction des paramètres qui vous sont communiqués par votre fournisseur d'accès.

Nous allons tenter une première connexion sur le Web. Cliquez sur l'icône **Démarrer Internet Explorer** qui se trouve dans la partie gauche de la barre des tâches. Cette action déclenche l'exécution de l'assistant de connexion Internet (voir Figure 10.11).

Cliquez sur **Suivant**. Une nouvelle boîte de dialogue vous propose trois options (voir Figure 10.12).

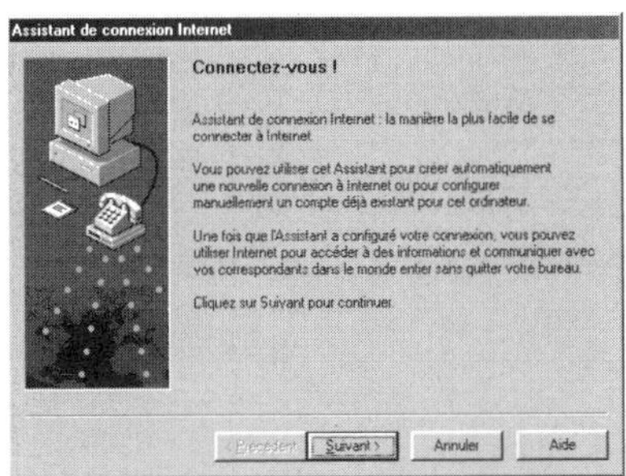

Figure 10.11 : La première boîte de dialogue de l'assistant de connexion Internet.

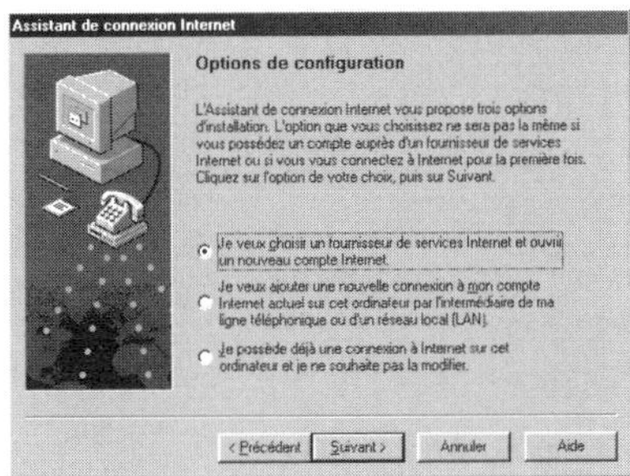

Figure 10.12 : Les trois options de configuration proposées par l'assistant de connexion.

Etant donné qu'aucune connexion à Internet n'est déjà définie, sélectionnez l'option **Je veux ajouter une nouvelle connexion à mon compte…** et cliquez sur **Suivant**. Précisez si vous allez utiliser une ligne téléphonique ou un réseau local pour vous connecter (voir Figure 10.13).

Nous allons supposer que vous utilisez une ligne téléphonique. Dans le cas contraire, demandez conseil à votre administrateur réseau. Si votre modem n'est pas encore installé, une boîte de dialogue indique que Windows va essayer de le détecter automatiquement (voir Figure 10.14).

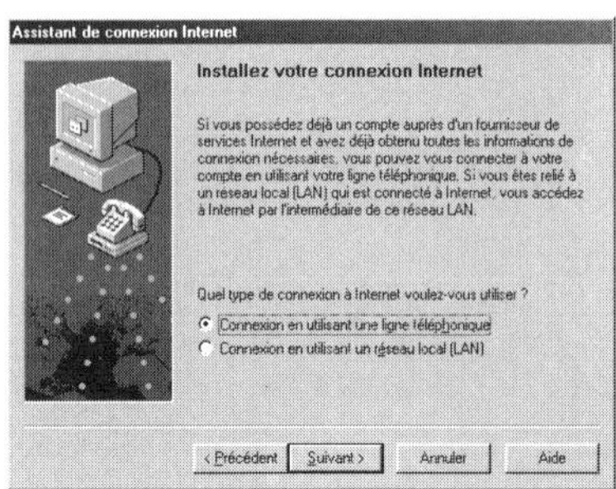

Figure 10.13 : Définition du type de connexion à Internet.

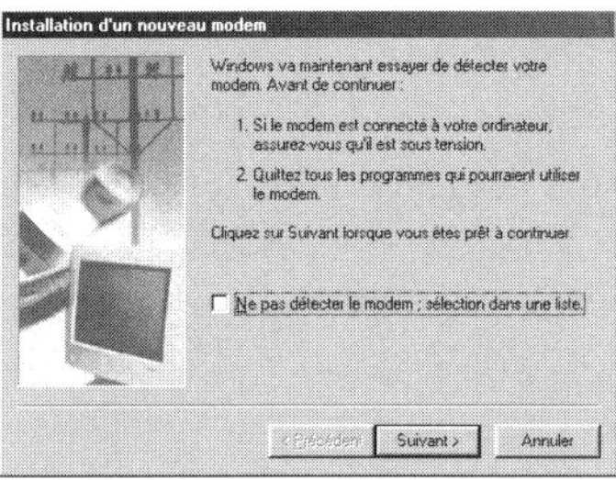

Figure 10.14 : Le modem n'est pas encore installé.

Validez. Lorsque le modem a été détecté et installé (reportez-vous à la section de ce chapitre intitulée "Installer un modem" si vous avez des difficultés), l'assistant vous demande de donner des précisions sur votre lieu d'appel. Indiquez le pays, le code de la zone (01 à 05) et le numéro de téléphone de votre fournisseur d'accès Internet (voir Figure 10.15).

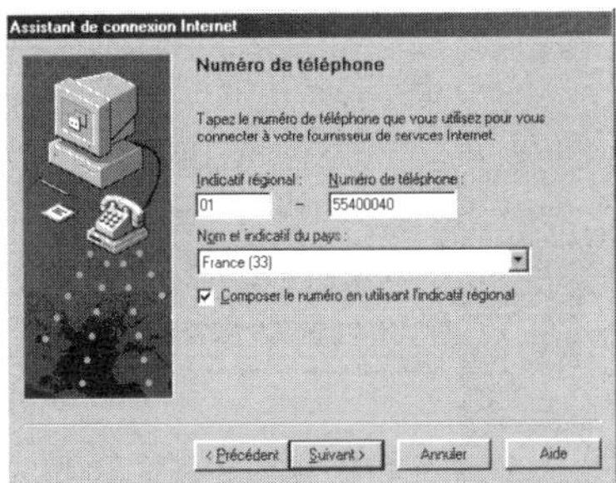

Figure 10.15 : Définition des coordonnées du fournisseur d'accès.

Vous devez maintenant entrer votre nom d'utilisateur et votre mot de passe. Ces informations vous sont obligatoirement communiquées par votre fournisseur d'accès (voir Figure 10.16).

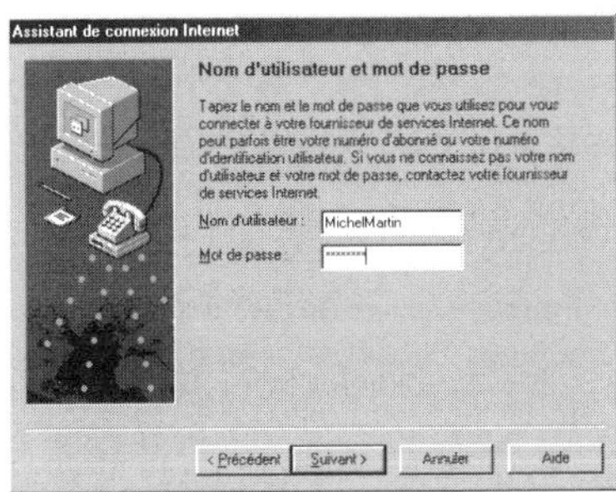

Figure 10.16 : Indiquez votre nom d'utilisateur et votre mot de passe.

Cliquez sur **Suivant**. Une nouvelle boîte de dialogue vous demande si vous souhaitez modifier les paramètres avancés de la connexion (voir Figure 10.17).

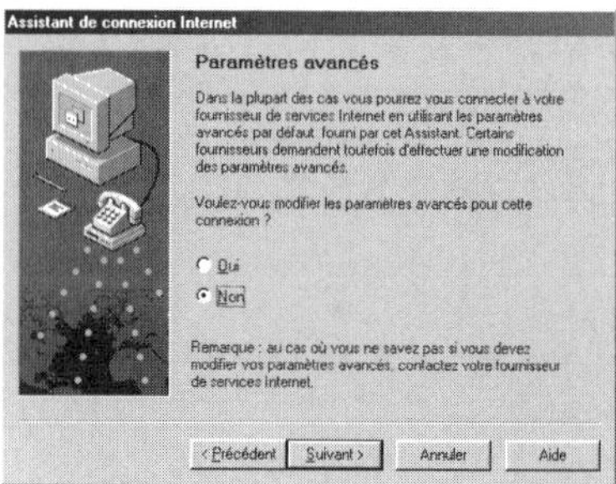

Figure 10.17 : Accès aux paramètres avancés.

Vous devrez accéder aux paramètres avancés si :

- Vous utilisez une connexion SLIP (et non PPP).
- Vous devez utiliser un script de connexion.
- Vous utilisez une adresse IP fixe.
- Votre fournisseur d'accès vous a recommandé d'utiliser un ou deux serveurs DNS particuliers.

Dans ce cas, sélectionnez l'option **Oui** et modifiez les paramètres en conséquence.

Définissez le nom de la connexion. Utilisez un nom évocateur, surtout si vous possédez plusieurs comptes Internet (voir Figure 10.18).

Dans l'étape suivante, l'assistant de connexion vous propose de configurer votre compte de messagerie. Si vous sautez cette étape, vous ne serez en mesure ni d'envoyer ni de recevoir des courriers électroniques. Supposons que vous choisissez de configurer votre compte de messagerie maintenant. Définissez :

- Votre **nom complet**. Le nom que vous choisirez dans la boîte de dialogue de la Figure 10.19 sera systématiquement reporté dans le champ **De** de vos courriers sortants. Vous pouvez opter pour votre nom réel ou pour un pseudonyme.

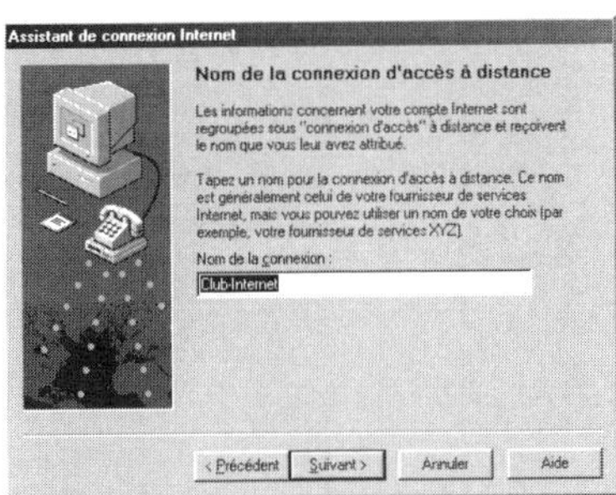

Figure 10.18 : Ici, le fournisseur d'accès est Club-Internet.

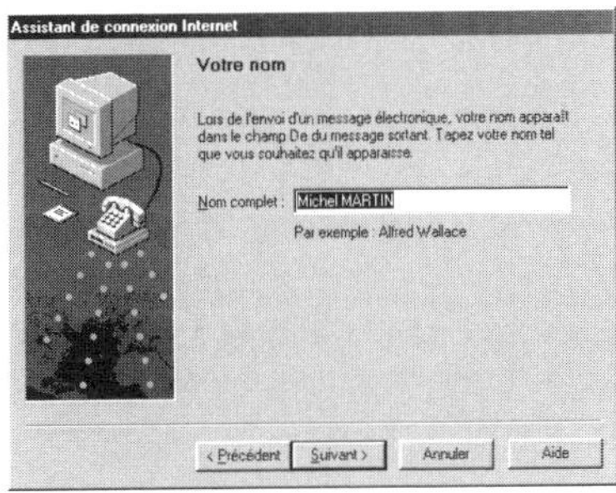

Figure 10.19 : Choix du nom à utiliser dans vos courriers électroniques.

- Votre **adresse électronique**.
- Le nom des **serveurs de courrier entrant et sortant** (voir Figure 10.20). Ces informations vous sont obligatoirement communiquées par votre fournisseur d'accès.
- Le **nom d'utilisateur** et le **mot de passe** nécessaires pour se connecter sur la messagerie des courriers entrants (voir Figure 10.21). Ces informations sont très souvent les mêmes que l'identifiant de connexion et le mot de passe utilisés pour se connecter au fournisseur d'accès.

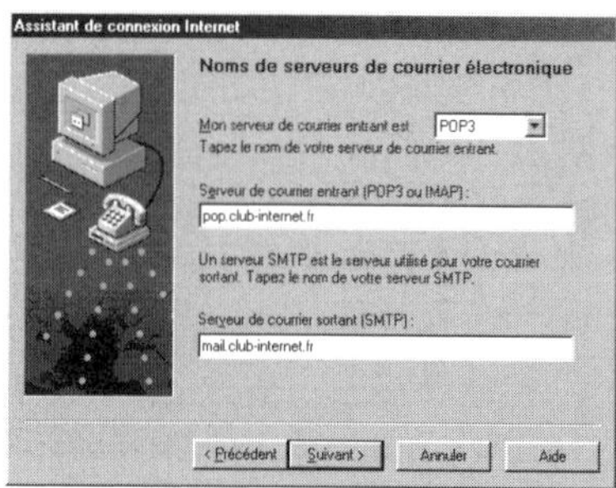

Figure 10.20 : Définition du nom des serveurs de courrier.

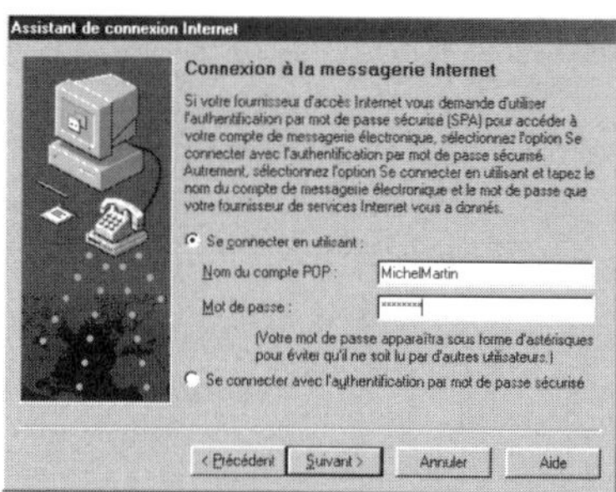

Figure 10.21 : Définition du nom et du mot de passe permettant de consulter la messagerie POP.

- Un **nom convivial** pour le compte de messagerie qui vient d'être défini (par exemple, pop.club-internet).

L'assistant de connexion vous propose ensuite de configurer votre **compte de news**. Si vous sautez cette étape, vous ne serez pas en mesure de consulter les groupes de nouvelles diffusés par votre fournisseur d'accès. Supposons que vous choisissez de configurer votre compte de news maintenant. Définissez :

- Votre **nom complet**. Le nom que vous choisirez sera systématiquement reporté dans les messages que vous enverrez aux groupes de nouvelles. Vous pouvez opter pour votre nom réel ou pour un pseudonyme.

- L'**adresse électronique** à utiliser pour collecter les messages qui vous seront envoyés par les personnes avec qui vous discuterez dans les groupes de nouvelles.

La plupart des fournisseurs d'accès attribuent une (et une seule !) adresse à chaque compte Internet. Si vous êtes dans ce cas, vous utiliserez votre unique adresse e-mail pour collecter tous vos courriers électroniques, qu'ils proviennent de la messagerie ou des groupes de nouvelles.

- Le nom du **serveur de nouvelles**.
- Un **nom convivial** pour le compte de nouvelles qui vient d'être défini (par exemple, news.club-internet).

La dernière étape de l'assistant de connexion concerne l'installation d'un service d'annuaire. Ce dernier vous donne accès à un Carnet d'adresses qui contient des informations sur les autres utilisateurs Internet. Si votre fournisseur d'accès vous a communiqué l'adresse d'un tel service, validez son installation et entrez les informations demandées.

Un dernier clic sur **Terminer** et le paramétrage de la couche logicielle Internet est terminé. Vous pouvez désormais :

- vous connecter sur le Web ;
- envoyer des messages électroniques et consulter ceux qui vous sont destinés ;
- consulter les groupes de nouvelles diffusés par votre fournisseur d'accès et y participer.

Après avoir triomphé de l'assistant de connexion, vous pourrez toujours modifier les paramètres qui y ont été définis. Double-cliquez sur l'icône du Poste de travail, puis sur l'icône **Accès réseau à distance**. La fenêtre **Accès réseau à distance** laisse apparaître une icône qui représente les paramètres de votre fournisseur d'accès (voir Figure 10.22).

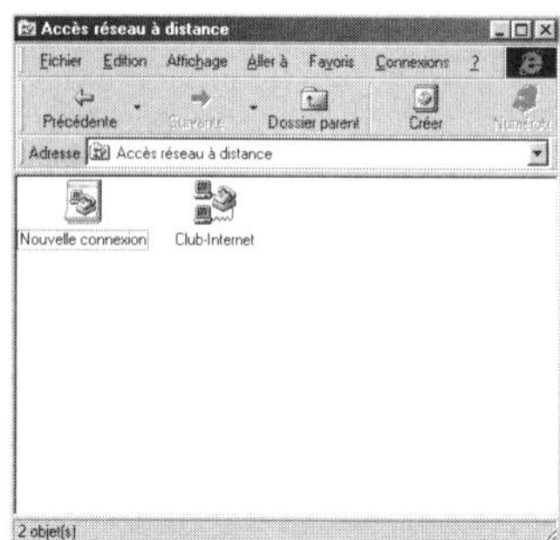

Figure 10.22 : Une icône rassemble les paramètres de votre fournisseur d'accès.

Pour accéder aux paramètres de la connexion Internet, cliquez du bouton droit sur l'icône du fournisseur d'accès et sélectionnez **Propriétés** dans le menu contextuel. Une boîte de dialogue à quatre onglets donne accès à l'ensemble des paramètres de la connexion (voir Figure 10.23).

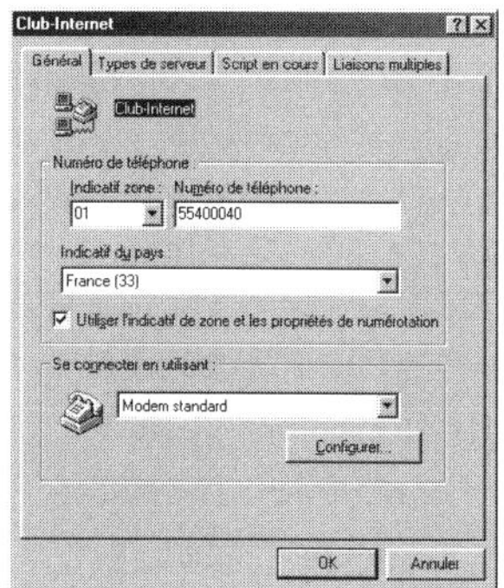

Figure 10.23 : Les paramètres de la connexion sont rassemblés dans cette boîte de dialogue.

Cette boîte de dialogue offre en particulier les possibilités suivantes :

- Cliquez sur **Configurer**, sous l'onglet **Général**, pour modifier le paramétrage du modem (port de communication, vitesse maximale, paramètres de la connexion, etc.).
- Cliquez sur **Paramètres TCP/IP**, sous l'onglet **Types de serveur**, pour accéder aux paramètres avancés de la connexion TCP/IP (voir Figure 10.24).

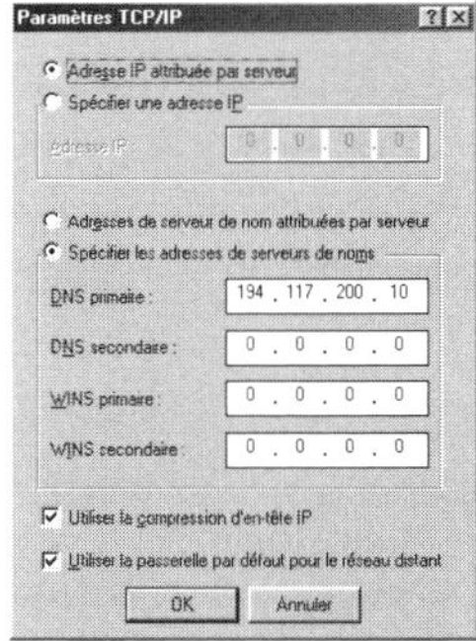

Figure 10.24 : Accès aux paramètres avancés de la connexion TCP/IP.

- Utilisez l'onglet **Script en cours** pour définir un script de connexion. Si vous devez utiliser un tel script, son contenu vous est obligatoirement communiqué par votre fournisseur d'accès.

Les services en ligne de base

Quatre kits de connexion sont fournis avec Windows 98. En quelques clics souris, vous allez pouvoir surfer par l'intermédiaire d'**AOL**, de **CompuSserve**, du **Kiosque France Télécom** ou du réseau de Microsoft **The Microsoft Network**. Pour installer un de ces kits, cliquez sur **Démarrer**, puis sélectionnez **Programmes** et **Services en ligne**. Si le menu Services en ligne n'apparaît pas dans le menu Démarrer, cela signifie que les services en ligne n'ont pas été installés. Voici comment réparer cette lacune :

1. Ouvrez le Panneau de configuration (commandes **Démarrer**, **Paramètres**, **Panneau de configuration**).
2. Double-cliquez sur l'icône **Ajout/Suppression de programmes**.
3. Sélectionnez l'onglet **Installation de Windows**.
4. Cochez la case du composant **Services en ligne** et validez.

Un cas à part, le kiosque France Télécom

Le kiosque France Télécom se distingue des autres services d'accès à Internet en cela qu'il ne demande aucun abonnement. Tout comme pour le Minitel, vous payez à la durée et uniquement ce que vous consommez. Le prix à la minute est variable selon les services consultés.

Pour installer le kiosque, cliquez sur **Démarrer** et sélectionnez **Programmes**, **Services en ligne**, puis **Le Kiosque France Télécom**. Quelques clics suffisent pour installer et paramétrer automatiquement la couche logicielle nécessaire. Après redémarrage de l'ordinateur, une nouvelle icône intitulée **Le Kiosque** apparaît sur le Bureau. Double-cliquez dessus pour afficher la barre d'outils de la Figure 10.25.

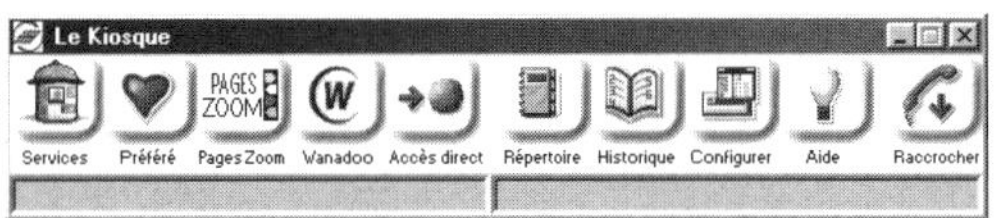

Figure 10.25 : Les services acccessibles par le kiosque France Télécom.

Pour accéder à l'un des services proposés, il suffit de cliquer sur correspondant. Vous utiliserez en particulier les boutons **Services**, **Pages Zoom**, **Wanadoo** et **Historique**.

Services

Services donne accès à un guide Internet thématique (voir Figure 10.26). En quelques clics, vous pouvez accéder à divers sites. Il vous en coûtera 0,37F par minute de connexion.

Figure 10.26 : Le guide des services de France Télécom.

Par exemple, en cliquant sur le lien **Bourse, Finance**, vous accéderez à divers services financiers, généralement facturés à la durée (voir Figure 10.27).

Certains services fonctionnent en mode multimédia. Ils seront affichés dans votre navigateur Web. D'autres fonctionnent en mode Minitel et apparaissent dans un programme spécial appelé émulateur Minitel (voir Figure 10.28).

Figure 10.27 : La rubrique Bourse, Finance.

Figure 10.28 : Les pages Minitel sont affichées dans un programme spécial.

Pages Zoom

Les **Pages Zoom** offrent un accès grand public aux annuaires (voir Figure 10.29). Ce service est facturé 0,37 F par minute de connexion.

Figure 10.29 : Les annuaires de France Télécom.

Wanadoo

Wanadoo permet de surfer sur le Web sans abonnement. Il vous en coûtera 0,85 F par minute de connexion, et la vitesse de communication sera limitée à 28 800 bps, même si votre modem est plus véloce.

S'il s'agit de votre premier accès à Wanadoo, cliquez sur **Enregistrement**. Une fois que vous aurez répondu à un petit questionnaire, un identifiant et un mot de passe vous seront communiqués. Notez ces informations. Elles vous seront demandées chaque fois que vous vous connecterez sur Wanadoo.

Si vous êtes déjà enregistré, entrez votre identifiant et votre mot de passe, puis cliquez sur **Connexion**. Si vous cochez la case **Mémoriser les paramètres**, les informations nécessaires à la connexion seront mémorisées et vous n'aurez pas à les retaper la prochaine fois.

Historique

Historique affiche une boîte de dialogue qui résume votre consommation sur le Kiosque France Télécom (voir Figure 10.30).

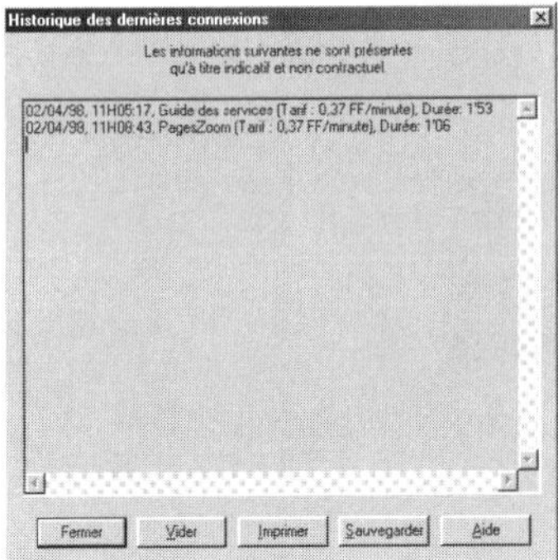

Figure 10.30 : Un exemple d'historique.

Installer le réseau

On estime que près de la moitié des micro-ordinateurs sont reliés en réseau. Grâce à ce type de liaison, les disques durs, les lecteurs de CD-ROM, les imprimantes et les fax-modems des différentes machines sont accessibles à chaque poste du réseau. Pour une entreprise, l'économie réalisée est importante, ce qui explique l'engouement toujours croissant pour ce type d'architecture.

Avec Windows 98, l'installation puis l'utilisation d'un réseau local est à la portée de tous :

- Si la carte réseau se trouve dans l'ordinateur lors de l'installation de Windows 98, elle est, dans la plupart des cas, automatiquement détectée.
- Si la carte réseau est ajoutée alors que Windows 98 est déjà installé, vous devez solliciter l'assistant **Ajout de nouveau matériel**. Cliquez sur **Démarrer** et sélectionnez **Paramètres**, puis **Panneau de configuration**. Dans la fenêtre du Panneau de configuration, double-cliquez sur l'icône **Ajout de périphérique**. Laissez-vous guider par l'assistant qui détectera automatiquement votre carte réseau.

Pour avoir un aperçu des éléments de réseau installés, ouvrez le Panneau de configuration (menu **Démarrer**, commande **Paramètres**, **Panneau de configuration**), puis double-cliquez sur l'icône **Réseau**. Sous l'onglet **Configuration**, la boîte de dialogue **Réseau** recense les composants installés (voir Figure 10.31).

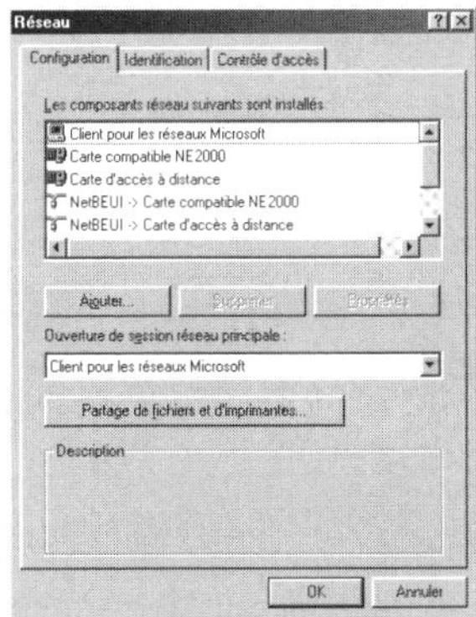

Figure 10.31 : Les composants déjà installés dans le réseau.

L'onglet **Identification** décrit les caractéristiques de l'ordinateur (voir Figure 10.32).

Dans l'exemple de la Figure 10.32, l'ordinateur **MM** fait partie du groupe de travail **LK**. La ligne **Description** indique qu'il s'agit d'un ordinateur à base de Pentium 200.

Enfin, sous l'onglet **Contrôle d'accès** (voir Figure 10.33), vous pouvez choisir le type du contrôle d'accès. Optez pour le niveau **ressource** (l'utilisateur doit fournir un mot de passe lors de chaque accès à un dossier ou à un périphérique) ou **utilisateur** (certains utilisateurs ont accès aux ressources partagées sans avoir à entrer un mot de passe).

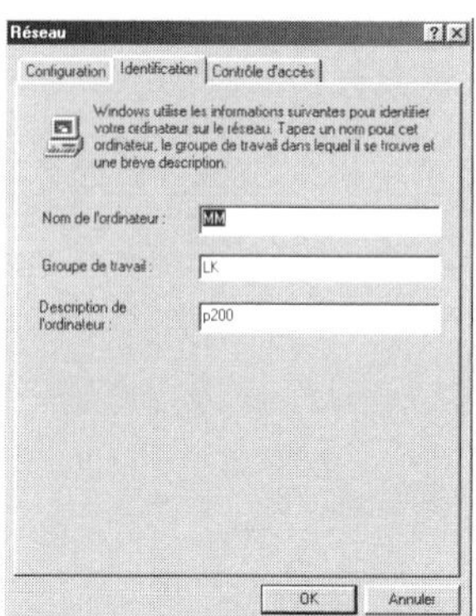

Figure 10.32 : Identification d'un ordinateur dans le réseau.

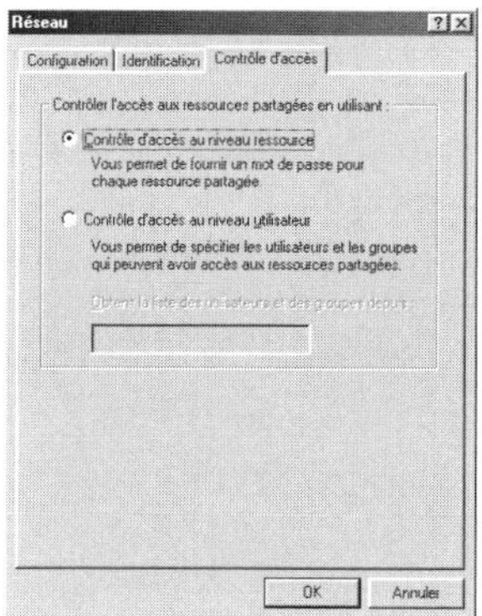

Figure 10.33 : Définition du type du contrôle d'accès.

Pour pouvoir travailler en réseau, vous devez installer au minimum :

- le client pour les réseaux Microsoft ;
- une carte réseau ;
- un ou plusieurs protocoles réseau (typiquement Microsoft/NetBEUI et Microsoft/Protocole compatible IPX/SPX) ;

- le service de partage de fichiers et d'imprimantes pour les réseaux Microsoft.

Si ces éléments n'apparaissent pas sous l'onglet **Configuration** de la boîte de dialogue **Réseau**, cliquez sur **Ajouter** et ajoutez les éléments manquants. Une fois ces éléments installés, Windows vous demande de redémarrer l'ordinateur. Après redémarrage, le réseau est accessible.

Partager des ressources et accéder à des ressources partagées

Lorsque le réseau est installé, chacun des ordinateurs doit définir les ressources qu'il désire partager avec les autres membres du réseau.

Pour partager un dossier ou un disque, ouvrez le Poste de travail ou l'Explorateur de fichiers, cliquez du bouton droit sur l'icône du dossier ou du disque, et choisissez **Propriétés** dans le menu contextuel. Sous l'onglet **Partage**, indiquez le nom de la ressource partagée et le type de partage. Si nécessaire, définissez un mot de passe dans la zone de texte **Pour la lecture seule** ou **Pour l'accès complet** (voir Figure 10.34).

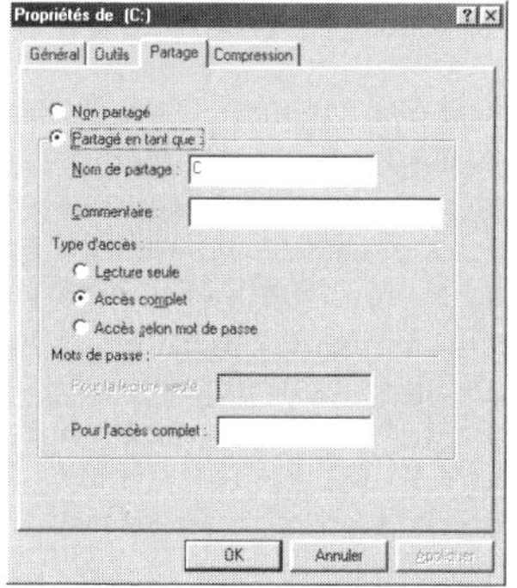

Figure 10.34 : Partage d'un disque dur en accès complet, sous le nom C, sans mot de passe.

Le partage d'une imprimante est défini à partir du Panneau de configuration. Cliquez sur **Démarrer** et sélectionnez **Paramètres**, puis **Panneau de configuration**. Double-cliquez sur l'icône **Imprimante** pour afficher la liste des imprimantes locales connectées à l'ordinateur. Cliquez du bouton droit sur l'icône de l'imprimante à partager et sélectionnez **Propriétés** dans le menu contextuel. Sous l'onglet **Partage**, indiquez le nom de l'imprimante, un éventuel commentaire et un mot de passe (voir Figure 10.35).

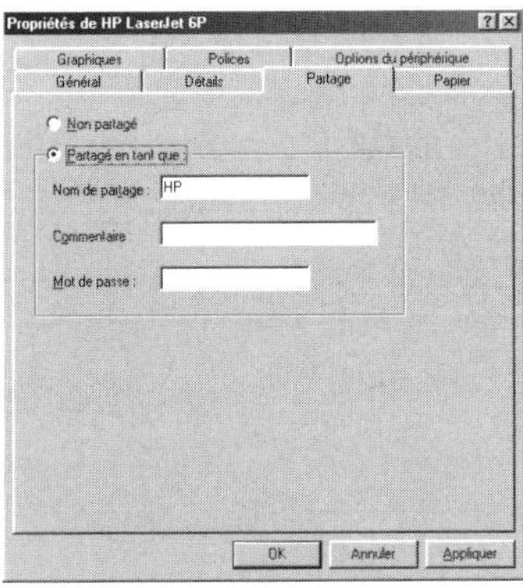

Figure 10.35 : Partage d'une imprimante sous le nom HP, sans commentaire ni mot de passe.

Si l'onglet Partage n'apparaît pas dans la boîte de dialogue des propriétés, cela signifie que vous n'avez pas autorisé le partage de votre imprimante. Affichez le Panneau de configuration (menu Démarrer, commande Paramètres, Panneau de configuration). Double-cliquez sur l'icône Réseau pour afficher la boîte de dialogue Réseau. Cliquez sur Partage de fichiers et d'imprimantes et cochez la case Permettre à d'autres utilisateurs d'utiliser mes imprimantes (voir Figure 10.36). Après redémarrage de l'ordinateur, votre imprimante sera accessible sur le réseau (voir Figure 10.36).

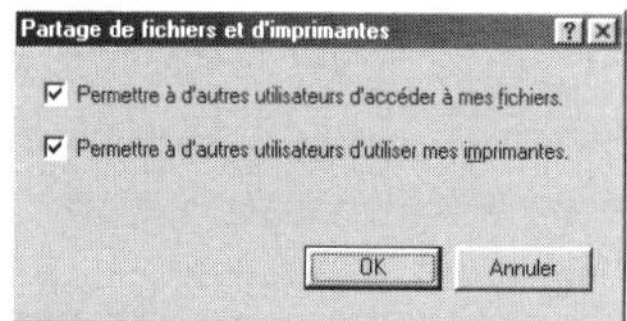

Figure 10.36 : Autorisation du partage des imprimantes locales.

Chapitre 11

Windows 98 et Internet en parfaite harmonie

Au sommaire de ce chapitre

- Internet Explorer 4.0
- Les chaînes Active Channel
- Outlook Express
- Le Carnet d'adresses d'Internet Explorer
- Les groupes de nouvelles
- Microsoft NetMeeting
- Netshow Player
- Microsoft Chat
- RealPlayer
- FrontPage Express

L'élément majeur qui différencie Windows 98 de Windows 95 est bien évidemment l'intégration d'Internet Explorer 4.0 et, plus généralement, d'outils Internet de tout type dans l'interface graphique. Ce chapitre vous montre comment utiliser au mieux ces divers outils pour entrer de plain-pied dans l'aire de la communication planétaire sous Windows.

Les mutations du menu Démarrer

En tant que point stratégique de Windows, le menu **Démarrer** de Windows 98 ne pouvait pas ignorer Internet. Ce qui frappe tout de suite lorsque l'on clique sur **Démarrer**, c'est la commande **Windows Update** dans la partie supérieure du menu (voir Figure 11.1).

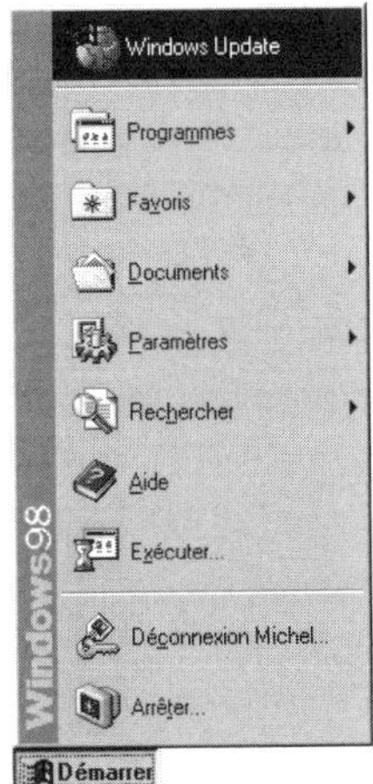

Figure 11.1 : Le menu Démarrer de Windows 98.

Lorsque vous sélectionnez la commande **Windows Update**, Internet Explorer est lancé. Il se connecte sur un site de mise à jour qui charge les dernières versions des fichiers système et détecte

automatiquement les éléments qui ont changé dans votre ordinateur, afin de charger les pilotes correspondants (voir Figure 11.2).

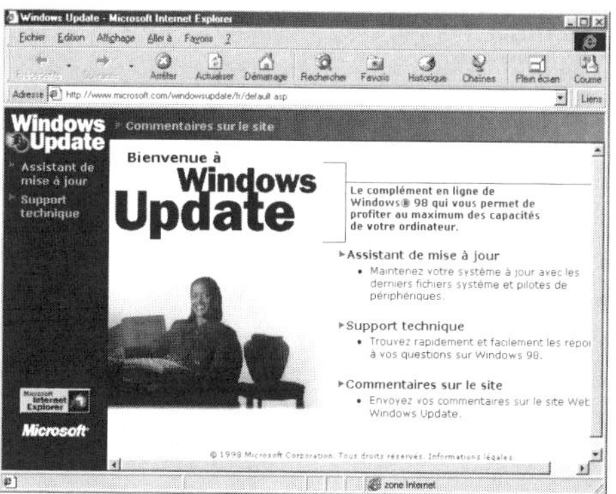

Figure 11.2 : Le site de mise à jour de Microsoft.

Les modifications du menu **Démarrer** ne se limitent pas à la commande **Windows Update**.

Le menu **Favoris** fait son apparition. Il permet d'accéder aux chaînes, aux liens et aux documents que vous avez l'habitude d'utiliser. Nous y reviendrons en détail dans la section "L'historique et les Favoris" de ce chapitre.

Le menu **Documents** donne accès aux quinze documents récemment ouverts, mais aussi au dossier **Mes documents**. Pratique si vous avez décidé d'y placer vos documents personnels.

Le menu **Paramètres** donne accès à trois nouvelles commandes :

- **Options des dossiers.** Cette commande permet de modifier l'aspect du Poste de travail, de l'Explorateur et du Bureau de Windows (consultez la section suivante pour en savoir plus à ce sujet).
- **Active Desktop.** Cette commande permet de personnaliser le Bureau en affichant une ou plusieurs "chaînes" qui peuvent être

mises à jour automatiquement par Windows. Vous en saurez plus à ce sujet en consultant la section "Les chaînes Active Channel" dans ce même chapitre.

- **Mise à jour de Windows.** Cette commande est équivalente à la commande de mise à jour du menu **Démarrer**.

Le menu **Rechercher** peut être utilisé pour rechercher des fichiers et des ordinateurs sur le réseau, mais aussi des informations sur le Web (commande **Sur Internet**) et des personnes dans le Carnet d'adresses personnel ou dans un annuaire de recherche Internet (commande **Personnes**).

Les mutations de la barre des tâches

La barre des tâches est aussi un élément essentiel de Windows, puisqu'elle permet, d'un simple clic, de basculer entre les différentes applications qui se trouvent en mémoire. Elle aussi a subi l'irrésistible attirance vers Internet. Lorsque vous cliquez du bouton droit sur une partie inoccupée de la barre des tâches, vous obtenez un menu contextuel permet (entre autres) d'afficher plusieurs barres d'outils (voir Figure 11.3).

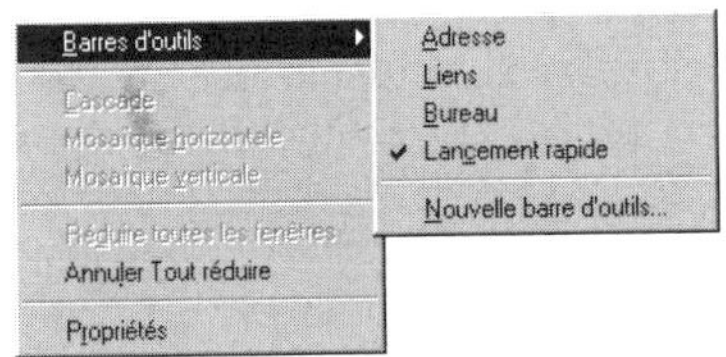

Figure 11.3 : Le menu contextuel de la barre des tâches.

Le tableau ci-après donne un avant-goût des commandes du menu **Barres d'outils**.

Commande	Fonction
Adresse	Affiche une barre d'adresse qui permet de saisir directement une adresse Internet.

Commande	Fonction
Liens	Donne accès aux liens prédéfinis d'Internet Explorer (Démarrage d'Internet, Guide des chaînes, Infos sur Internet, etc.). Ces liens sont aussi accessibles dans la barre d'outils **Liens d'Internet Explorer**.
Bureau	Facilite l'accès aux éléments dont les icônes ont été déposées sur le Bureau.
Lancement rapide	Affiche les icônes **Bureau**, **Chaînes**, **Démarrer Internet Explorer** et **Démarrer Outlook Express** dans la partie gauche de la barre des tâches.
Nouvelle barre d'outils	Permet de définir une nouvelle barre d'outils basée sur un dossier de l'ordinateur ou une adresse Internet.

Les mutations du Bureau

Le Bureau de Windows est désormais **actif**. Vous pouvez y déposer des objets Internet (pages HTML, composants ActiveX ou applets Java) qui sont automatiquement mis à jour selon une fréquence fixée par leurs initiateurs ou par vous-même. Les applications de ce nouveau système sont multiples et ont de quoi séduire.

En voici deux exemples.

En déposant sur le Bureau de Windows la page Web de Météo France et en demandant une mise à jour quotidienne, vous pourrez connaître la météo du jour dès votre arrivée au Bureau.

En déposant sur le Bureau de Windows un bandeau (*ticker*) relié à un site boursier, vous pourrez suivre en direct les évolutions de vos actions. Ce dernier exemple nécessite bien entendu une connexion continue à Internet.

Reportez-vous aux sections de ce chapitre intitulées "Ajouter une chaîne sur le Bureau" et "Désactiver une chaîne affichée sur le Bureau" pour connaître les modalités d'installation et de désinstallation d'une chaîne sur le Bureau actif.

Les mutations du Poste de travail et de l'Explorateur de fichiers

Le Poste de travail et l'Explorateur de fichiers peuvent être utilisés comme dans Windows 95. Cependant, si vous activez le mode d'affichage Web, leur comportement et leur façon d'afficher les informations varient significativement. Pour avoir un aperçu de ce qu'est le mode d'affichage Web, ouvrez le Poste de travail ou l'Explorateur de fichiers et lancez la commande **Options des dossiers** du menu **Affichage**. Cette commande déclenche l'affichage de la boîte de dialogue **Options des dossiers** représentée Figure 11.4.

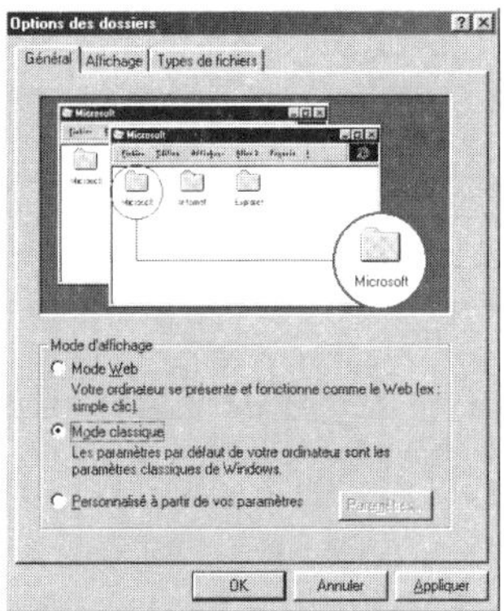

Figure 11.4 : La boîte de dialogue Options des dossiers.

La boîte de dialogue Options des dossiers est aussi accessible à partir du menu Démarrer : cliquez sur Démarrer, puis sélectionnez Paramètres et Options des dossiers.

Trois modes d'affichage vous sont proposés :

- **Mode classique.** Si vous sélectionnez cette option, le Poste de travail, l'Explorateur et le Bureau de Windows ont le même aspect que dans Windows 95. En particulier, vous devrez double-

cliquer sur les éléments du Bureau ainsi que sur les icônes des dossiers et des programmes pour les ouvrir.

- **Mode Web.** Si vous sélectionnez cette option, le Poste de travail, l'Explorateur et le Bureau de Windows ont l'aspect et le comportement d'une page Web. En particulier, vous utiliserez un simple clic sur une icône pour ouvrir un dossier ou exécuter une application. De même, il suffira de pointer un élément pour le sélectionner. Enfin, vous pourrez ajouter des informations, modifier le style des polices et utiliser des pages HTML comme papiers peints d'arrière-plan dans le Poste de travail, l'Explorateur et le Bureau.
- **Personnalisé à partir de vos paramètres.** En sélectionnant cette option, vous pouvez choisir vos propres paramètres pour personnaliser l'aspect du Poste de travail, de l'Explorateur et du Bureau.

Quel que soit le mode d'affichage sélectionné, une barre d'outils "façon Web" est affichée dans le Poste de travail et l'Explorateur. Cette dernière permet de naviguer dans l'arborescence de vos disques durs (boutons **Précédente**, **Suivante** et **Dossier parent**), de réaliser des opérations de couper/copier/coller sur des dossiers et des fichiers (boutons **Couper**, **Copier** et **Coller**), d'afficher les propriétés d'un disque, d'un dossier ou d'un fichier (bouton **Propriétés**), et bien d'autres choses encore (voir Figure 11.5).

Les anciens boutons de connexion et de déconnexion à un lecteur réseau ont disparu du Poste de travail, mais des commandes équivalentes sont disponibles dans le menu Outils de l'Explorateur. Bien entendu, vous pouvez aussi utiliser l'application Voisinage réseau pour toute opération concernant les disques et éléments partagés du réseau.

Comme le montre la Figure 11.6, le volet gauche de l'Explorateur ne se contente plus de pointer vers les disques durs locaux et du réseau. Si vous cliquez sur l'icône Internet Explorer, l'Explorateur Web Internet Explorer 4.0 remplace l'Explorateur de fichiers et

permet de rechercher des informations non plus sur vos unités de masse, mais directement sur le Web.

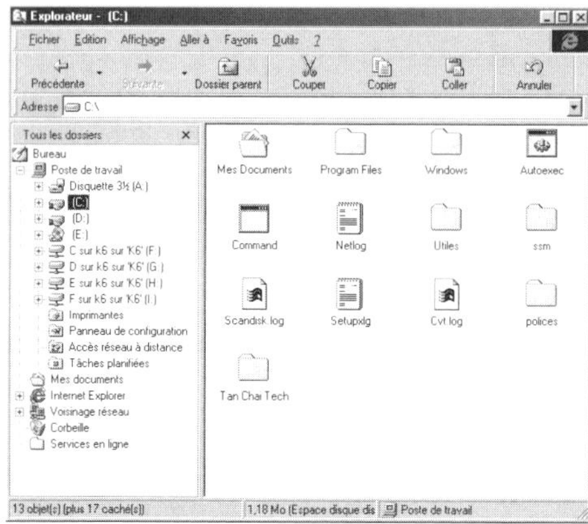

Figure 11.5 : L'interface "façon Web" de l'Explorateur de fichiers.

Figure 11.6 : D'un clic sur l'icône Internet Explorer, l'Explorateur de fichiers est remplacé par l'Explorateur Web.

Remarquez aussi la barre d'adresse. Vous pouvez indifféremment y entrer le chemin d'un dossier local (par exemple, **C:\program files\Plus!**) ou une adresse Internet. Dans le premier cas, le volet droit de l'Explorateur affichera les fichiers contenus dans le dossier. Dans le second cas, Internet Explorer affichera la page Web correspondante.

Si vous avez eu la curiosité de dérouler les menus du Poste de travail ou de l'Explorateur, vous avez pu constater à quel point le rapprochement entre Windows et le Web est grand.

En particulier, les deux dernières parties du menu **Aller à** se réfèrent essentiellement à Internet (voir Figure 11.7), et le menu **Favoris** y est entièrement dédié.

Aller à
Précédente Alt+Flèche gauche
Suivante Alt+Flèche droite
Monter d'un niveau
Page de démarrage
Rechercher sur le Web
Guide des chaînes
Courrier
News
Poste de travail
Carnet d'adresses
Appel Internet

Figure 11.7 : Le menu Aller à est presque exclusivement dédié à Internet.

Le tableau ci-après donne un avant-goût des options offertes par ce menu.

Commande	Effet
Page de démarrage	Affiche la page de démarrage d'Internet Explorer. Cette page peut se trouver sur le Web ou sur votre disque dur.
Rechercher sur le Web	Affiche le site de recherche Web de Microsoft.

Commande	Effet
Guide des chaînes	Donne accès à un site qui facilite l'accès à de nombreuses chaînes prédéfinies par Microsoft.
Courrier	Lance la messagerie Outlook Express.
News	Lance le gestionnaire de nouvelles Outlook Express.
Poste de travail	Affiche le contenu du Poste de travail.
Carnet d'adresses	Lance l'application Carnet d'adresses qui mémorise les informations relatives à vos contacts.
Appel Internet	Lance l'application Microsoft NetMeeting qui permet de passer des communications téléphoniques via Internet.

Le menu **Favoris** permet d'organiser les chaînes, les liens et les documents que vous avez l'habitude d'utiliser (voir Figure 11.8).

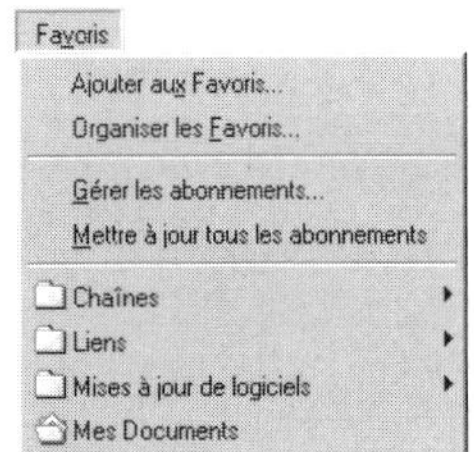

Figure 11.8 : Le menu Favoris.

Internet Explorer 4.0

Internet Explorer 4.0 est la suite logique de la version 3.0. Il reprend une bonne part de ce qui a fait le succès de son prédécesseur et y apporte quelques améliorations. Il est intégré dans Windows 98 et directement utilisable une fois ce dernier installé. Nous allons examiner en détail ses possibilités dans les pages suivantes.

Lancement d'Internet Explorer

Pour lancer Internet Explorer, plusieurs possibilités s'offrent à vous :

- Cliquez (en mode d'affichage Web) ou double-cliquer (en mode d'affichage classique) sur l'icône **Internet Explorer** du Bureau.
- Cliquez sur l'icône **Internet Explorer** dans la partie gauche de la barre des tâches.
- Utilisez le menu **Démarrer**. Sélectionnez **Programmes**, **Internet Explorer** puis **Internet Explorer**.
- Entrez une adresse Web dans la zone **Adresse** du Poste de travail ou de l'Explorateur de fichiers.

Si l'icône Internet Explorer n'apparaît pas dans la partie gauche de la barre des tâches, cela signifie que la barre d'outils Lancement rapide n'est pas activée. Cliquez du bouton droit sur une partie inoccupée de la barre des tâches et sélectionnez Barre d'outils, Lancement rapide.

Quelle que soit la technique utilisée, et à condition que vous ayez défini et paramétré une connexion Internet (reportez-vous à la section intitulée "Windows 98 et Internet" dans le Chapitre 10 pour en savoir plus), une boîte de dialogue intitulée **Connexion à distance** est affichée (voir Figure 11.9).

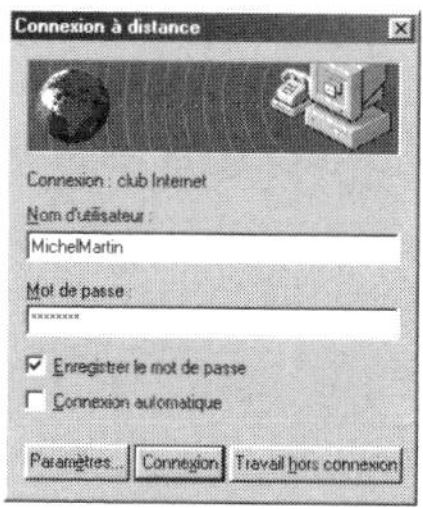

Figure 11.9 : La boîte de dialogue Connexion à distance.

Cliquez sur :

- **Connexion** pour établir une connexion avec votre fournisseur d'accès.
- **Travail hors connexion** pour utiliser Internet Explorer sans être relié à Internet.
- **Paramètres** pour accéder au paramétrage de la connexion Internet.

La page de démarrage

Internet Explorer 4.0 se connecte toujours sur la même page lors de son lancement. Cette page est appelée **Page de démarrage**. Par défaut, la page affichée se trouve à l'adresse **http://www.microsoft.com/ie_intl/fr/start/default.asp** (voir Figure 11.10).

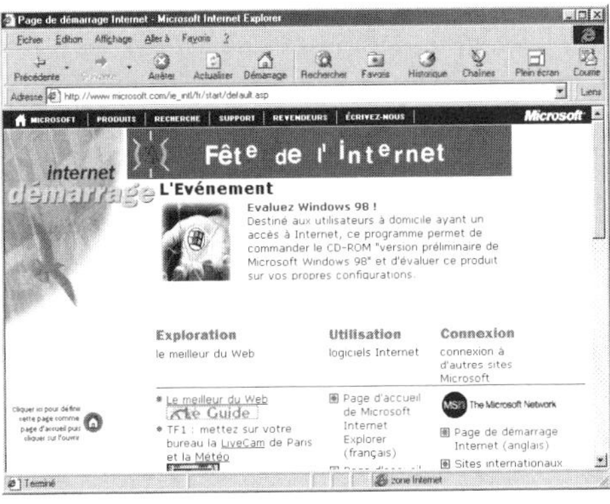

Figure 11.10 : La page de démarrage par défaut d'Internet Explorer 4.0.

Si vous le souhaitez, vous pouvez opter pour une autre page Web que celle définie par défaut par Microsoft. Lancez la commande **Options Internet** du menu **Affichage**. L'adresse de la page de démarrage apparaît sous l'onglet **Général** (voir Figure 11.11).

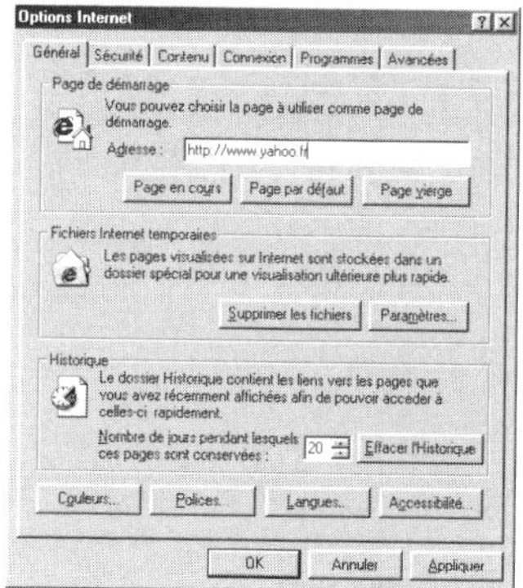

Figure 11.11: Vous pouvez choisir votre propre page de démarrage en indiquant son adresse dans la zone de texte Adresse.

La page de démarrage peut aussi se trouver sur votre disque dur. Par exemple, la page **c:\demar.html** pointe vers le fichier **demar.html** qui se trouve dans la racine du disque **C:**. En utilisant quelques rudiments de langage HTML, vous pouvez ainsi pointer vers vos pages préférées.

A titre d'exemple, voici un document qui pointe vers deux de mes sites de recherche préférés :

```
<HTML>
  <HEAD>
    <TITLE>
      Ma page de démarrage
    </TITLE>
  </HEAD>
  <BODY>
    <H1>Quelques liens utiles</H1>
    <A HREF = http://www.yahoo.fr>Yahoo
France</A></BR>
    <A HREF = http://altavista.digital.com> Alta
Vista</A></BR>
  </BODY>
</HTML>
```

Après avoir défini ce document dans un simple éditeur de texte (le Bloc-notes de Windows, par exemple), sauvegardez-le sur votre disque dur et référencez-le dans le groupe d'options **Page de démarrage** de la boîte de dialogue **Options Internet**. La Figure 11.12 représente le résultat obtenu au démarrage d'Internet Explorer.

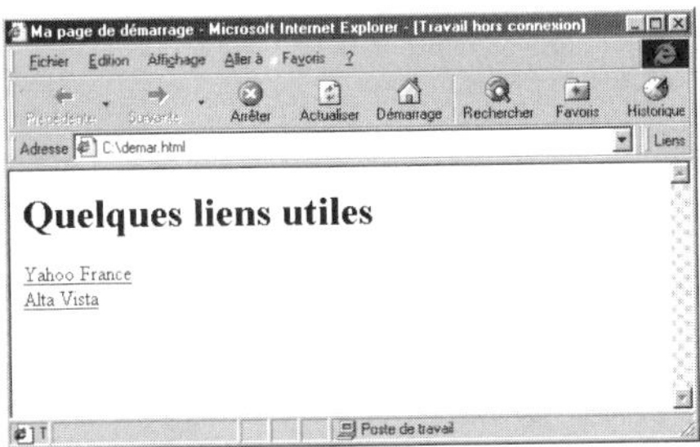

Figure 11.12 : La page de démarrage est un fichier HTML local.

Les liens prédéfinis

Internet Explorer donne accès à un ensemble de liens prédéfinis, par l'intermédiaire de la barre **Liens**. Pour y accéder, il suffit de double-cliquer sur **Liens**, à droite de la barre d'adresse.

Le lien **Démarrage d'Internet** donne accès à un ensemble de sites nationaux et internationaux prédéfinis par Microsoft dans le but de faciliter vos premiers pas sur Internet (voir Figure 11.13).

Le lien **Guide des chaînes** facilite l'accès à de nombreuses chaînes prédéfinies par Microsoft (voir Figure 11.14).

Le lien **Infos sur Internet Explorer** donne des informations récentes sur le navigateur Internet Explorer 4.0 (voir Figure 11.15).

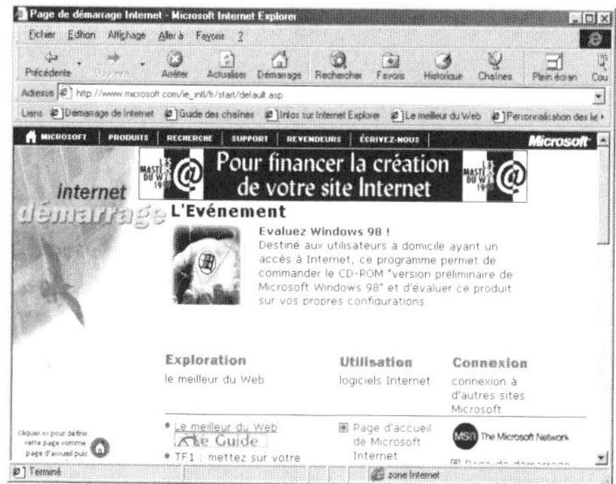

Figure 11.13 : Le lien Démarrage d'Internet.

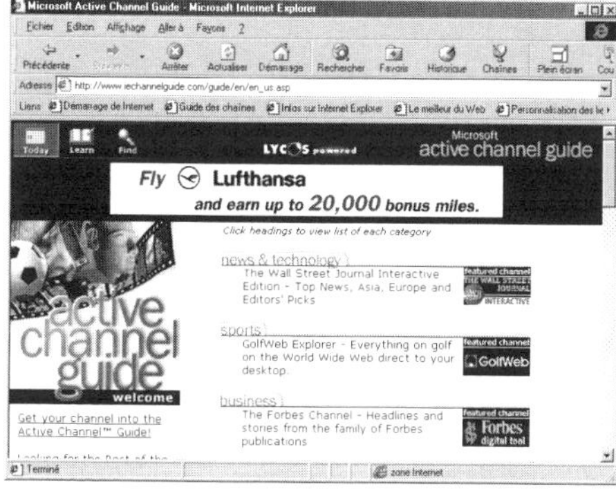

Figure 11.14 : Le lien Guide des chaînes.

Le lien **Le meilleur du Web** donne accès à plus de 400 sites francophones sélectionnés par MSN (voir Figure 11.16).

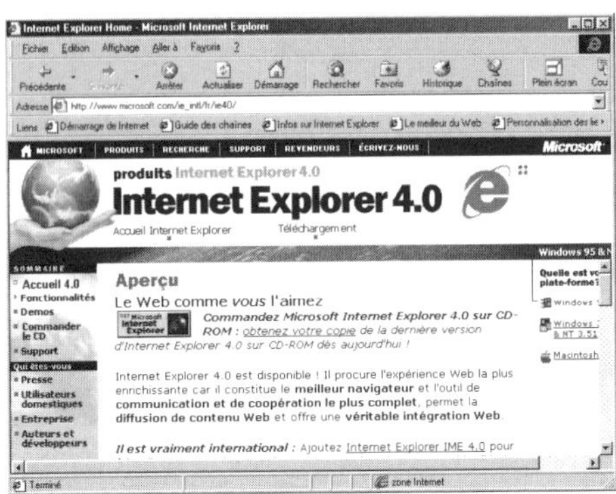

Figure 11.15 : Le lien Infos sur Internet Explorer.

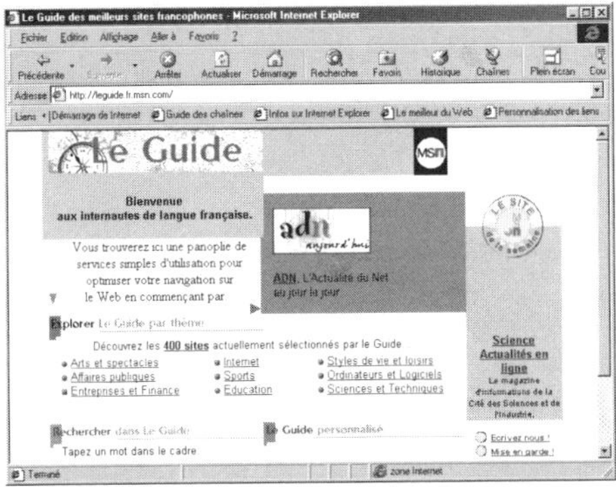

Figure 11.16 : Le lien Le meilleur du Web.

Enfin, le lien **Personnalisation des liens** vous montre comment utiliser les fonctionnalités de personnalisation avancées de votre navigateur (voir Figure 11.17).

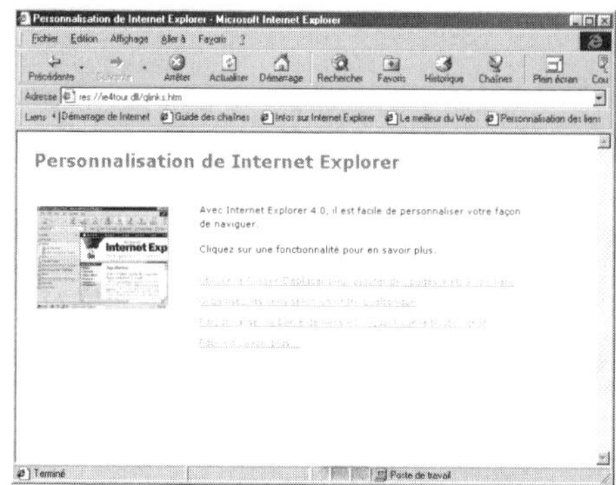

Figure 11.17 : Le lien Personnalisation des liens.

En cliquant sur le lien hypertexte **Pour en savoir plus**, vous accédez à un guide Web d'utilisation d'Internet Explorer (voir Figure 11.18).

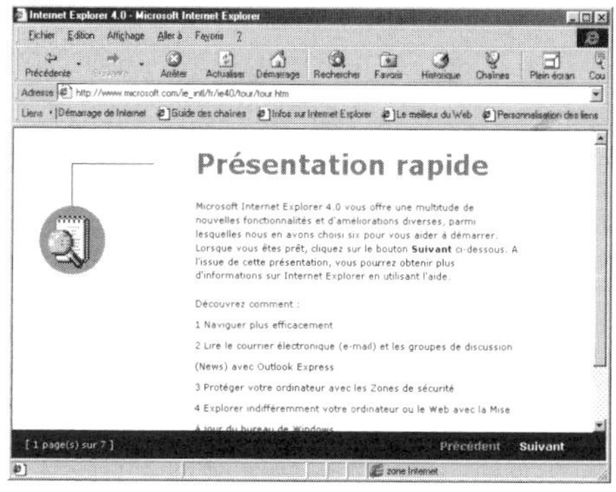

Figure 11.18 : La première page du guide on-line d'utilisation d'Internet Explorer 4.0.

Recherche sur le Web

Pour localiser une page sur le Web, rien de tel qu'un moteur de recherche. Par l'intermédiaire de **Rechercher** de la barre d'outils, Microsoft donne accès à six sites de recherche (voir Figure 11.19) :

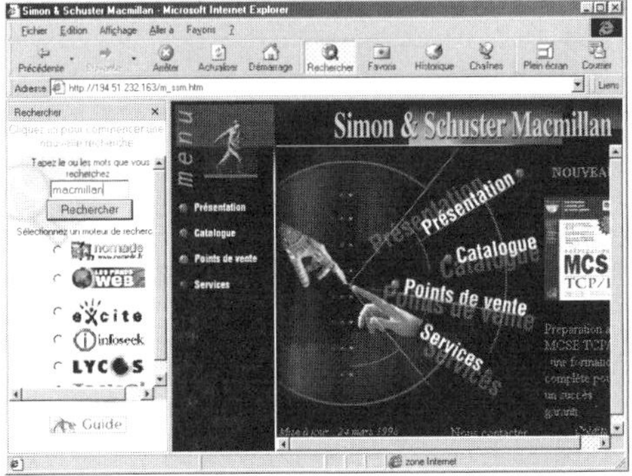

Figure 11.19 : Le méta-site de recherche de Microsoft.

Entrez un ou plusieurs mots dans la zone de texte, sélectionnez un moteur de recherche et cliquez sur **Rechercher**. Quelques instants plus tard, le volet gauche de l'Explorateur présente une ou plusieurs réponses sous forme de liens hypertexte. Cliquez sur un de ces liens pour afficher la page correspondante dans le volet droit de l'Explorateur.

Les chaînes Active Channel

Comme nous l'avons déjà signalé, Microsoft met à votre disposition plusieurs chaînes qui diffusent des informations bien précises à intervalles réguliers. Ces informations sont rapatriées automatiquement sur votre ordinateur de façon qu'elles soient à jour en permanence. Elles peuvent être disponibles depuis la barre des chaînes ou directement déposées sur le Bureau de Windows.

Pour vous abonner à une des chaînes prédéfinies par Microsoft, procédez comme suit :

1. Cliquez sur **Chaînes** dans la barre d'outils d'Internet Explorer.
2. Choisissez une des chaînes dans le volet gauche de l'Explorateur.
3. Suivez la procédure indiquée dans le volet droit de l'Explorateur.

Si les chaînes proposées par défaut ne vous suffisent pas, vous pouvez en trouver à de nombreuses autres en passant par le guide des chaînes de Microsoft. Voici comment procéder :

1. Cliquez sur **Chaînes** dans la barre d'outils d'Internet Explorer, puis sur la chaîne **Microsoft Channel Guide** (vous pouvez aussi cliquer sur la chaîne **Channel Guide** dans la barre des chaînes).
2. Choisissez une des catégories affichées dans le volet droit de l'Explorateur (Informations et technologies, Sports, Affaires, Divertissement ou Styles de vie et voyages).
3. Cliquez sur l'icône d'une des chaînes proposées.

La Figure 11.20 représente les chaînes disponibles sous la catégorie **Informations et technologies**.

Pour vous abonner à une chaîne, il suffit maintenant de cliquer sur son icône et de suivre les indications qui apparaissent sur l'écran. Cette chaîne sera rapatriée sur votre ordinateur et directement accessible par un clic dans la barre des chaînes.

Planification des chaînes

Si vous ne l'avez pas désactivée, une barre verticale donnant accès à quelques chaînes prédéfinies trône fièrement sur la partie gauche du Bureau de Windows. Pour vous abonner à une des chaînes référencées, il suffit de cliquer sur l'icône correspondante et de suivre les indications affichées dans votre navigateur.

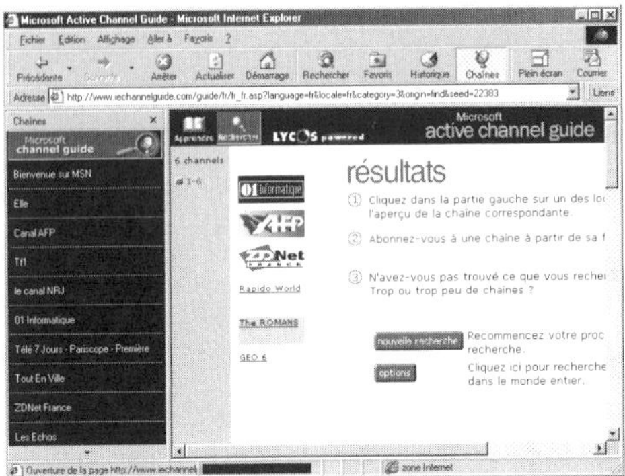

Figure 11.20 : La catégorie Informations et technologies contient six chaînes.

Lorsque vous vous serez abonné à une chaîne, cliquez sur son icône dans la barre des chaînes pour afficher les informations correspondantes **hors connexion**. Les chaînes Active Channel se mettent à jour automatiquement et de façon transparente. Il est aussi possible de modifier l'heure et la fréquence de la mise à jour. Cliquez du bouton droit dans la barre des chaînes sur l'icône de la chaîne dont vous souhaitez modifier le paramétrage, et sélectionnez **Propriétés** dans le menu contextuel. Cette action déclenche l'affichage de la boîte de dialogue des propriétés de la chaîne (voir Figure 11.21).

L'heure et la fréquence de la mise à jour peuvent être modifiées sous l'onglet **Planification**. Vous pouvez opter pour la mise à jour recommandée par la société qui est à l'origine de la chaîne, choisir la fréquence de mise à jour, ou opter pour un rafraîchissement manuel des informations (voir Figure 11.22).

Si vous êtes abonné à plusieurs chaînes, vous souhaiterez peut-être afficher une représentation récapitulative de leur état. Lancez la commande **Gérer les abonnements** du menu **Favoris** d'Internet Explorer. Cette action déclenche l'affichage de la fenêtre **Subscriptions** (voir Figure 11.23).

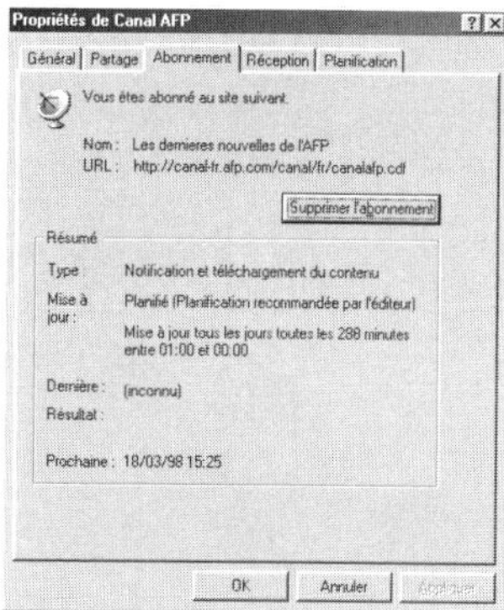

Figure 11.21 : Les propriétés de la chaîne Canal AFP.

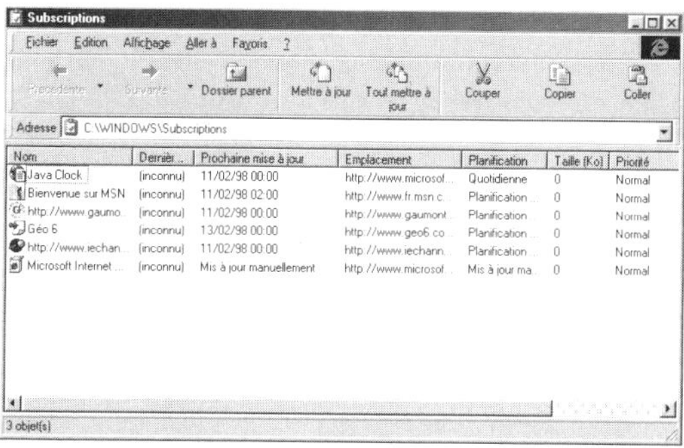

Figure 11.22 : Fréquence de mise à jour de la chaîne.

Remarquez les icônes **Mettre à jour** et **Tout mettre à jour** de la barre d'outils, qui déclenchent la mise à jour immédiate, respectivement, de la chaîne en surbrillance et de toutes les chaînes répertoriées dans la fenêtre. Pour accéder aux paramètres d'une chaîne, cliquez du bouton droit sur son nom et sélectionnez **Propriétés** dans le menu contextuel.

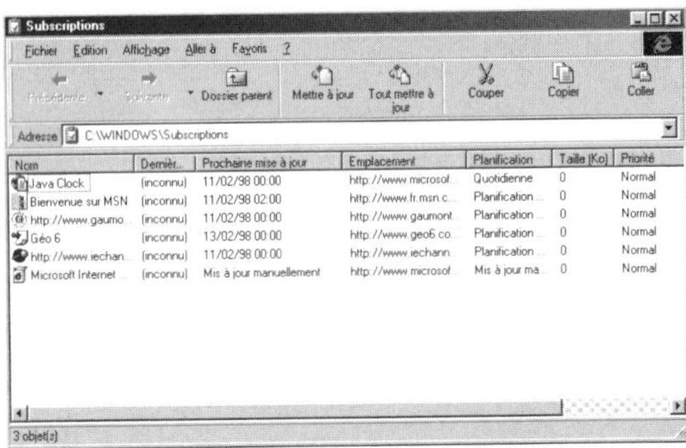

Figure 11.23 : La fenêtre Subscriptions.

Ajouter une chaîne sur le Bureau

Cliquez du bouton droit sur une partie inoccupée du Bureau et choisissez **Propriétés** dans le menu contextuel. Sélectionnez l'onglet Web et cliquez sur **Nouveau** pour ajouter une nouvelle chaîne sur le Bureau. Une boîte de dialogue vous propose de visiter la galerie **Active Desktop** de Microsoft (voir Figure 11.24).

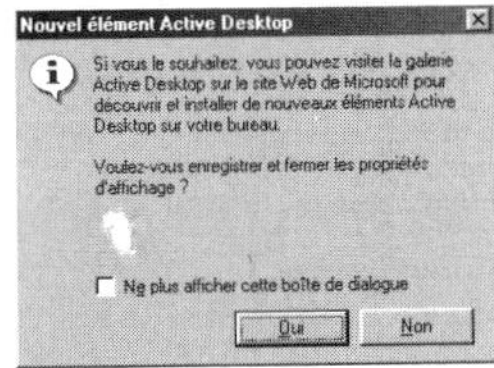

Figure 11.24 : Le plus simple consiste à choisir les chaînes dans la galerie Active Desktop.

Acceptez en cliquant sur **Oui**. Quelques secondes plus tard, Internet Explorer affiche la galerie Active Desktop (voir Figure 11.25).

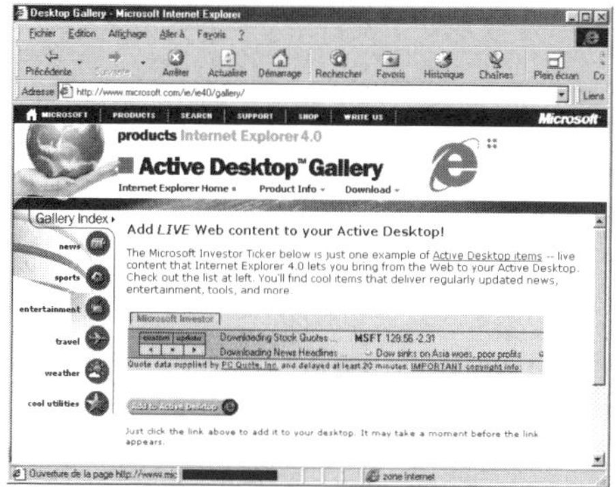

Figure 11.25 : Visite de la galerie Active Desktop.

Cliquez sur une des six catégories proposées, puis sur une des chaînes de cette catégorie. Dans l'exemple ci-après, nous avons cliqué sur la catégorie **Cool utilities**, puis sur la chaîne **3D Java Clock** (voir Figure 11.26).

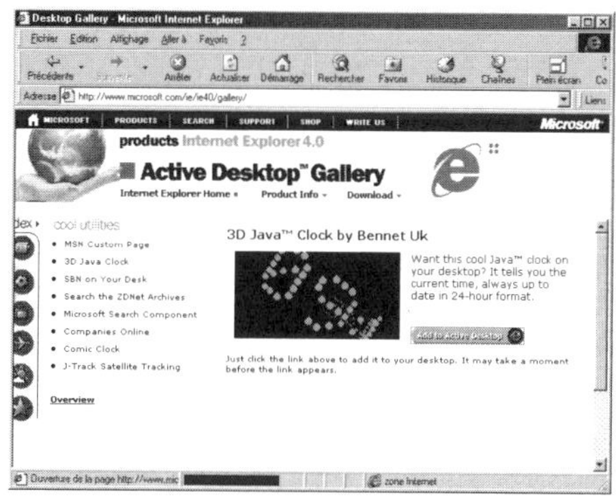

Figure 11.26 : Sélection de la chaîne 3D Java Clock.

Il suffit maintenant de cliquer sur **Add to Active Desktop** pour placer la chaîne sur le Bureau actif. Quelques instants plus tard, l'horloge Java trône sur le Bureau de Windows.

Désactiver une chaîne affichée sur le Bureau

Si vous placez plusieurs chaînes sur le Bureau, la place risque vite de manquer. Nous allons voir comment désactiver une chaîne en quelques clics.

Cliquez du bouton droit sur une partie inoccupée du Bureau et choisissez **Propriétés** dans le menu contextuel. Sélectionnez l'onglet **Web**. La boîte de dialogue **Propriétés d'affichage** donne la liste les chaînes auxquelles vous vous êtes abonné (voir Figure 11.27).

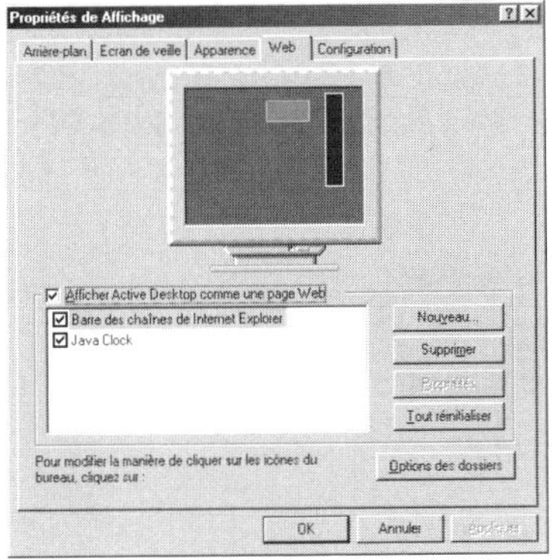

Figure 11.27 : Dans cet exemple, deux chaînes sont accessibles.

Pour désactiver une de ces chaînes, il suffit de décocher la case correspondante. Vous pouvez aussi désactiver toutes les chaînes en une seule opération en décochant la case **Afficher Active Desktop comme une page Web**. N'ayez crainte, les chaînes restent accessibles à travers la commande **Chaînes** du menu **Favoris** d'Internet Explorer.

Modifier les propriétés d'une chaîne affichée sur le Bureau

Le principal avantage des chaînes est leur mise à jour régulière et automatique. Lorsque vous vous abonnez une chaîne, ses concepteurs indiquent l'heure et la fréquence de la mise à jour. Mais, il est possible de modifier ces paramètres.

Cliquez du bouton droit sur une partie inoccupée du Bureau et choisissez **Propriétés** dans le menu contextuel. Sélectionnez l'onglet **Web**. Cliquez sur la chaîne dont vous voulez modifier les propriétés, puis sur **Propriétés**. Cette action déclenche l'affichage d'une boîte de dialogue qui indique la fréquence de la mise à jour (voir Figure 11.28).

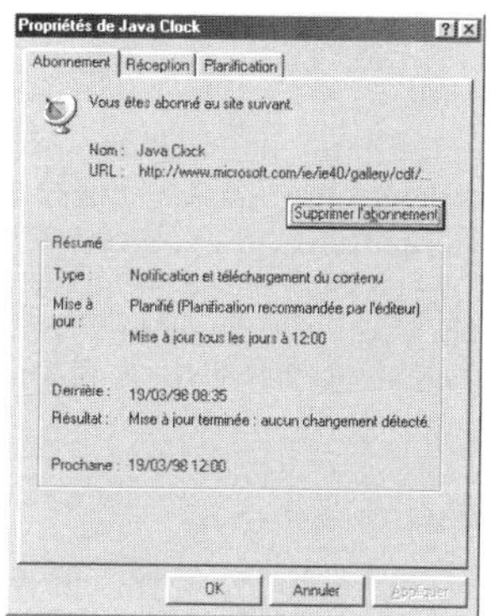

Figure 11.28 : Heure et fréquence de mise à jour par défaut.

En sélectionnant l'onglet **Planification**, vous pouvez modifier ces paramètres (voir Figure 11.29).

En sélectionnant l'option **Planification**, vous pouvez opter pour une mise à jour hebdomadaire, mensuelle, quotidienne ou recommandée par l'éditeur. Si vous sélectionnez l'option **Manuelle**, la chaîne ne se mettra pas à jour automatiquement : vous devrez appuyer sur **Mettre à jour** dans la boîte de dialogue **Propriétés**.

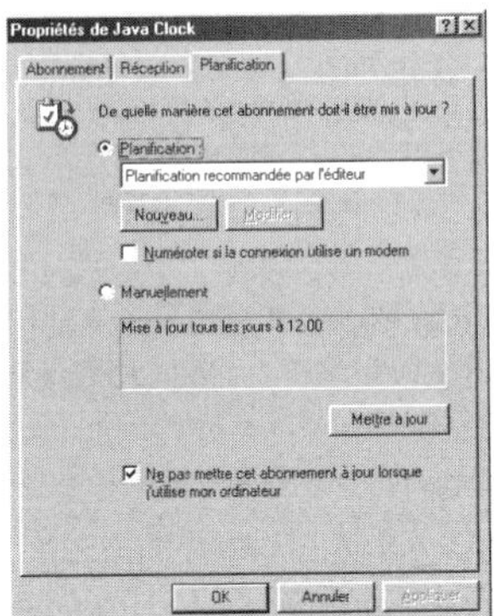

Figure 11.29 : Modification de l'heure et de la fréquence de mise à jour.

La boîte de dialogue des propriétés d'une chaîne est aussi accessible par son menu système : déplacez la souris sur la chaîne pour faire apparaître son contour. Cliquez sur la petite flèche située dans sa partie supérieure gauche et sélectionnez Propriétés dans le menu. Cette action déclenchera l'affichage de la boîte de dialogue Propriétés.

Les chaînes utilisées comme économiseur d'écran

Certaines chaînes peuvent être utilisées comme économiseur d'écran. C'est le cas de la chaîne **Bienvenue sur MSN**, proposée par défaut dans la barre des chaînes. Lorsque vous rapatriez une telle chaîne, une boîte de dialogue vous informe que la chaîne sera utilisée comme économiseur d'écran. Par la suite, vous pourrez bien entendu changer d'économiseur d'écran en utilisant la méthode habituelle : cliquez du bouton droit sur une partie inoccupée du Bureau et choisissez **Propriétés** dans le menu contextuel. L'écran de veille à utiliser est défini sous l'onglet **Ecran de veille** (voir Figure 11.30).

Figure 11.30 : Dans cet exemple, l'écran de veille provient d'une chaîne.

L'historique et les favoris

L'historique d'Internet Explorer est vraiment très pratique et très simple à utiliser. Cliquez sur l'icône **Historique** dans la barre d'outils pour afficher l'onglet de l'historique. Les pages visitées sont classées par jours et par semaines. Pour afficher une page précédemment visitée, il suffit de cliquer sur son lien dans l'historique. La page est affichée dans la partie droite de l'Explorateur (voir Figure 11.31).

Les liens placés dans l'historique sont conservés pendant une durée paramétrable. Pour modifier cette dernière, lancez la commande **Options Internet** dans le menu **Affichage** et agissez sur la zone de texte du groupe d'options **Historique** (voir Figure 11.32).

Pour conserver de manière durable des liens auxquels vous tenez, le plus simple consiste à les placer dans les **Favoris**. Pour mémoriser le lien de la page en cours de visualisation, il suffit de lancer la commande **Ajouter aux favoris** du menu **Favoris**. La boîte de dialogue **Ajout de favoris** est alors affichée (voir Figure 11.33).

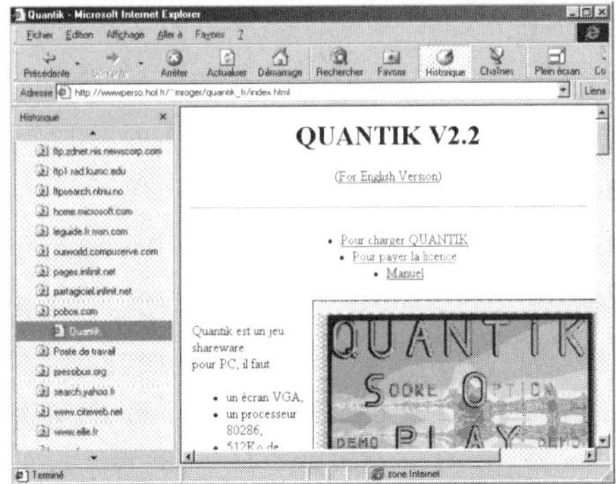

Figure 11.31 : Visualisation de la page Web du jeu Quantik, visitée mercredi dernier.

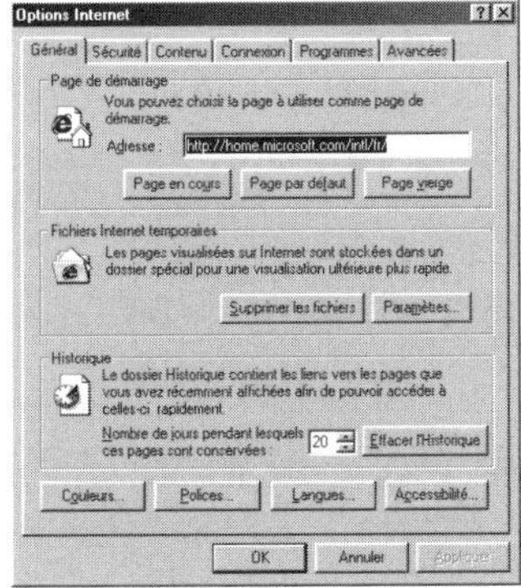

Figure 11.32 : Dans cet exemple, les liens sont conservés vingt jours dans l'historique.

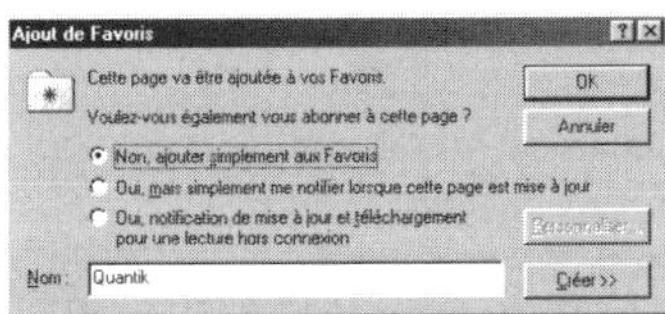

Figure 11.33 : La boîte de dialogue Ajout de favoris.

Par défaut, la page sélectionnée est simplement ajoutée aux Favoris. Mais, il est aussi possible de l'utiliser en tant que chaîne. Dans ce cas, **Personnaliser** permet de définir l'heure et la fréquence de la mise à jour.

Si vous choisissez d'ajouter la page dans les Favoris, le lien est placé par défaut dans le dossier Favoris. En cliquant sur Créer, vous pouvez définir un sous-dossier du dossier Favoris pour y placer le lien.

Pour accéder aux favoris, cliquez sur l'icône **Favoris** dans la barre d'outils d'Internet Explorer. Le contenu du dossier **Favoris** est affiché dans la partie gauche de l'Explorateur. Il suffit maintenant de cliquer sur un lien pour afficher la page correspondante dans la partie droite de l'Explorateur.

Le dossier des Favoris donne aussi accès :

- aux chaînes affichées dans la barre des chaînes ;
- aux liens stockés dans la barre Liens de l'Explorateur ;
- à la page de mise à jour d'Internet Explorer ;
- aux autres dossiers que vous avez pu créer pendant le stockage d'un lien dans les Favoris.

Bien utiliser le cache disque

Les pages Web que vous visitez sont stockées temporairement dans un dossier du disque dur appelé **cache disque**. Lorsque vous demandez l'affichage d'une nouvelle page, Internet Explorer la recherche dans ce dossier. Si la page s'y trouve, son affichage est quasi instantané puisque les données ne sont pas lues sur le Web, mais sur votre disque dur. Le type d'accès et la taille du dossier tampon sont paramétrables : lancez la commande **Options Internet** du menu **Affichage**. Sous l'onglet **Général**, le groupe d'options **Fichiers Internet temporaires** contient deux boutons. En cliquant sur **Supprimer les fichiers**, vous effacez tous les fichiers stockés dans le cache disque. En cliquant sur **Paramètres**, vous pouvez choisir la taille et le mode d'accès du cache (voir Figure 11.34).

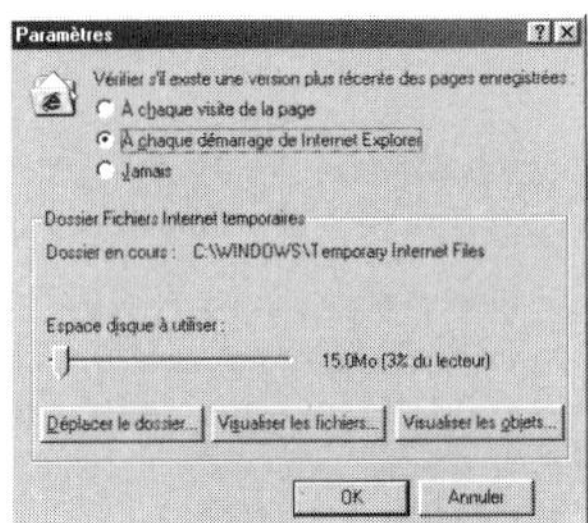

Figure 11.34 : Modification du paramétrage du cache disque.

Les trois options affichées dans la partie supérieure de la boîte de dialogue concernent le mode d'accès du cache :

- **A chaque visite de la page.** En choisissant cette option, vous demandez que le contenu du cache soit comparé à sa version Web chaque fois que vous visitez une page. Dans ce cas, le cache offre peu d'intérêt puisqu'un accès Web est nécessaire dans tous les cas.
- **A chaque démarrage d'Internet Explorer.** Si vous choisissez cette option, la comparaison cache/Web n'est effectuée qu'une fois par session pour chaque page. Ainsi, si vous accédez plusieurs fois à la même page dans une même session Internet Explorer, les données seront lues directement dans le cache. Cette option est sélectionnée par défaut, et elle représente certainement le meilleur compromis entre les deux autres.
- **Jamais.** Avec cette option, vous interdisez la comparaison cache/Web : si une page se trouve dans le cache, elle est affichée telle quelle. Si cette page a été placée dans le cache un mois ou plusieurs mois auparavant, il y a fort à parier que son contenu a changé. En choisissant cette option, vous risquez d'afficher des liens ou des informations qui ne sont plus valides.

La zone intitulée **Dossier Fichiers Internet temporaires** regroupe plusieurs contrôles :

- Utilisez le curseur **Espace disque à utiliser** pour déterminer la taille maximale du cache disque.
- Cliquez sur **Déplacer le dossier** si vous désirez stocker le cache disque sur un autre disque dur ou dans un autre dossier. Si votre ordinateur est équipé de plusieurs disques durs, placez le cache sur le plus rapide, de façon que les pages Web qui y sont stockées apparaissent plus rapidement.
- Enfin, cliquez sur **Visualiser les fichiers** pour afficher le contenu du cache disque. Les divers éléments qui le composent sont affichés dans le Poste de travail (voir Figure 11.35).

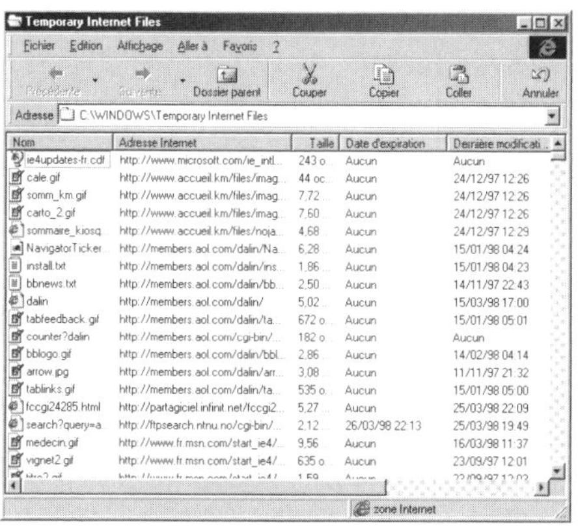

Figure 11.35 : Un exemple de cache disque.

Vous pouvez double-cliquer sur un des fichiers répertoriés pour l'afficher dans l'Explorateur ou dans l'afficheur qui lui est dédié.

A propos des afficheurs

Internet Explorer est essentiellement dédié à la visualisation de pages Web au format HTML. Cependant, les sites Web contiennent souvent d'autres objets multimédias ou des objets qui relèvent d'un afficheur particulier.

En tant qu'utilisateur de Windows 98, vous devez savoir qu'il n'est pas forcément nécessaire de posséder l'application dans laquelle a été créé un document pour le visualiser : vous pouvez faire appel à un **afficheur**. Internet Explorer utilise les afficheurs définis dans Windows 98 et y apporte quelques nouveautés. Par exemple, lorsque vous tapez une URL (c'est-à-dire une adresse Internet) dans la barre d'outils **Adresse** de Windows, **Internet Explorer** est automatiquement activé et affiche la page correspondante. De même, lorsque vous rapatriez une chaîne CDF, c'est la DLL **RUNDLL32** qui est mise à contribution (voir Figure 11.36).

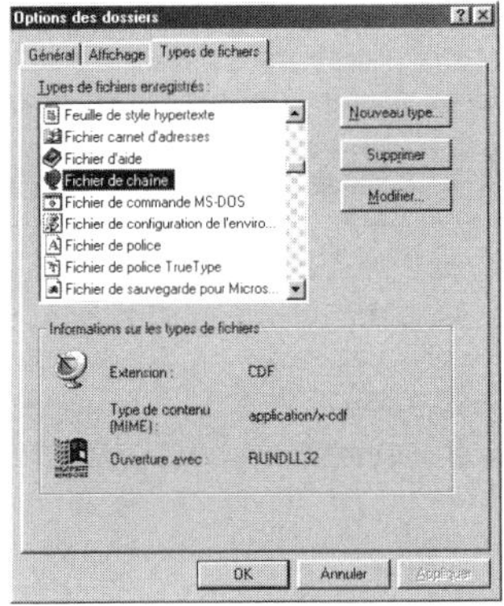

Figure 11.36 : Les fichiers d'extension CDF sont traités par RUNDLL32.

Pour avoir un aperçu des afficheurs disponibles, ouvrez le Poste de travail en double-cliquant sur son icône, et lancez la commande **Options des dossiers** du menu **Affichage**. Les afficheurs sont regroupés sous l'onglet **Types de fichiers**. En cliquant, par exemple, sur l'entrée **Image Bitmap**, vous voyez que les images au format BMP sont affichées par défaut dans l'application **MSPAINT**. Si Internet Explorer rencontre une image de ce format, il l'affichera en utilisant l'application MSPAINT (voir Figure 11.37).

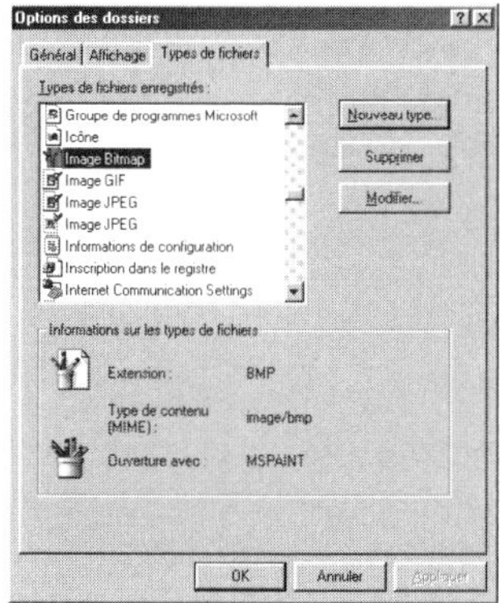

Figure 11.37 : Liste des afficheurs disponibles.

Lorsque vous vous connectez sur un site qui contient des objets inhabituels, il contient généralement un lien qui permet de télécharger et d'installer l'afficheur correspondant.

Plus vite sur le Web

Certains sites Web sont exaspérants de lenteur. Pour tenter d'accélérer leur visualisation, vous pouvez désactiver l'affichage des images, animations, vidéos et sons qu'ils pourraient contenir. Lancez la commande **Options Internet** du menu **Affichage**. Sélectionnez l'onglet **Avancées** et décochez une ou plusieurs des cases sous l'entrée **Multimédia** (voir Figure 11.38).

Outlook Express

Windows 98 est livré avec une application qui fait office de messagerie électronique et d'Explorateur de nouvelles : **Outlook Express**.

La façon la plus simple de lancer Outlook Express consiste à cliquer sur l'icône **Démarrer Outlook Express** dans la barre des tâches. Mais vous pouvez aussi double-cliquer sur l'icône **Outlook**

Express qui a été déposée sur le Bureau lors de l'installation de la suite Internet Explorer (voir Figure 11.39).

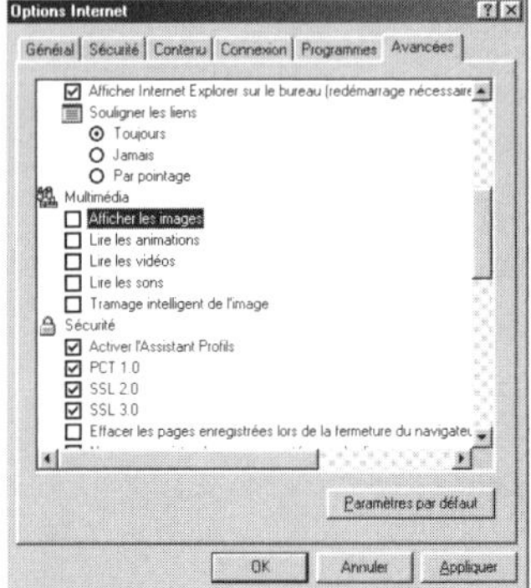

Figure 11.38 : En interdisant l'affichage des éléments multimédias, vous pouvez améliorer la vitesse d'affichage des sites rebelles.

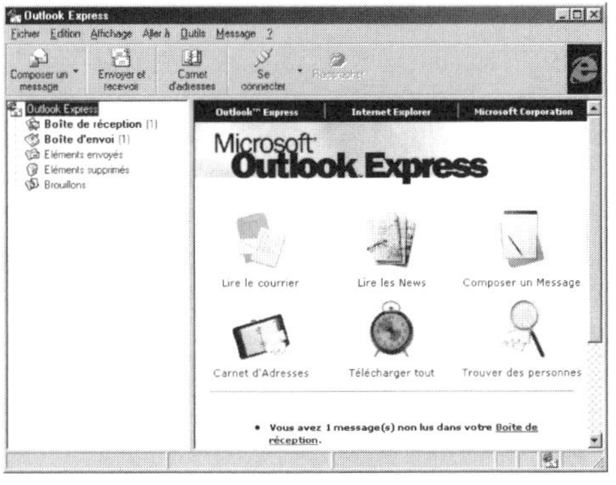

Figure 11.39 : La fenêtre d'Outlook Express.

Lors du premier démarrage d'Outlook Express, vous devez indiquer dans quel dossier vous désirez stocker les messages que vous récupérerez sur Internet (voir Figure 11.40).

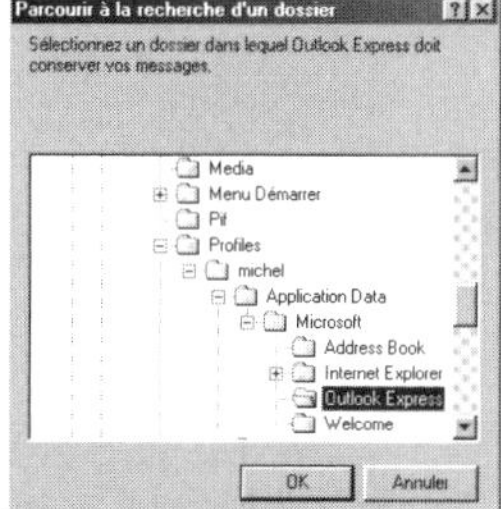

Figure 11.40 : Définition d'un dossier pour stocker les messages électroniques.

La messagerie Outlook Express Mail

Avant de pouvoir utiliser la messagerie, vous devez définir le **compte Internet** à utiliser. Lancez la commande **Comptes** du menu **Outils** d'Outlook Express. Cliquez sur **Ajouter** et sélectionnez **Courrier**. Cette action active l'assistant de connexion Internet. Vous devez lui fournir plusieurs informations qui vous ont été communiquées par votre fournisseur d'accès :

- le nom à utiliser dans les messages sortants ;
- votre adresse électronique ;
- le nom des serveurs de courrier entrant et sortant ;
- le nom du compte POP à utiliser et son mot de passe ;
- le mode de connexion (téléphone ou réseau local).

Une fois toutes ces informations entrées, un nouveau compte de courrier est ajouté dans la boîte de dialogue **Comptes Internet** (voir Figure 11.41).

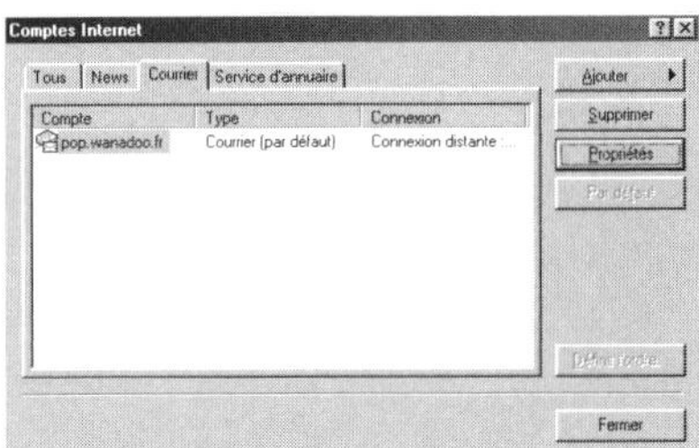

Figure 11.41 : Un compte de messagerie vient d'être défini.

Vous êtes maintenant en mesure d'envoyer du courrier et d'en recevoir.

Composition d'un message

Pour composer un nouveau message, procédez comme suit :

- Si l'entrée **Outlook Express** est en surbrillance dans le volet gauche de l'application, cliquez sur l'icône **Composer un message** dans le volet droit.
- Si une autre entrée qu'**Outlook Express** est en surbrillance dans le volet gauche de l'application, cliquez sur l'icône **Composer un message** dans la barre d'outils.

La fenêtre de composition est très classique (voir Figure 11.42).

Saisissez :

- L'adresse du destinataire principal du message dans le champ **A**.
- Les adresses des (éventuels) destinataires secondaires dans le champ **Cc** (si le message doit être envoyé à plusieurs destinataires secondaires, séparez leurs adresses par un point-virgule). Si les destinataires secondaires ne doivent pas être connus du destinataire principal, entrez leurs adresses dans le champ **Cci**.
- L'objet du message dans le champ **Objet**.
- Le message dans la partie inférieure de la fenêtre.

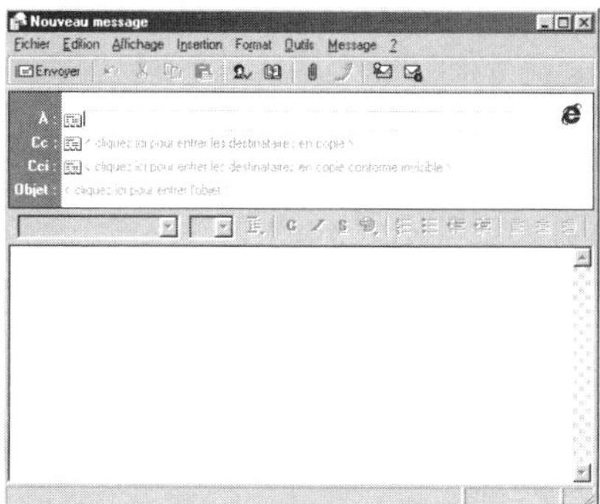

Figure 11.42 : La fenêtre de composition de messages d'Outlook Express.

Outlook Express Mail est une **messagerie HTML**. Vous pouvez donc utiliser des marqueurs HTML pour mettre en forme vos messages. A condition, bien entendu, que vos correspondants disposent aussi d'une messagerie HTML.

La barre d'outils de mise en forme est très simple à utiliser (voir Figure 11.43). Ses icônes s'appliquent au texte en surbrillance ou, dans certains cas, à la ligne sur laquelle se trouve le point d'insertion. Vous pouvez agir sur :

- la police et la taille des caractères, ou utiliser un des styles prédéfinis dans la liste déroulante **Style** ;
- les attributs des caractères (gras, italique, souligné, couleur) ;
- les symboles insérés au début de certaines lignes (listes numérotées et listes à puces) ;
- le retrait des lignes (diminuer le retrait et augmenter le retrait) ;
- l'alignement des lignes (aligné à gauche, centré ou aligné à droite).

Les trois dernières icônes permettent d'insérer un trait séparateur, un lien hypertexte et une image dans le message. Il est aussi possible d'attacher un ou plusieurs fichiers binaires à un message, en utilisant la commande **Pièce jointe** du menu **Insertion**, ou en cliquant sur l'icône **Insérer fichier** dans la barre d'outils (voir Figure 11.43).

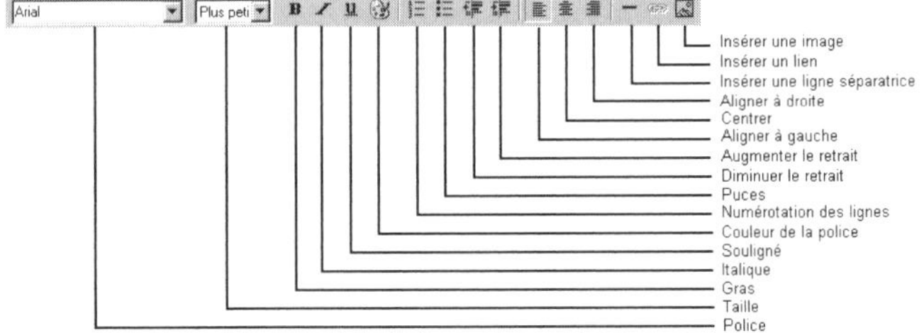

Figure 11.43 : La barre d'outils de mise en forme.

Lorsque le message est entièrement rédigé, cliquez sur l'icône **Envoyer** dans la barre d'outils. Le message est placé dans la boîte d'envoi d'Outlook Express. Vous pouvez ainsi rédiger d'autres messages hors connexion. Pour envoyer les messages qui se trouvent dans la boîte d'envoi, cliquez simplement sur **Envoyer et recevoir** dans la barre d'outils d'Outlook Express.

Peut-être avez-vous remarqué la petite flèche située à droite de l'icône Composer un message dans la barre d'outils d'Outlook Express. En cliquant dessus, vous accédez à un ensemble de papiers à lettres personnalisés. Il suffit de sélectionner l'un d'entre eux pour définir un nouveau message sur un arrière-plan graphique (voir Figure 11.44).

Le format des messages envoyés par Outlook Express

Les messages envoyés par Outlook Express sont au format HTML. Voici comment un petit message constitué uniquement de texte est codé par Outlook Express :

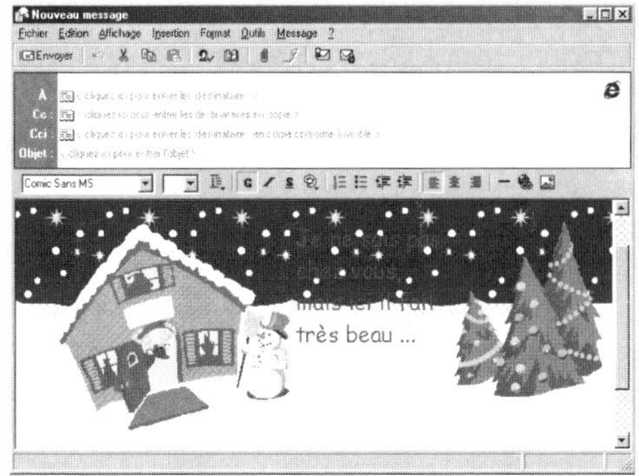

Figure 11.44 : Un exemple de papier à lettres.

```
<!DOCTYPE HTML PUBLIC "-//W3C//DTD W3 HTML//EN">
<HTML>
  <HEAD>
    <META content=3Dtext/html;charset=3Diso-8859-1
=http-equiv=3DContent-Type>
    <META content=3D'"MSHTML 4.72.2106.6"'
name=3DGENERATOR>
  </HEAD>
  <BODY bgColor=3D#ffffff>
    <DIV>
    <FONT color=3D#000000 size=3D2>
      Un petit test depuis Outlook Express
    </FONT>
    </DIV>
  </BODY>
</HTML>
```

Dans le corps du message, entre les marqueurs `<BODY>` et `</BODY>`, remarquez le marqueur `<FONT>` qui définit la police et la taille des caractères.

Lire votre courrier

La lecture du courrier est un vrai jeu d'enfant :

1. Lancez l'application Outlook Express ; par exemple, avec la commande **Courrier** du menu **Aller à** d'Internet Explorer.
2. Cliquez sur **Envoyer et recevoir** de la barre d'outils, ou utilisez le raccourci clavier ***Ctrl-M***.

Lorsque des messages se trouvent dans votre boîte aux lettres, une nouvelle icône est affichée dans la partie droite de la barre d'outils pour indiquer que vous avez reçu du courrier (voir Figure 11.45).

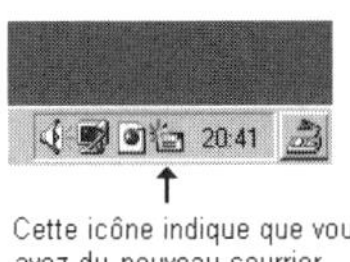

20:41
Cette icône indique que vous avez du nouveau courrier.

Figure 11.45 : Vous avez reçu du courrier.

Pour afficher le nouveau courrier, double-cliquez sur l'icône **Nouveau courrier** dans la barre des tâches, ou sélectionnez l'entrée **Boîte de réception** dans le volet gauche d'Outlook Express.

Le nombre de nouveaux messages est affiché à droite de l'entrée **Boîte de réception**. Dans cet exemple, un seul message a été reçu. Les nouveaux messages apparaissent en gras dans la liste. Pour visualiser un nouveau message, il suffit de cliquer dessus (voir Figure 11.46).

Le message sur lequel vous avez cliqué n'apparaît plus en gras pour indiquer qu'il a été lu, et le nombre de messages reçus est diminué d'un dans le volet gauche. Si le message en cours de visualisation vous paraît important, et si vous pensez qu'il est nécessaire de le relire, vous pouvez lui affecter l'attribut "Non lu", même s'il a déjà été lu. Cliquez du bouton droit sur le message et sélectionnez **Marquer comme non lu(s)** dans le menu contextuel.

Inversement, si un ou plusieurs messages vous paraissent inintéressants, vous pouvez les marquer comme lus, même s'il n'ont pas été lus. Cliquez sur les messages concernés en maintenant la touche

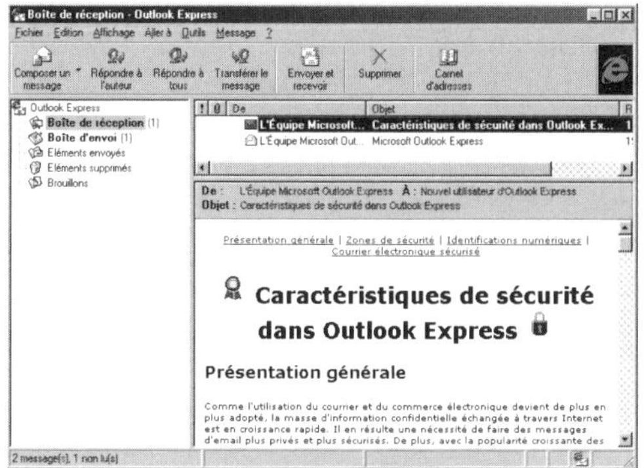

Figure 11.46 : Lecture d'un message reçu.

Ctrl enfoncée. Cliquez ensuite du bouton droit sur l'un des messages sélectionnés et sélectionnez **Marquer comme lu(s)** dans le menu contextuel.

Les messages jugés sans intérêt peuvent directement être jetés dans la Corbeille. Cliquez sur les messages concernés en maintenant la touche *Ctrl* enfoncée, puis cliquez du bouton droit sur l'un des messages sélectionnés et sélectionnez **Supprimer** dans le menu contextuel. Les messages sont déplacés dans l'entrée **Eléments supprimés**. Ils n'apparaissent donc plus dans la boîte de réception. Pensez à vider la Corbeille de temps en temps pour ne pas encombrer votre disque dur avec des messages sans intérêt. Pour cela, cliquez du bouton droit sur l'entrée **Eléments supprimés** et sélectionnez **Vider le dossier**. La suppression se fait après confirmation.

Le Carnet d'adresses d'Internet Explorer

Il y a fort à parier que vous enverrez souvent des courriers aux mêmes personnes. Pour éviter d'avoir à retenir des adresses e-mail parfois longues et complexes, donc sujettes à des erreurs de saisie, vous avez tout intérêt à utiliser le Carnet d'adresse fourni avec Internet Explorer. Grâce à lui, vous pourrez mettre en relation le nom d'une personne et son adresse e-mail. Le Carnet d'adresses peut

aussi être utilisé pour stocker d'autres informations relatives à la personne, comme ses coordonnées personnelles et professionnelles.

Pour afficher le Carnet d'adresses, cliquez sur l'icône **Carnet d'adresses** dans la barre d'outils d'Outlook Express (voir Figure 11.47).

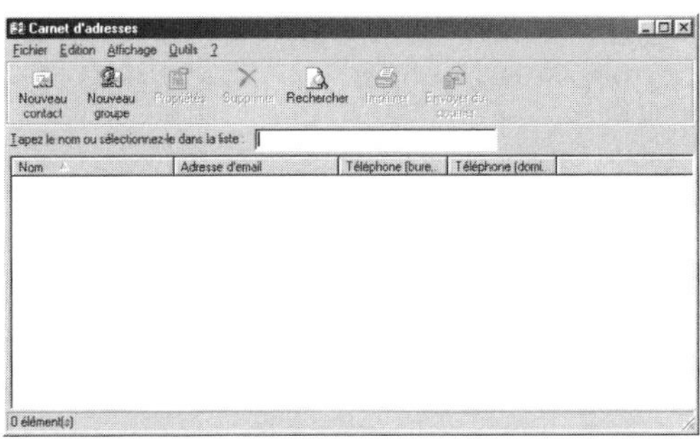

Figure 11.47 : Le Carnet d'adresses fourni avec Internet Explorer, désespérément vide.

Pour définir un nouveau correspondant, cliquez sur **Nouveau contact**. Fournissez les informations voulues sous l'onglet **Personnel** et validez en cliquant sur **OK**. Si vous le désirez, vous pouvez saisir d'autres informations dans la boîte de dialogue en sélectionnant les quatre onglets suivants (voir Figure 11.48).

Lorsque vous rédigerez un nouveau message, il suffira de cliquer sur les icônes situées à droite des labels **A**, **Cc** et **Cci** pour accéder aux entrées du Carnet d'adresses. Vous choisirez alors les noms des destinataires dans une liste au lieu de taper leur adresse électronique.

Les groupes de nouvelles avec Outlook Express News

Avant de pouvoir utiliser Outlook Express News, vous devez définir le compte Internet à utiliser. Lancez la commande **Comptes** du menu **Outils** d'Outlook Express. Cliquez sur **Ajouter** et sélectionnez **News**. Cette action active l'assistant de connexion Internet. Vous

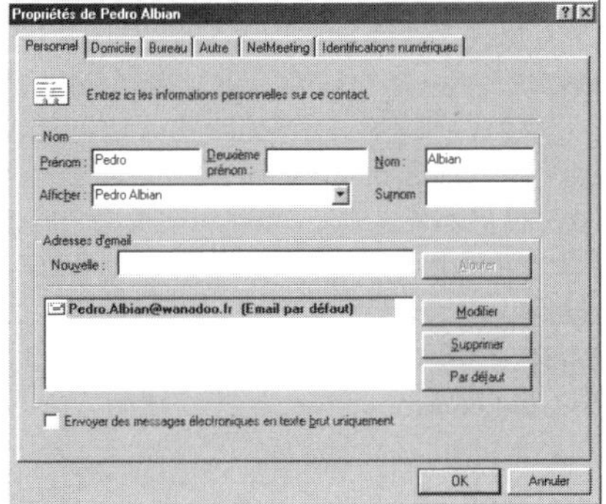

Figure 11.48 : Définition d'un nouveau correspondant.

devez lui indiquer plusieurs informations qui vous ont été communiquées par votre fournisseur d'accès :

- le nom à utiliser dans les messages envoyés aux groupes de nouvelles ;
- votre adresse électronique ;
- le nom des serveurs de nouvelles à contacter ;
- le mode de connexion (téléphone ou réseau local).

Une fois toutes ces informations entrées, un nouveau compte de nouvelles est ajouté dans la boîte de dialogue **Comptes Internet** (voir Figure 11.49). Vous êtes maintenant en mesure d'envoyer du courrier et d'en recevoir.

Première connexion

Lors de la première connexion au serveur de nouvelles, les noms des groupes de discussion sont téléchargés. Cette opération peut demander plusieurs minutes si votre liaison est lente. Lorsque le rapatriement est terminé, la boîte de dialogue **Groupes de discussion** présente les groupes disponibles. Entrez un mot dans la zone de texte pour restreindre la liste aux groupes correspondants (voir Figure 11.50).

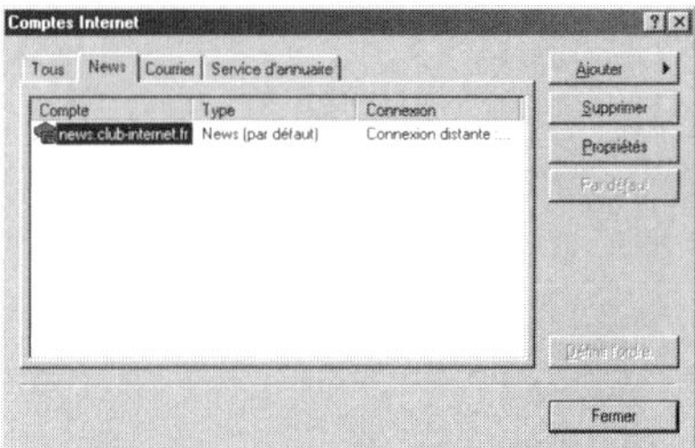

Figure 11.49 : Un compte de nouvelles vient d'être défini.

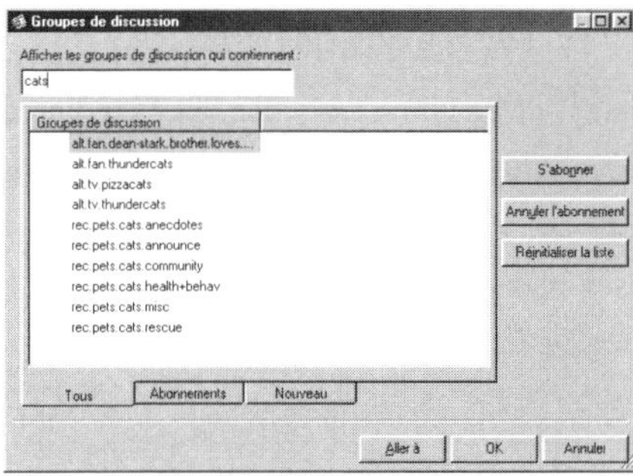

Figure 11.50 : Les groupes de discussion en rapport avec les chats.

Pour vous abonner à un groupe, sélectionnez-le dans la zone de liste centrale et cliquez sur **S'abonner**. Fermez la boîte de dialogue et double-cliquez sur le nom du groupe qui apparaît dans la partie supérieure de la fenêtre **Outlook Express**. Cette action provoque le téléchargement des en-têtes des messages du groupe de discussion sélectionné. Pour visualiser un message, il suffit de cliquer sur son en-tête. Son contenu s'affiche dans la partie inférieure de la fenêtre (voir Figure 11.51).

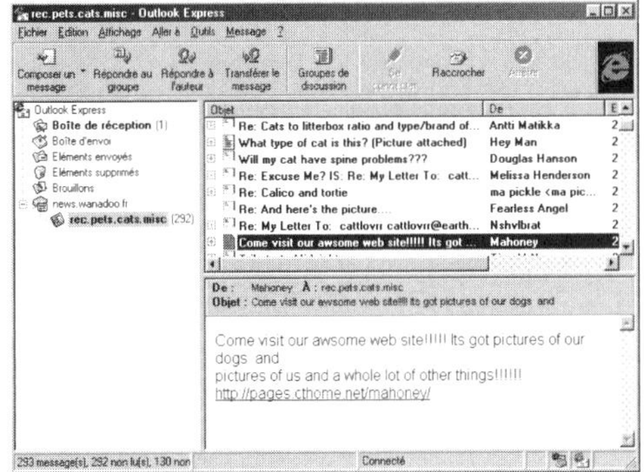

Figure 11.51 : Visualisation du contenu d'un message.

Messages lus et non lus

Outlook Express est en mesure de filtrer l'affichage des en-têtes de messages avec la commande **Affichage en cours** du menu **Affichage**. Vous pouvez choisir d'afficher tous les messages, les messages non lus ou les messages téléchargés.

Lorsque vous cliquez sur l'en-tête d'un message, son contenu est affiché dans le volet inférieur et il est considéré comme lu par Outlook Express. Si vous lancez la commande **Affichage actuel/Messages non lu(s)** du menu **Affichage**, seuls les en-têtes des messages non lus sont affichés. Il est possible d'affecter la marque "lu" à certains messages qui vous paraissent inintéressants ou qui ne vous concernent pas. De la sorte, ces messages n'apparaîtront pas dans le volet supérieur si vous choisissez de limiter l'affichage aux seuls messages non lus.

Pour affecter la marque "lu" à un message, cliquez du bouton droit sur son en-tête et sélectionnez la commande **Marquer comme lu(s)** dans le menu contextuel. La commande **Marquer comme non lu(s)** produit bien évidemment l'effet inverse.

Si un message est illisible

De temps en temps, vous pouvez tomber sur des messages illisibles. Les caractères de chaque mot semblent avoir été mélangés. Il y a de fortes chances pour que le message en cours de visualisation soit au format **ROT13**. Il s'agit d'un codage suivant lequel chaque caractère a été remplacé par la lettre située 13 places plus loin : le A est remplacé par le N, le B par le O, le C par le P, etc. Pour obtenir le message original, il suffit d'opérer la substitution inverse (voir Figure 11.52).

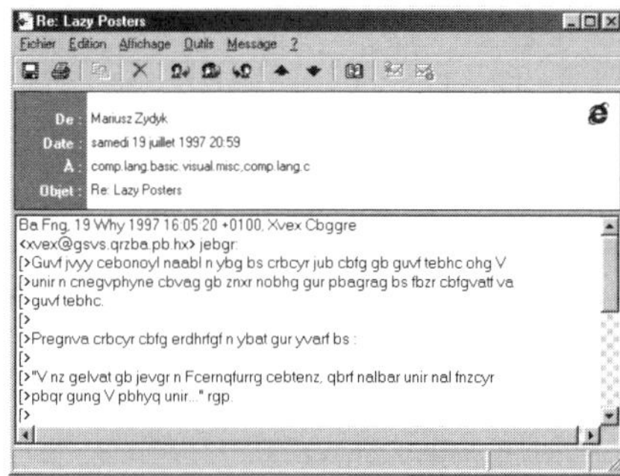

Figure 11.52 : Un message ROT13 n'est pas immédiatement lisible.

Internet Explorer est en mesure d'effectuer ce traitement par une simple commande de menu. Lancez la commande **Déchiffrer (ROT13)** du menu **Edition** et le contenu du message deviendra lisible. Mais, si un message est codé en ROT13, cela signifie que la personne qui en est à l'origine a jugé que son contenu pouvait être choquant ou offensant. Si vous choisissez de décrypter le message, ne venez pas vous plaindre de sa qualité douteuse : vous étiez prévenu à l'avance !

Prendre part à un groupe de nouvelles

Après avoir passé quelques dizaines de minutes à lire les messages d'un groupe de nouvelles, vous voudrez peut-être prendre part à la discussion, en répondant à un message existant ou en rédigeant un nouveau message.

Répondre à un message existant

Pour répondre à un message existant, cliquez du bouton droit sur son en-tête et sélectionnez **Répondre au groupe de news** ou **Répondre à l'auteur** dans le menu contextuel. Il est important de bien différencier ces deux commandes. La première envoie votre message au groupe de nouvelles. Le message sera donc lisible par toutes les personnes abonnées à ce groupe de nouvelles. La deuxième envoie votre réponse à l'auteur du message.

Quelle que soit la commande choisie, une fenêtre contenant le message original est affichée. Remarquez les signes ">" devant chaque ligne du message. Ils indiquent qu'il s'agit du message original et non de la réponse (voir Figure 11.53).

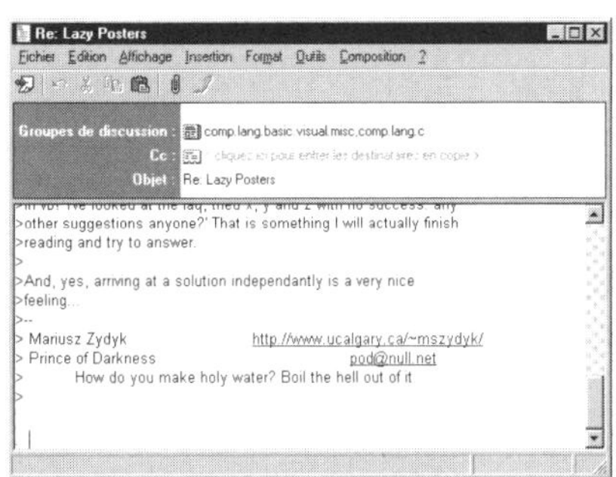

Figure 11.53 : Envoi d'une réponse à un groupe de nouvelles.

Déplacez-vous à la fin du message et entrez votre réponse. Pour envoyer ce message, vous avez trois possibilités :

1. Lancez la commande **Envoyer le message** du menu **Fichier**.

2. Cliquez sur l'icône **Poster le message** dans la barre d'outils.

3. Utilisez le raccourci clavier ***Alt-S***.

Créer un nouveau message

Si vous désirez soumettre une nouvelle question ou envoyer des informations au groupe de discussion, vous devez créer un nouveau message.

Lancez la commande **Nouveau message** du menu **Message**, ou cliquez sur **Composer un message** dans la fenêtre d'Outlook Express. L'adresse du groupe de discussion est automatiquement insérée. Il ne vous reste plus qu'à entrer le texte du nouveau message. Pour envoyer ce message au groupe de discussion, utilisez l'une des trois méthodes décrites précédemment.

Inclure un fichier binaire ou une image dans un message

Vous pouvez placer des images et des fichiers binaires dans vos messages. Pour pouvoir transiter par la messagerie électronique, ces données seront préalablement transformées en utilisant le codage **UUENCODE** ou **MIME**. Elles seront ensuite automatiquement converties au format original par le programme de courrier électronique ou le lecteur de nouvelles de vos correspondants.

Pour placer une image dans un message, lancez la commande **Image** du menu **Insertion** et désignez l'image à insérer. Pour inclure un fichier binaire dans un message, lancez la commande **Pièce jointe** du menu **Insertion** et précisez le nom du fichier binaire à joindre. C'est aussi simple que cela !

Une règle de comportement essentielle

Lorsque vous envoyez un message à un groupe de nouvelles, ayez toujours à l'esprit que plusieurs centaines, voire plusieurs milliers de personnes peuvent le lire. Il est donc conseillé de mesurer vos propos. Lorsque vous écrivez un message, vos lecteurs n'ont aucune idée de votre état d'esprit. Soyez vigilant sur le ton que vous utilisez. Des propos censés être amusants peuvent être jugés arrogants ou

offensants par vos lecteurs. Les bagarres sont fréquentes dans les groupes de nouvelles, et elles peuvent aller bien plus loin que vous ne l'imaginez…

En deux mots : **soyez aimable**. Pour agrémenter vos propos et indiquer votre état d'humeur, n'hésitez pas à inclure des **smileys** dans vos messages. En voici quelques exemples (pour voir à quoi correspondent ces signes, penchez la tête sur la gauche et imaginez-vous en face d'un visage humain) :

Smiley	Signification
:-(	Je suis mécontent ou désappointé
8-)	J'ai des lunettes
:-<	Je suis très triste
;-)	Clin d'œil
*<|:-)	Par tous les saints
:-&	Je ne sais que dire
:-o	Je suis sous le choc
:-p	Ma langue est coincée

Vous en apprendrez plus sur l'utilisation de ces petites figures en visitant le site **http://members.aol.com/bearpage/smileys.htm** (voir Figure 11.54).

Microsoft NetMeeting

NetMeeting est un outil de téléconférence. Il permet à deux ou plusieurs interlocuteurs d'échanger des informations écrites, audios et/ou vidéos (par l'intermédiaire d'une caméra vidéo et d'une carte appropriée).

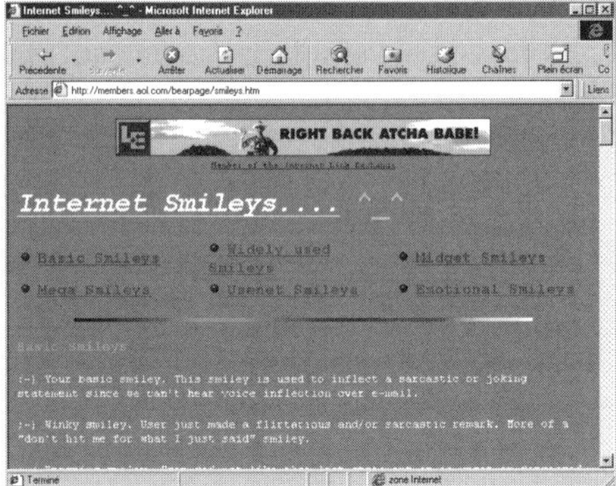

Figure 11.54 : Un site dédié aux smileys.

NetMeeting peut être lancé à partir du menu **Démarrer** (commande **Programmes**, **Internet Explorer** et **Microsoft NetMeeting**) ou d'Internet Explorer (commande **Appel Internet** dans le menu **Aller à**).

Lorsque NetMeeting est lancé pour la première fois, un assistant de configuration démarre automatiquement. Vous devez répondre à un ensemble de questions avant de pouvoir utiliser NetMeeting.

Entre autres renseignements, l'assistant vous demande si vous souhaitez vous connecter à un serveur d'annuaire au lancement de NetMeeting. Pour faire vos premiers essais, vous avez tout intérêt à utiliser ce point de rendez-vous où des internautes de tous pays se connectent afin d'échanger des messages écrits, audios et/ou vidéos. Cochez donc la case **Se connecter à un serveur d'annuaire au démarrage** pour faire vos premiers essais, et choisissez l'un des serveurs d'annuaires proposés dans la liste déroulante. Ce serveur sera contacté dès le lancement de NetMeeting. Par la suite, vous pourrez bien entendu choisir un autre serveur ou contacter directement une personne reliée de façon permanente à Internet.

Pour pouvoir communiquer par la voix, vous devez procéder à un réglage du volume de lecture et d'enregistrement de votre carte audio (voir Figure 11.55).

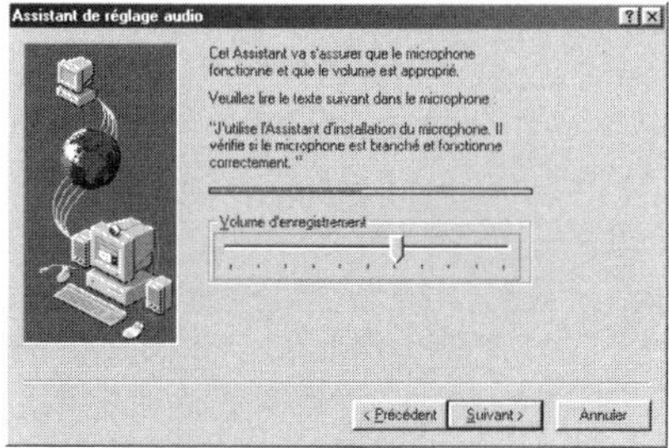

Figure 11.55 : Réglage audio.

Lorsque le paramétrage est terminé, NetMeeting est automatiquement lancé et se connecte sur le serveur d'annuaire spécifié par défaut. Après l'établissement de la connexion, la fenêtre de NetMeeting a l'allure de la Figure 11.56.

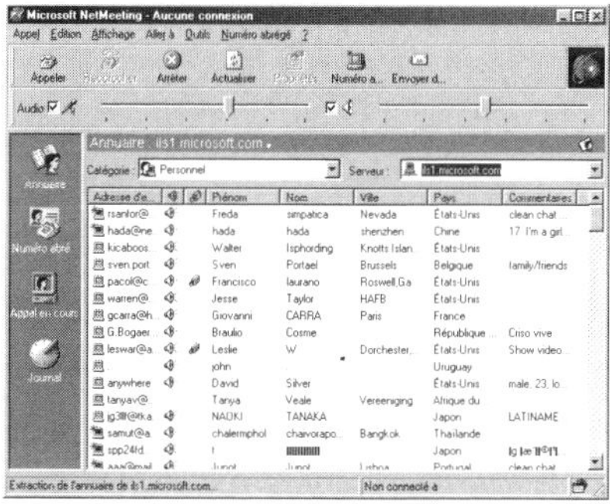

Figure 11.56 : Un exemple de connexion.

La partie centrale de l'écran recense les personnes connectées au serveur.

Pour chaque personne apparaissent les informations suivantes :

- indicateur de conversation (une étoile rouge indique que la personne a déjà engagé une conversation) ;
- adresse e-mail ;
- possibilités audio et/ou vidéo ;
- nom et prénom du correspondant ;
- ville et pays d'appel ;
- commentaires éventuels.

Avant de contacter un interlocuteur, intéressons-nous à la fonction des divers éléments affichés dans la fenêtre de NetMeeting.

La barre d'outils donne accès aux fonctions les plus courantes de NetMeeting.

Remarquez en particulier :

- le bouton **Appeler**, qui tente d'entrer en communication avec la personne sélectionnée dans la liste ;
- le bouton **Raccrocher**, qui met fin à la communication courante ;
- le bouton **Envoyer un message**, qui permet d'envoyer un message e-mail à la personne sélectionnée dans la liste.

Les deux curseurs situés en dessous de la barre d'outils permettent de régler le niveau d'entrée du microphone et le volume de sortie du haut-parleur.

La partie gauche de la fenêtre contient quatre icônes :

- L'icône **Annuaire** dresse la liste des personnes connectées sur le serveur d'annuaire.
- L'icône **Journal** contient la liste des personnes que vous avez tenté de contacter.
- L'icône **Appel en cours** contient le nom de vos correspondants.

- Enfin, l'icône **Numéros abrégés** est un annuaire dans lequel vous pouvez enregistrer les coordonnées de certains correspondants, avec la commande **Ajouter un numéro abrégé** du menu **Numérotation Abrégée**.

Engager une conversation

Pour contacter une des personnes répertoriés dans l'annuaire, il suffit de double-cliquer sur son nom. Vous pouvez aussi cliquer sur **Appeler** de la barre d'outils, ou lancer la commande **Nouvel appel** du menu **Appel**, après avoir sélectionné votre correspondant dans la liste.

Si la personne que vous cherchez à contacter veut bien répondre, une conversation peut s'engager (voir Figure 11.57).

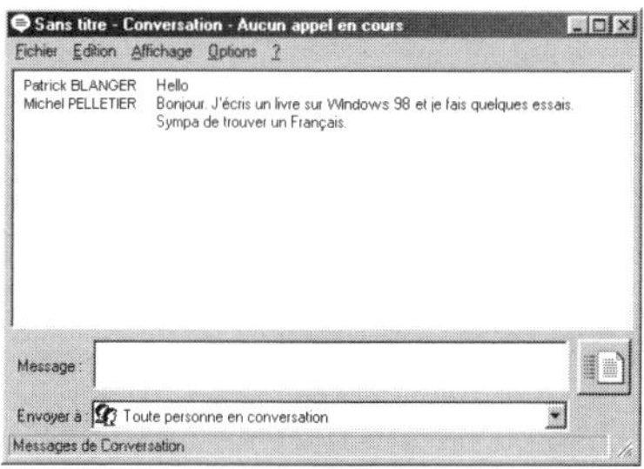

Figure 11.57 : Un exemple de conversation texte.

En convenant d'un jour et d'une heure d'appel, vous pouvez aussi contacter un autre internaute sans passer par un serveur d'annuaire. Lancez la commande **Nouvel appel** du menu **Appel**. Définissez l'adresse de votre correspondant et sélectionnez le mode d'appel **Réseau (TCP/IP)**. Si votre correspondant est en ligne, vous pourrez engager une conversation.

L'utilisation de NetMeeting pour joindre un correspondant à l'étranger est très intéressante d'un point de vue financier, car chacun des correspondants ne paye que le prix d'une communication locale.

Pour engager une conversation texte, lancez la commande **Conversation** du menu **Outils** ou cliquez sur ***Ctrl-T***. Pour engager une conversation parlée et/ou filmée, lancez la commande **Basculer audio et vidéo** du menu **Outils**. Avec un peu de chance, vous pourrez échanger paroles et images avec une personne située à l'autre bout de la planète…

Il est fort probable que vous soyez contacté par un interlocuteur faisant des essais comme vous. Lors d'un de mes essais, j'ai été contacté au bout de quelques minutes seulement par une personne résidant aux Philippines qui expérimentait un nouveau soft de vidéo-conférence nommé… Microsoft NetMeeting. Le monde est vraiment petit !

Le tableau blanc

Vous pouvez utiliser un tableau blanc dans une conversation pour échanger des informations dessinées en temps réel. Pour cela, lancez la commande **Tableau blanc** du menu **Outils** ou cliquez sur ***Ctrl-W*** (voir Figure 11.58).

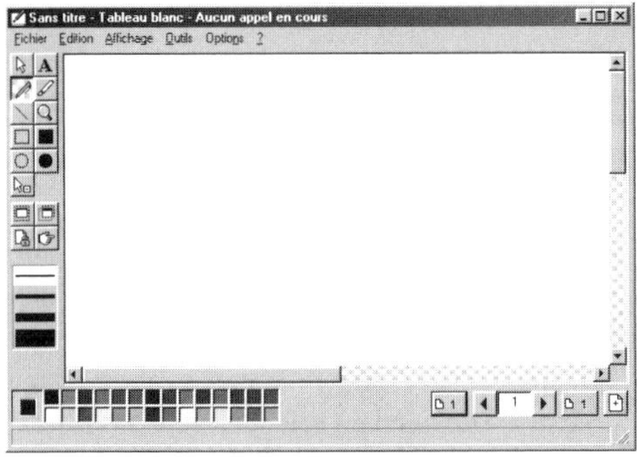

Figure 11.58 : Utilisation d'un tableau blanc pour communiquer.

Comme vous le voyez, les outils de dessin sont très classiques. Vous ne devriez avoir aucun mal à utiliser le tableau blanc de NetMeeting

si vous avez déjà utilisé un autre programme de dessin bitmap, comme Paint.

Si vous demandez l'affichage du tableau blanc au cours d'une conférence, il est automatiquement affiché sur les ordinateurs de tous les autres participants. Chacun peut alors montrer ses talents d'illustrateur. Les éléments dessinés sont transmis en temps réel à tous les membres de la discussion.

Echanger des fichiers

Vous pouvez utiliser NetMeeting pour envoyer des fichiers quelconques à vos correspondants, sans pour autant interrompre le dialogue texte/audio/vidéo en cours.

Pour envoyer un fichier à la personne avec qui vous avez établi une liaison, utilisez l'une des méthodes suivantes :

- Utilisez le raccourci clavier ***Ctrl-F***,
- Lancez la commande **Transfert de fichiers/Envoyer un fichier** du menu **Outils**.
- Cliquez du bouton droit sur le nom du correspondant et sélectionnez **Envoyer un fichier** dans le menu contextuel.

Les fichiers reçus de vos correspondants sont stockés dans un dossier particulier qui est visualisable avec la commande **Transfert de fichiers/Ouvrir le dossier Fichiers reçus** du menu **Outils**.

Netshow Player

Windows 98 est livré avec un contrôle ActiveX fort intéressant qui permet de visualiser des émissions audios et/ou vidéos au fur et à mesure de leur chargement, sans attendre qu'elles soient totalement rapatriées sur le disque dur. Pour ce faire, l'affichage et le téléchargement s'exécutent en parallèle. Cette petite merveille a pour nom **Microsoft Netshow Player 2.0**.

Le contrôle Microsoft Netshow Player 2.0 n'est pas installé par défaut lors de l'installation de Windows. Pour le rendre opérationnel, vous devez l'installer manuellement. Double-cliquez sur l'icône Ajout/Suppression de programmes dans le Panneau de configuration. Sélectionnez l'onglet Installation de Windows et cliquez sur le composant Multimédia, puis sur Détails. Cochez la case du composant Microsoft Netshow Player 2.0 et validez. Quelques instants plus tard, Netshow Player peut être utilisé.

Le contrôle ActiveX Netshow Player est automatiquement activé lorsqu'une émission audio/vidéo compatible NetShow (*) est sélectionnée sur un site Web, ou lorsque vous double-cliquez sur un tel fichier sur votre disque dur. NetShow vient concurrencer les technologies **VDOLive** et **RealVideo** déjà disponibles depuis plusieurs mois. Il est impossible aujourd'hui de savoir si ces technologies vont cohabiter ou s'auto-éliminer. L'avenir nous en apprendra plus…

(*) Les émisions NetShow sont des fichiers d'extension **ASF** (*Active Streaming Format*).

Pour avoir un aperçu des possibilités de NetShow, vous pouvez vous connecter sur un site de démonstration de Microsoft. Voici comment procéder :

1. Cliquez sur **Démarrer** et sélectionnez **Exécuter**.
2. Tapez **nsplayer** dans la zone de texte **Ouvrir** et validez en cliquant sur la touche ***Entrée***. Cette action provoque l'affichage de la fenêtre de l'application Netshow Player 2.0.
3. Lancez la commande **Ouvrir le site** du menu **Fichier** et tapez l'adresse **mms://msnetshow.microsoft.com/nsoteach.asf** dans la zone de texte **Ouvrir**.
4. Validez en cliquant sur **OK**. Quelques instants plus tard, la fenêtre de NetShow Player s'agrandit et laisse apparaître une vidéo *live* contenant images et sons (voir Figure 11.59).

Figure 11.59 : Un exemple de visualisation Netshow.

Si l'émission NetShow que vous consultez est irrégulière, ou si sa lecture s'arrête inopinément, vous pouvez vérifier la quantité d'informations que vous recevez. Lancez la commande **Statistiques** du menu **Affichage**. Cette commande provoque l'affichage de la boîte de dialogue **Propriétés** (voir Figure 11.60). Sous l'onglet **Statistiques**, un diagramme à secteurs indique clairement le nombre de paquets de données reçus, récupérés et perdus. Remarquez aussi la barre de progression, dans la partie inférieure de la boîte de dialogue, qui indique la qualité de la réception dans les trente dernières secondes.

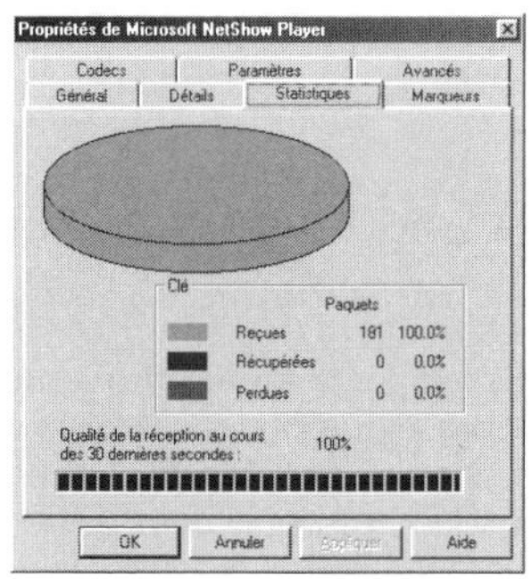

Figure 11.60 : Dans cet exemple, le flux de données est régulier et optimal.

Pour en savoir plus sur la technologie utilisée par NetShow, connectez-vous à l'adresse **http://www.microsoft.com/netshow/** (voir Figure 11.61).

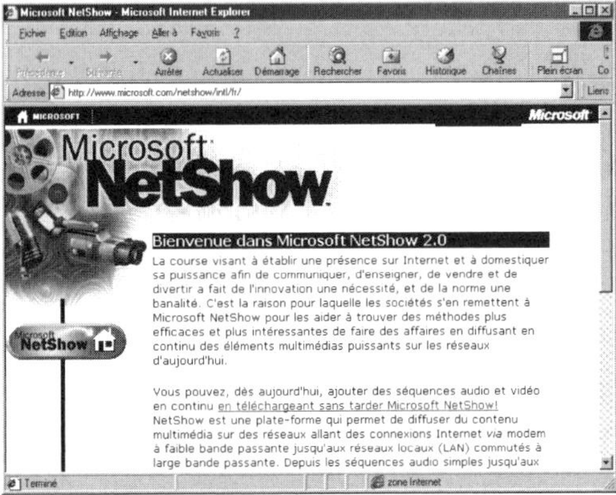

Figure 11.61 : La page d'accueil de Netshow.

Ce site est directement accessible à partir de la fenêtre de NetShow, avec la commande **Page d'accueil NetShow** du menu **Aller à**.

Vous pouvez aussi télécharger la dernière version de NetShow en vous connectant à l'adresse **http://www.microsoft.com/netshow/downloadf.htm/** (voir Figure 11.62).

Ce site est directement accessible à partir de la fenêtre de NetShow, avec la commande **Mises à jour du logiciel NetShow** du menu **Aller à**.

Il y a fort à parier que vous tomberez sur des fichiers au format RealAudio lors de vos voyages sur le Web. Ces fichiers contiennent des sons émis en continu (il n'est pas nécessaire d'attendre leur téléchargement pour pouvoir les écouter). Si les sites RealAudio vous intéressent, vous souhaiterez certainement télécharger la dernière version de l'afficheur RealPlayer. Pour ce faire, connectez-vous à

l'adresse http://www.real.com (voir Figure 11.63). Quelques clics plus tard, la dernière version de RealPlayer sera installée sur votre ordinateur, et vous pourrez écouter des émissions RealAudio en direct.

Figure 11.62 : Téléchargement de la dernière version de NetShow.

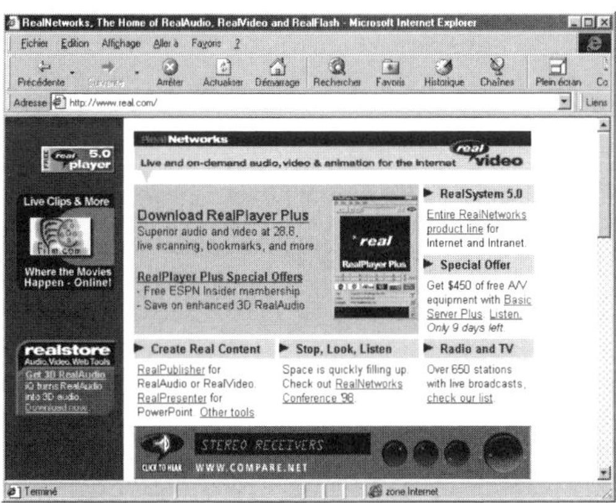

Figure 11.63 : Le site de Real Media.

Microsoft Chat

Windows 98 est fourni avec un outil de dialogue en direct : **Microsoft Chat**. Pour accéder à ce programme, cliquez sur **Démarrer** et sélectionnez **Programmes**, **Internet Explorer**, puis **Microsoft Chat**.

Si l'entrée Microsoft Chat n'est pas accessible dans le menu Démarrer, cela signifie que le programme de dialogue en direct de Microsoft n'a pas été installé. Double-cliquez sur l'icône Ajout/Suppression de programmes dans le Panneau de configuration. Sélectionnez l'onglet Installation de Windows et cliquez sur le composant Communications, puis sur Détails. Cochez la case du composant Microsoft Chat 2.0 et validez. Quelques instants plus tard, Chat 2.0 est accessible dans le menu Démarrer.

Choisissez un serveur de communication dans la liste déroulante **Serveur**, et indiquez le nom de la salle que vous désirez atteindre. Vous pouvez aussi choisir l'option **Afficher les salles de conversation disponibles** pour avoir un aperçu de toutes les salles disponibles sur le serveur sélectionné (voir Figure 11.64).

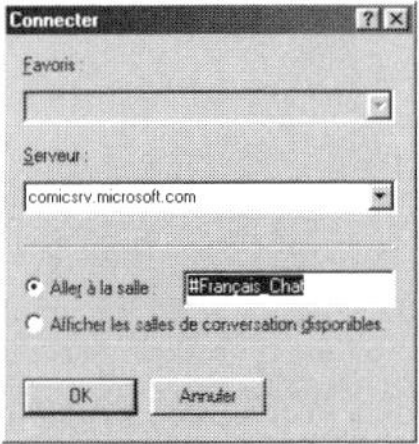

Figure 11.64 : Choix d'un serveur et d'une salle.

Validez en cliquant sur **OK**. Quelques instants plus tard, vous êtes connecté sur la salle choisie et vous pouvez suivre les dialogues qui s'y déroulent sous la forme d'une bande dessinée (voir Figure 11.65).

Figure 11.65 : Les dialogues sont affichés sous la forme d'une bande dessinée.

S'il est vrai que les bandes dessinées donnent un côté ludique à Microsoft Chat, ce mode d'affichage n'est nullement obligatoire. Pour basculer en mode texte, lancez la commande **Texte brut** dans le menu **Affichage**. La Figure 11.66 donne un aperçu d'une conversation en mode texte brut.

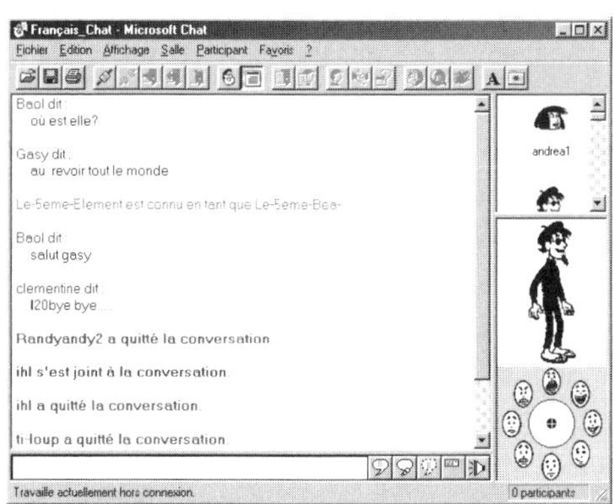

Figure 11.66 : Une conversation en mode texte brut.

Utilisez la zone de texte qui se trouve dans la partie inférieure de la fenêtre pour entrer vos propos, et cliquez sur la touche ***Entrée*** du clavier. Le texte tapé apparaît dans une image de BD chez toutes les personnes qui se trouvent dans la salle. Si cette salle vous convient, il ne tient qu'à vous d'entretenir la conversation. Mais vous pouvez aussi changer de salle. Pour ce faire, lancez la commande **Liste des salles** du menu **Salle**. Entrez éventuellement un terme dans la zone de texte pour faciliter vos recherches, puis double-cliquez sur une salle pour vous y connecter (voir Figure 11.67).

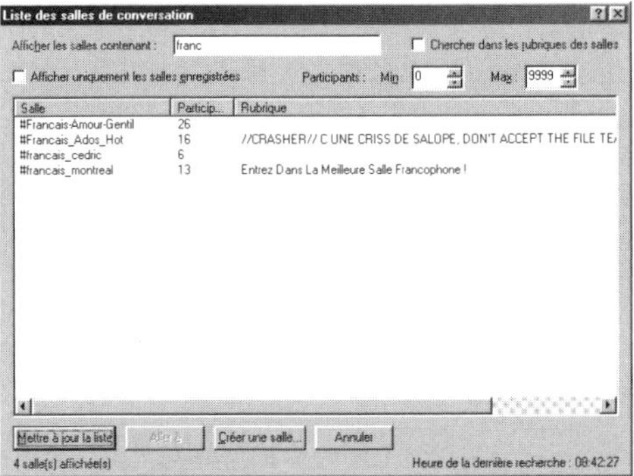

Figure 11.67 : Recherche d'une salle dans laquelle on parle français.

Une dernière précision sur l'application Microsoft Chat. En lançant la commande **Options** du menu **Affichage**, vous pouvez paramétrer votre session de dialogue :

- L'onglet **Personnage** permet de choisir le personnage sensé vous représenter auprès de vos interlocuteurs. Choisissez son humeur en cliquant dans le disque situé en dessous de la zone **Aperçu**.
- L'onglet **Informations personnelles** contient des informations vous concernant. Vos interlocuteurs pourront visualiser ces informations en double-cliquant sur votre nom.

- L'onglet **Arrière-plan** permet de choisir l'image d'arrière-plan utilisée dans la bande dessinée.

FrontPage Express

De plus en plus d'internautes désirent créer leur propre site Web afin de faire partager leurs passions ou leurs centres d'intérêts. Pour satisfaire ses utilisateurs, Microsoft a inclu une application de création de pages Web très performante dans Windows 98 : **FrontPage Express**.

Pour lancer FrontPage Express, cliquez sur **Démarrer** et sélectionnez **Programmes**, **Internet Explorer**, puis **FrontPage Express**. Tout comme les traitements de texte que vous avez certainement l'habitude d'utiliser, FrontPage est une application **wysiwyg** (*What You See Is What You Get*). En d'autres termes, les pages ont la même allure lors de leur conception dans FrontPage que lors de leur visualisation dans un navigateur Web.

La fenêtre de FrontPage est dotée de trois barres d'outils spécialisées :

- La barre d'outils **Standard** contient les contrôles habituels d'ouverture/sauvegarde/impression de documents, ainsi que les très classiques couper/copier/coller/annuler/répéter. Elle donne aussi accès à des contrôles plus spécialisés qui permettent (entre autres) d'insérer un lien hypertexte, un tableau ou une image.
- La barre d'outils de **mise en forme** donne accès à tous les contrôles utiles au formatage du document : styles, polices, attributs, alignements, listes, etc.
- La barre d'outils de **formulaires** contient des contrôles spécialisés dans la réalisation de formulaires, c'est-à-dire de pages dans lesquelles l'utilisateur est amené à entrer des données : zones de texte, cases à cocher, cases d'option, menus déroulants, boutons de commande (voir Figure 11.68).

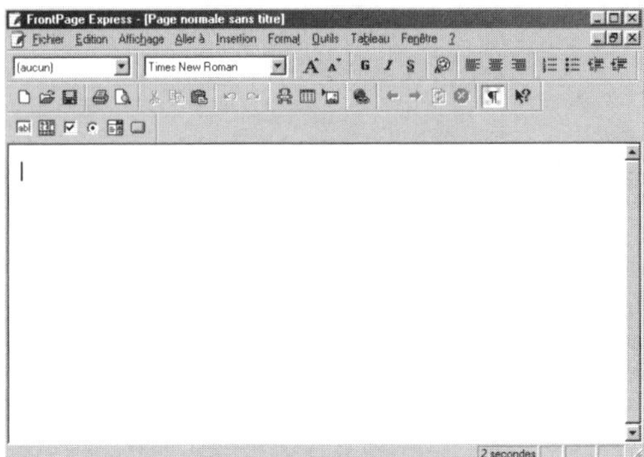

Figure 11.68 : La fenêtre de FrontPage Express.

Il y a peu à dire sur FrontPage Express tellement son utilisation est intuitive. Voici cependant quelques détails qui pourront vous aider à créer des pages Web plus attractives.

De nombreuses pages Web utilisent une image GIF ou JPEG comme mosaïque d'arrière-plan. Dans FrontPage, il suffit de lancer la commande **Arrière-plan** du menu **Format** et de sélectionner une image sur votre disque dur pour ajouter un arrière-plan à la page en cours d'édition.

L'insertion de composants multimédias est tout aussi aisée. Lancez la commande **Fond sonore** du menu **Insertion** pour insérer un son WAV, MID ou AIFF dans votre page. Lancez la commande **Vidéo** du menu **Insertion** pour insérer une vidéo AVI.

Sur le Web, vous pourrez trouver des composants Java et ActiveX libres de droits. Pourquoi ne pas les utiliser pour améliorer vos pages. D'autant plus que leur insertion est vraiment aisée : il suffit de lancer la commande **Autres composants/Applet Java** ou **Autres composants/Contrôle ActiveX** du menu **Insertion**. Dans le même ordre d'idée, vous pouvez insérer un script **VBScript** ou **JavaScript** dans la page en cours d'édition, en sélectionnant la commande **Script** du menu **Insertion**.

Chapitre 12

Les bases du langage HTML

Au sommaire de ce chapitre

- Qu'est-ce que le langage HTML ?
- L'ossature d'un document HTML type
- Les marqueurs de mise en forme (attributs, polices, images, liens hypertexte, etc.)

Comme de nombreux internautes, vous risquez de succomber à la tentation de réaliser votre propre site Web. Pour cela, vous utiliserez essentiellement **FrontPage Express**, le logiciel de création de pages Web fourni avec Windows 98. Ce chapitre s'intéresse aux bases du langage HTML. En le parcourant, vous serez à même de comprendre et de modifier le code généré par FrontPage Express. N'ayez aucune crainte : il n'est vraiment pas nécessaire d'être programmeur dans l'âme pour utiliser le langage HTML…

Qu'est-ce que le langage HTML ?

HTML est l'abréviation du terme *HyperText Markup Language*, que l'on pourrait traduire en français par "Langage hypertexte à base de marqueurs". Essayons de comprendre ce qui a motivé le choix de ce nom.

En tant qu'utilisateur de Windows, vous savez forcément ce qu'est l'hypertexte si vous avez déjà consulté l'aide en ligne de Windows ou d'une application quelconque. Certains mots de couleur différente, et généralement soulignés, renvoient vers d'autres documents lorsque l'on clique dessus. Ces liens sont des **liens hypertexte**. Le langage HTML permet de définir des liens qui renvoient vers un passage de la page courante, une autre page du même site, une autre page d'un site quelconque ou un objet multimédia quelconque. Et c'est bien là toute la magie du Web : quelques clics sur des liens hypertexte suffisent pour visualiser des pages qui proviennent des quatre coins de la planète !

Quant aux marqueurs, ils représentent les instructions du langage HTML. Enfermés entre les signes < et >, les marqueurs vont généralement par paires, comme :

```
<BODY>
</BODY>
```

ou encore :

```
<TITLE>
</TITLE>
```

Les deux marqueurs d'une paire sont identiques, mis à part le signe **slash** qui figure systématiquement dans le deuxième. Un marqueur sans slash est un **marqueur de début**, alors qu'un marqueur avec slash est un **marqueur de fin**. Vous l'aurez certainement compris, les deux éléments de la paire limitent la portée d'un marqueur.

Les instructions du langage HTML sont peu nombreuses, mais très évoluées. Une seule instruction suffit, par exemple, pour insérer une image ou un lien hypertexte dans une page Web. Les documents HTML sont stockés au format texte dans des fichiers d'extension

HTM ou **HTML**, comme **sommaire.htm** ou **sommaire.html**. Contrairement aux documents issus d'un traitement de texte, les fichiers HTML ne contiennent aucun caractère de contrôle. Ils peuvent être rédigés dans un simple éditeur de texte ASCII ou ANSI, comme le Bloc-notes de Windows. Pour modifier manuellement un document HTML qui a été défini dans FrontPage Express ou qui provient du Web, vous pourrez aussi utiliser le Bloc-notes. Si vous préférez travailler avec un traitement de texte évolué, faites attention de ne pas sauvegarder le document dans un format non ASCII/ANSI. Dans Word, par exemple, vous utiliserez le **format Texte seulement**.

Maintenant que vous avez une idée plus précise de ce qu'est le langage HTML, nous allons nous intéresser à la structure d'un document HTML type.

L'ossature d'un document HTML type

Tous les documents HTML reposent sur une structure type identique :

```
<HTML>
  <HEAD>
    <TITLE>
      Titre du document
    </TITLE>
    <BODY>
      Eléments multimédias de la page Web
    </BODY>
  </HEAD>
</HTML>
```

Les marqueurs `<HTML>` et `</HTML>` délimitent le début et la fin du document HTML.

Les marqueurs `<TITLE>` et `</TITLE>` permettent de définir le titre qui est affiché dans la barre de titre du navigateur Web.

Les marqueurs `<HEAD>` et `</HEAD>` encadrent les marqueurs de titre et zéro, un ou plusieurs marqueurs `<META>` destinés à préciser la

nature du document. Certains de ces marqueurs sont automatiquement utilisés par les moteurs de recherche Web pour référencer chaque page.

Enfin, les marqueurs `<BODY>` et `</BODY>` encadrent les instructions et éléments multimédias qui constituent la page Web.

La Figure 12.1 représente le document précédent visualisé dans Internet Explorer 4.0. Remarquez le titre affiché dans la barre de titre et le texte affiché dans la partie centrale du navigateur.

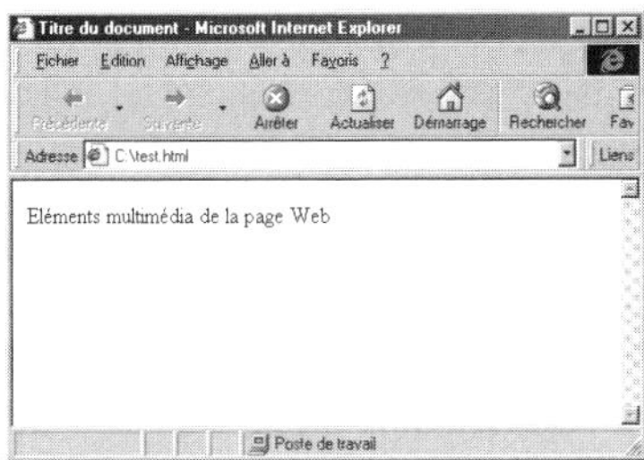

Figure 12.1 : Un document élémentaire affiché dans Internet Explorer 4.0.

Les marqueurs de mise en page

Tout comme dans un traitement de texte, il est possible de mettre en page un document Web pour améliorer sa présentation. Si vous utilisez FrontPage Express, il suffit de sélectionner le texte dont vous voulez modifier les caractéristiques, et d'utiliser les icônes de la barre d'outils de mise en forme ou les commandes du menu **Format**. Si vous utilisez un simple éditeur de texte pour rédiger ou pour modifier vos pages, vous devez connaître les marqueurs que nous allons énumérer dans cette section.

Attributs gras, italique et souligné

Vous utiliserez une ou plusieurs des paires de marqueurs définies dans le tableau ci-après pour modifier les attributs d'un ou de plusieurs caractères :

Marqueur de début	Marqueur de fin	Attribut
<B>	</B>	Gras
<I>	</I>	Italique
<U>	</U>	Souligné

Voici un exemple d'utilisation de ces trois marqueurs :

```
<HTML>
  <HEAD>
    <TITLE>
      Les marqueurs de mise en forme des caractères
    </TITLE>
    <BODY>
      <B>Texte en gras</B>
      <I>Texte en italique</I>
      <U>Texte souligné</U>
      <B><I><U>Texte en gras, italique et souligné
</U></I></B>
    </BODY>
  </HEAD>
</HTML>
```

La Figure 12.2 représente ce document dans Internet Explorer 4.0.

En examinant le rendu de ce document, deux remarques s'imposent :

- Les espaces placés dans le document source ne sont pas pris en compte dans le navigateur.
- Les passages à la ligne ne sont pas automatiques.

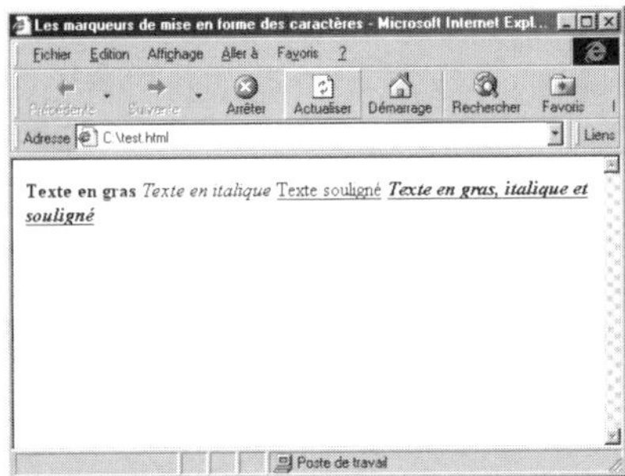

Figure 12.2 : Utilisation de marqueurs influant au niveau des caractères.

- Lorsqu'une ligne de texte est trop longue, elle se poursuit automatiquement sur la ligne suivante.

Pour forcer le navigateur à écrire sur une nouvelle ligne, vous utiliserez les marqueurs <P> ou <BR>. Le marqueur <BR> provoque un simple passage à la ligne suivante, alors que le marqueur <P> y ajoute un saut de ligne.

Voici comment modifier le document précédent pour faciliter sa lisibilité :

```
<HTML>
  <HEAD>
    <TITLE>
      Les marqueurs de mise en forme des caractères
    </TITLE>
    <BODY>
      <B>Texte en gras</B><BR>
      <I>Texte en italique</I><BR>
      <U>Texte souligné</U><P>
      <B><I><U>Texte en gras, italique et souligné
</U></I></B>
    </BODY>
  </HEAD>
</HTML>
```

La Figure 12.3 représente ce document dans Internet Explorer 4.0.

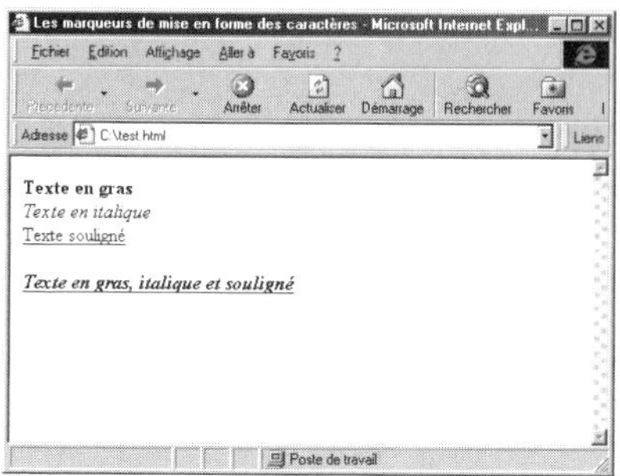

Figure 12.3 : Utilisation des marqueurs <P> et <BR> pour répartir des informations texte sur plusieurs lignes.

Polices, corps et couleurs des caractères

Dans les exemples précédents, nous avons affiché du texte sans imposer de police. En utilisant le marqueur <FONT> </FONT>, il est possible d'indiquer quelle police utiliser pour un bloc de texte ou pour tout le document. Voici la syntaxe du marqueur <FONT> :

```
<FONT FACE="Police">
Texte à mettre en forme
</FONT>
```

où **Police** est le nom de la police à utiliser.

Les documents que vous placerez sur le Web peuvent être affichés sur des ordinateurs très différents et dans des navigateurs. Si vous spécifiez une police qui n'existe pas sur un ordinateur donné, le marqueur <FONT> est purement et simplement ignoré, et le navigateur utilise la police d'affichage par défaut.

Le petit exemple suivant utilise les polices **Arial**, **Courier** et **Wingdings**, souvent installées sur les plates-formes Windows, et la police **Imagin** inventée de toutes pièces pour la démonstration :

```
<HTML>
  <HEAD>
    <TITLE>
      Utilisation de plusieurs polices
    </TITLE>
    <BODY>
      <FONT FACE="Arial">Ce texte est écrit avec
la police Arial</FONT><P>
      <FONT FACE="Courier">Ce texte est écrit avec
la police Courier</FONT><P>
      <FONT FACE="Wingdings">Ce texte est écrit
avec la police Wingdings</FONT><P>
      <FONT FACE="Imagin">Ce texte est écrit avec
la police Imagin</FONT>
    </BODY>
  </HEAD>
</HTML>
```

La Figure 12.4 représente ce document dans Internet Explorer 4.0 :

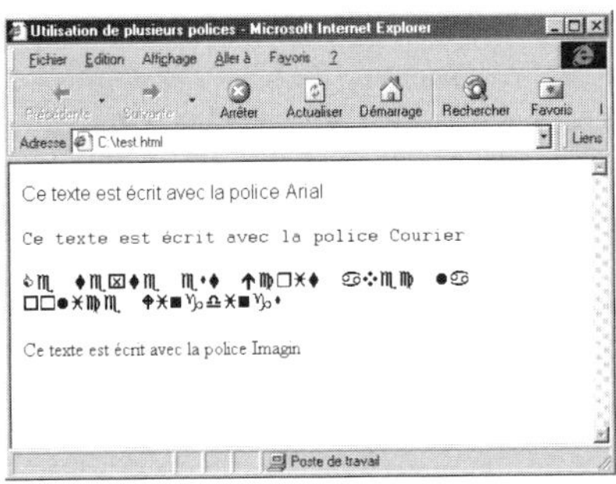

Figure 12.4 : Ce document utilise 4 polices dont une est inconnue sur la plate-forme cible.

Les trois premières lignes utilisent les bonnes polices. La quatrième utilise la police par défaut définie dans le navigateur. A titre d'information, voici la démarche à suivre pour modifier la police d'affichage par défaut dans Internet Explorer 4.0.

1. Lancez la commande **Options Internet** du menu **Affichage**.

2. Cliquez sur **Polices** sous l'onglet **Général**.
3. Choisissez les polices proportionnelle et non proportionnelle par défaut dans les listes modifiables **Police proportionnelle** et **Police à largeur fixe** (voir Figure 12.5).

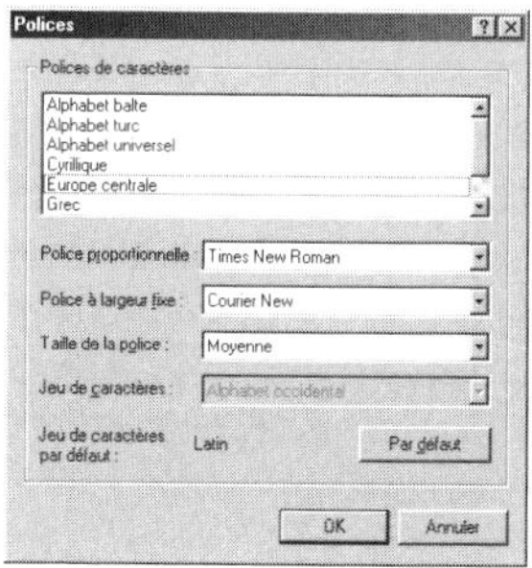

Figure 12.5 : Choix des polices d'affichage par défaut dans Internet Explorer 4.0.

Internet Explorer utilisera la police spécifiée dans la liste modifiables Police proportionnelle lorsqu'il rencontrera un marqueur <FONT> spécifiant une police inconnue. La police à largeur fixe est parfois utilisée pour représenter des listings informatiques. Elle est obtenue en sélectionnant une police à largeur fixe (`Courier`, par exemple) ou en utilisant les marqueurs <PRE> et </PRE> de part et d'autre du texte à formater.

Le corps des caractères est aussi fixé dans le marqueur `<FONT>` `</FONT>` :

```
<FONT FACE="Police" SIZE="Taille" >
Texte à mettre en forme
</FONT>
```

où **Taille** est la taille des caractères. Ce paramètre doit être compris entre 1 et 7 (1 correspond à la taille la plus petite, et 7 à la taille la plus grande).

L'exemple suivant illustre les 7 tailles de caractères utilisables dans un document HTML :

```
<HTML>
  <HEAD>
    <TITLE>
      Taille des caractères
    </TITLE>
    <BODY>
      <FONT FACE="Arial">
      <FONT SIZE="1">Texte de taille 1</FONT><P>
      <FONT SIZE="2">Texte de taille 2</FONT><P>
      <FONT SIZE="3">Texte de taille 3</FONT><P>
      <FONT SIZE="4">Texte de taille 4</FONT><P>
      <FONT SIZE="5">Texte de taille 5</FONT><P>
      <FONT SIZE="6">Texte de taille 6</FONT><P>
      <FONT SIZE="7">Texte de taille 7</FONT><P>
      </FONT>
    </BODY>
  </HEAD>
</HTML>
```

La Figure 12.6 représente ce document dans Internet Explorer 4.0.

Figure 12.6 : Les sept tailles de caractères utilisables en HTML.

Le marqueur <FONT></FONT> peut comprendre un autre paramètre qui permet de choisir la couleur des caractères :

```
<FONT FACE="Police" SIZE="Taille" COLOR="#xxxxxx">
Texte à mettre en forme
</FONT>
```

où **#xxxxxx** est un code hexadécimal à 6 digits qui indique la valeur des composantes **R**, **G** et **B** (c'est-à-dire rouge, vert et bleu) de la couleur à utiliser.

Si vous utilisez FrontPage Express, sélectionnez le texte dont vous voulez modifier la couleur, et cliquez sur l'icône **Couleur du texte** dans la barre d'outils de mise en forme. Choisissez l'une des couleurs affichées et validez.

Si vous saisissez le code manuellement, vous devez connaître la valeur hexadécimale de la couleur. Pour ce faire, lancez l'application **Paint** (**Démarrer**, **Programmes**, **Accessoires**, **Paint**), puis sélectionnez la commande **Modifier les couleurs** dans le menu **Couleurs** de Paint. Elargissez la boîte de dialogue **Modification des couleurs** en cliquant sur **Définir les couleurs personnalisées**. Pour connaître la valeur des composantes RGB d'une couleur, il suffit maintenant de cliquer sur une des couleurs prédéfinies sur la palette, puis de relever les valeurs dans les zones de texte **Rouge**, **Vert** et **Bleu** (voir Figure 12.7).

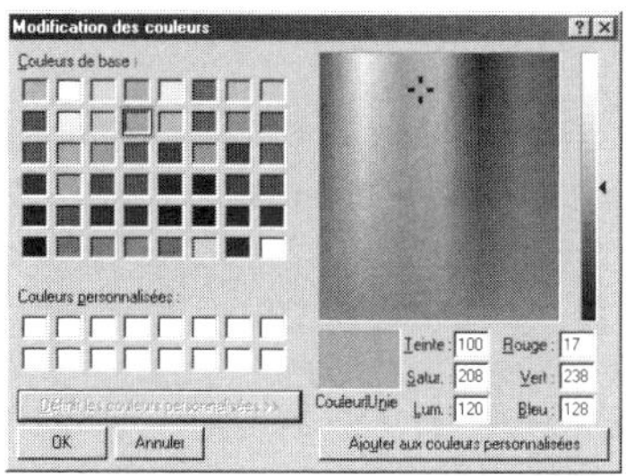

Figure 12.7 : Les composantes RGB d'une couleur.

Malheureusement, les valeurs qui apparaissent dans les zones de texte **Rouge**, **Vert** et **Bleu** sont exprimées en décimal. Pour les convertir en hexadécimal, vous utiliserez la Calculatrice scientifique de Windows. Cliquez sur **Démarrer**, puis sélectionnez **Programmes**, **Accessoires** et **Calculatrice**. Si nécessaire, lancez la commande **Scientifique** du menu **Affichage** pour afficher la Calculatrice scientifique.

radio **Déc** étant actif, entrez la valeur décimale de la composante **Rouge**, puis cliquez sur radio **Hex** pour afficher la valeur hexadécimale correspondante. Faites de même pour les composantes **Vert** et **Bleu**. A titre d'exemple, la couleur sélectionnée dans la Figure 12.7 a pour valeur hexadécimale **#11EE80**.

Voici un exemple qui met en œuvre le paramètre COLOR pour afficher du texte :

```
<HTML>
  <HEAD>
    <TITLE>
      Couleur des caractères
    </TITLE>
    <BODY>
      <FONT COLOR="#FF0000" >texte rouge</font></P>
      <FONT COLOR="#FFFF00" >texte jaune</font></P>
      <FONT COLOR="#00FF00" >texte vert</font></P>
      <FONT COLOR="#0000FF" >texte bleu</font></P>
      <FONT COLOR="#000000" >texte noir</font>
    </BODY>
  </HEAD>
</HTML>
```

La Figure 12.8 représente ce document dans Internet Explorer 4.0.

Alignement des paragraphes

Le marqueur <P> peut contenir un paramètre qui force l'alignement des paragraphes :

```
<P ALIGN="LEFT¦CENTER¦RIGHT">
Texte à aligner
</P>
```

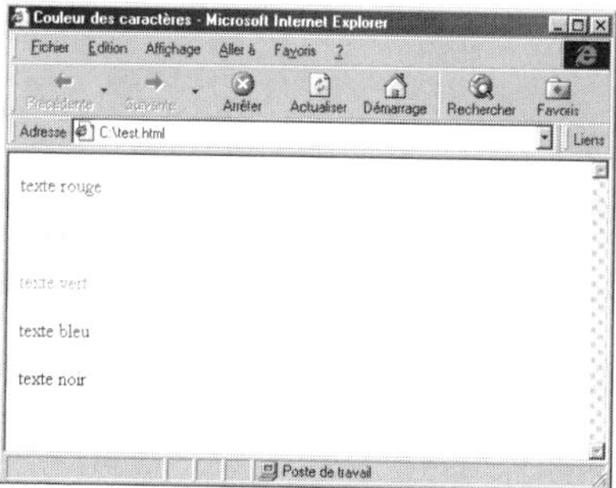

Figure 12.8 : Utilisation du paramètre COLOR pour définir la couleur du texte.

L'exemple ci-après illustre l'utilisation du paramètre **ALIGN** dans le marqueur `<P>` :

```
<HTML>
  <HEAD>
    <TITLE>
      Alignement des paragraphes
    </TITLE>
    <BODY>
      <P ALIGN = LEFT>Texte aligné à gauche</P>
      <P ALIGN = RIGHT>Texte aligné à droite</P>
      <P ALIGN = CENTER>Texte centré</P>
    </BODY>
  </HEAD>
</HTML>
```

La Figure 12.9 représente ce document dans Internet Explorer 4.0.

Listes à puces et listes numérotées

Le langage HTML permet de définir des listes numérotées et des listes à puces. Les éléments de la liste doivent être encadrés des marqueurs :

- `<OL>` et `</OL>` pour une liste numérotée ;
- `<UL>` et `</UL>` pour une liste à puces.

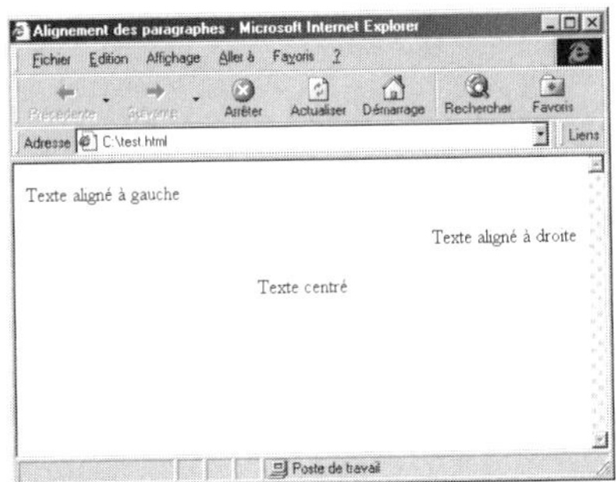

Figure 12.9 : Les trois types d'alignements du marqueur <P>.

Quel que soit le type de la liste, chacune des lignes doit être précédée du marqueur `<LI>`.

Le petit exemple ci-après va vous éclairer sur le fonctionnement de ces trois marqueurs :

```
<HTML>
  <HEAD>
    <TITLE>
      Listes à puces et listes numérotées
    </TITLE>
    <BODY>
      <FONT SIZE="5"> Liste à puces </FONT>
      <UL>
        <LI>Elément nº 1
        <LI>Elément nº 2
        <LI>Elément nº 3
      </UL>
      <FONT SIZE="5"> Liste numérotée </FONT>
      <OL>
        <LI>Elément nº 1
        <LI>Elément nº 2
        <LI>Elément nº 3
      </OL>
    </BODY>
  </HEAD>
</HTML>
```

La Figure 12.10 représente ce document dans Internet Explorer 4.0.

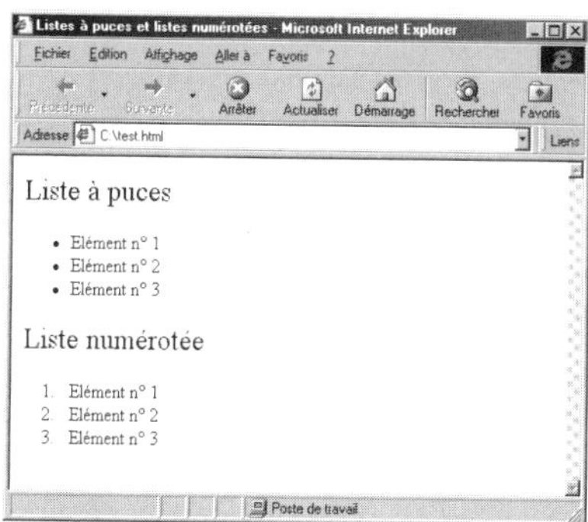

Figure 12.10 : Un exemple de liste à puces et de liste numérotée.

Il est possible d'imbriquer deux ou plusieurs listes à puces ou numérotées, de façon à définir plusieurs niveaux dans une liste. Dans ce cas, chaque niveau d'imbrication provoque un décalage vers la droite.

Tableaux

Les tableaux peuvent être utilisés à deux escients :

- pour présenter des données numériques, textuelles ou graphiques sous forme tabulaire ;
- pour réaliser une mise en forme sophistiquée.

Si vous utilisez FrontPage Express, vous n'aurez aucun mal à insérer un tableau dans un document. Lancez la commande **Insérer Tableau** du menu **Tableau** et remplissez la boîte de dialogue **Insérer tableau** (voir Figure 12.11).

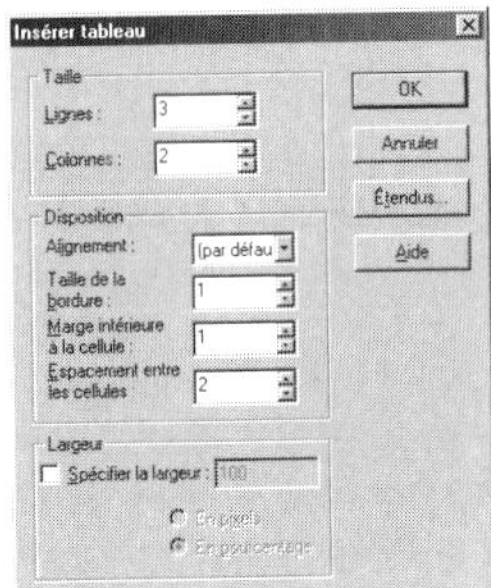

Figure 12.11 : Insertion d'un tableau de 3 lignes sur 2 colonnes avec bordure.

Si vous travaillez manuellement, vous devrez mettre en place un couple de marqueurs <TABLE> dont voici la syntaxe :

```
<TABLE>
  [BORDER=Taille]
[WIDTH=Largeur]
[HEIGHT=Hauteur]
[CELLPADING=Marge]
[CELLSPACING=Espace]>
Définition du tableau
</TABLE>
```

où :

- **Taille** est la taille de la bordure.
- **Largeur** est la largeur du tableau.
- **Hauteur** est la hauteur du tableau.
- **Marge** est la marge intérieure à la cellule.
- **Espace** est l'espacement entre les cellules.

Les paramètres BORDER, WIDTH, HEIGHT, CELLPADIND et CELLSPACING sont facultatifs.

La définition des lignes du tableau se fait avec le marqueur <TR> </TR> :

```
<TR [ALIGN=Alignement]>
Définition des cellules de la ligne
</TR>
```

où **Alignement** peut prendre la valeur **LEFT**, **CENTER** ou **RIGHT**.

Enfin, la définition des cellules se fait avec le marqueur <TD> :

```
<TD
  [WIDTH=Largeur]
[COLSPAN=Colonnes]
[ROWSPAN=Lignes]
[ALIGN=Alignement horizontal]
[VALIGN=Alignement vertical]>
Valeur de la cellule
</TD>
```

où :

- **Largeur** est la largeur en pixels de la cellule.
- **Colonnes** est le nombre de colonnes utilisées par la cellule.
- **Lignes** est le nombre de lignes utilisées par la cellule.
- **Alignement horizontal** est l'alignement horizontal de la donnée dans la cellule : **LEFT**, **CENTER** ou **RIGHT**.
- **Alignement vertical** est l'alignement vertical de la donnée dans la cellule : **TOP**, **MIDDLE** ou **BOTTOM**.

L'exemple qui suit vous aidera à digérer les multiples paramètres des marqueurs <TABLE>, <TR> et <TD> :

```
<HTML>
  <HEAD>
    <TITLE>
      Un tableau de 2 lignes et 4 colonnes
    </TITLE>
    <BODY>
      <TABLE BORDER="2" CELLPADDING="9"
CELLSPACING="4" ALIGN=CENTER>
      <TR>
        <TD>cellule11</TD>
```

```
          <TD>cellule12</TD>
        </TR>
        <TR>
          <TD>cellule21</TD>
          <TD>cellule22</TD>
        </TR>
        <TR>
          <TD>Cellule31</TD>
          <TD>Cellule32</TD>
        </TR>
        <TR>
          <TD>Cellule41</TD>
          <TD>Cellule42</TD>
        </TR>
      </TABLE>
      </BODY>
    </HEAD>
  </HTML>
```

La Figure 12.12 représente ce document dans Internet Explorer 4.0.

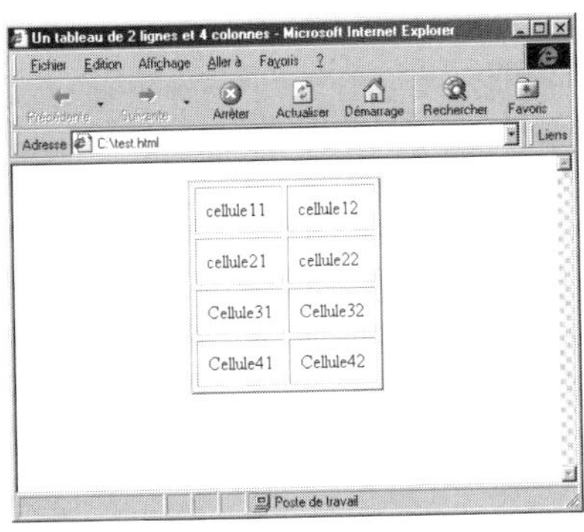

Figure 12.12 : Un exemple de tableau.

Liens hypertexte

Le marqueur le plus important du langage HTML est certainement celui qui permet de définir des liens hypertexte. Nous distinguerons six cas particuliers :

Action à accomplir	Marqueur
Définition d'un signet	<A NAME="Nom">Texte</A>
Référencement d'un signet	<A HREF="#Nom"> Texte</A>
Référencement d'une page HTML du même site	<A HREF="Document"> Texte</A>
Référencement d'une page HTML d'un autre site	<A HREF="URL"> Texte</A>
Référencement d'un fichier non HTML ou FTP	<A HREF="URL"> Texte</A>
Référencement d'un serveur de courrier	<A REF="MAILTO:Adresse e-mail"> Texte</A>

Pour pouvoir référencer une portion d'un document, vous devez définir un signet avec le paramètre NAME. Ce signet peut être référencé dans le même document ou dans un document externe à l'aide du paramètre **HREF**. Ce dernier permet aussi de définir un document sur le même site ou un document externe. Dans ce dernier cas, vous devez spécifier l'adresse URL complète.

Si l'adresse spécifiée dans le paramètre **HREF** est celle d'un fichier non HTML, ce fichier sera rapatrié sur l'ordinateur de l'utilisateur qui cliquera sur le lien correspondant.

Enfin, si le mot **MAILTO** suivi d'une adresse e-mail est affecté au paramètre **HREF**, un clic sur le lien correspondant déclenchera l'ouverture du programme de messagerie, ce qui permettra d'envoyer un courrier à l'adresse spécifiée.

Le document suivant montre comment utiliser les six types de marqueurs <A> qui viennent d'être énumérés :

```
<HTML>
  <HEAD>
    <TITLE>
      Liens hypertextes
    </TITLE>
    <BODY>
      Cliquez <A HREF="#ici">ici </A>pour vous
déplacer à la fin du document.<P>
      Cliquez <A
HREF="http://www.yahoo.fr">ici</A> pour vous
connecter sur le site de Yahoo! France.<P>
      Cliquez <A
HREF="ftp://ftp.cdrom.com/files.txt">ici</A> pour
rapatrier le fichier texte FILES.TXT du site
ftp.cdrom.com.<P>
      <A NAME="ici">Cliquez</A> sur <A
HREF="MAILTO:Michel.Martin@club-internet.fr">ce
lien</A> pour m'envoyer un courrier.<P>
    </BODY>
  </HEAD>
</HTML>
```

La Figure 12.13 donne un aperçu du document visualisé dans Internet Explorer 4.0.

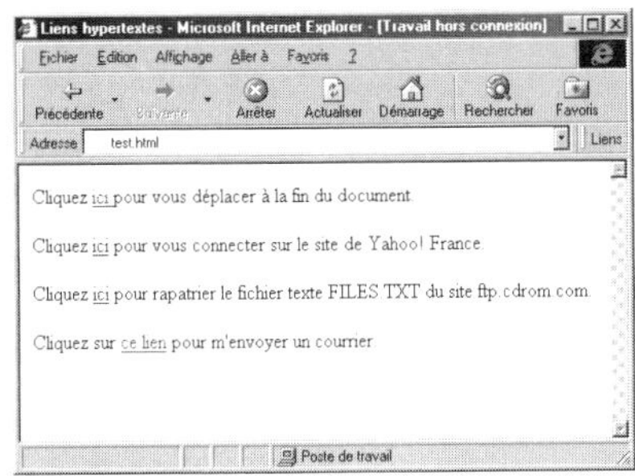

Figure 12.13 : Les diverses utilisations du marqueur <A>.

Si la taille verticale de la fenêtre d'Internet Explorer est trop importante, le premier lien semble ne pas fonctionner. Réduisez la taille de la fenêtre pour ne voir que les deux premiers liens, et le problème disparaitra de lui-même.

Images

Il suffit d'un simple marqueur `<IMG>` pour insérer une image GIF ou JPEG dans un document HTML :

```
<IMG>
  SRC="Nom"
[ALIGN="Alignement"]
[BORDER="Bordure"]
[ALT="Texte"]>
```

où :

- **Nom** est le nom de l'image. (Le nom de l'image suffit si celle-ci se trouve sur le même site que le document HTML. Dans le cas contraire, il faut préciser l'URL complète de l'image).
- **Alignement** définit l'alignement de l'image sur la page : **TOP**, **MIDDLE**, **BOTTOM**, **LEFT** ou **RIGHT**.
- **Bordure** est l'épaisseur de la bordure en pixels.
- **Texte** est le texte de remplacement qui apparaît lorsque l'affichage des images est désactivé dans le navigateur.

Les paramètres ALIGN, BORDER et ALT sont facultatifs.

L'exemple ci-après place une image locale sur la partie droite de la page et affiche un texte en regard :

```
<HTML>
  <HEAD>
    <TITLE>
      Une image à droite, un texte à gauche
    </TITLE>
    <BODY>
```

```
      Rien de tel que la gym pour rester en forme
      <IMG SRC="gym.gif" ALIGN="MIDDLE" BORDER="0"
ALT="Sportif de haut niveau">
    </BODY>
  </HEAD>
</HTML>
```

La Figure 12.14 représente ce document visualisé dans Internet Explorer 4.0.

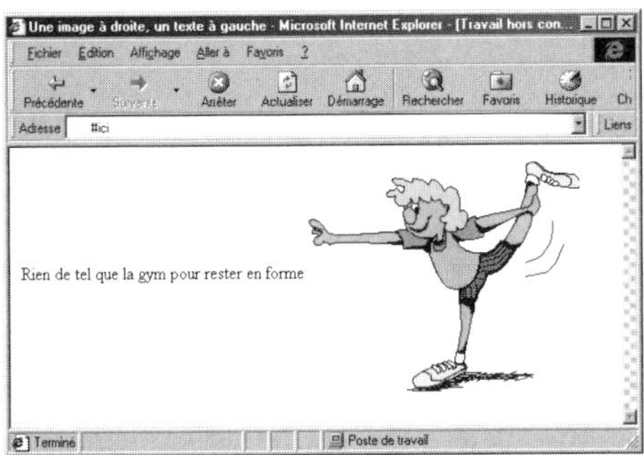

Figure 12.14 : Insertion d'une image dans un document.

L'aspect professionnel de certaines pages Web tient parfois à peu de choses. Par exemple, il suffit d'utiliser une image d'arrière-plan en mosaïque pour donner une tout autre dimension à une page Web. Cette prouesse technique repose sur l'utilisation du paramètre BACKGROUND dans le marqueur <BODY>.

Le document ci-après reprend l'exemple précédent et y incorpore une image d'arrière-plan.

```
<HTML>
  <HEAD>
    <TITLE>
      Une image à droite, un texte à gauche
    </TITLE>
    <BODY BACKGROUND="fond.gif">
      Rien de tel que la gym pour rester en forme
      <IMG SRC="gym.gif" ALIGN="MIDDLE" BORDER="0"
```

```
ALT="Sportif de haut niveau">
    </BODY>
  </HEAD>
</HTML>
```

Le résultat obtenu dans Internet Explorer 4.0 est représenté Figure 12.15.

Figure 12.15 : Il suffit d'un arrière-plan coloré pour changer radicalement l'aspect d'une page Web.

Notre voyage dans le langage HTML s'arrête là. Même si nous n'avons fait qu'effleurer ses possibilités, vous savez désormais que la définition de pages de qualité n'est vraiment pas une affaire de spécialistes. Alors, laissez-vous tenter et... venez rejoindre la grande famille des créateurs de sites Web.

Chapitre 13

Trucs et finesses

Au sommaire de ce chapitre

- Faciliter l'accès aux documents souvent utilisés
- Compléter le menu Démarrer
- Capturer écrans et fenêtres
- Démarrer une application au lancement de Windows
- Raccourcis clavier et applications
- Utiliser le Bureau comme Presse-papiers
- Conserver une trace papier de la configuration système
- Utiliser l'aide dans les boîtes de dialogue
- Quelques raccourcis clavier bien pratiques
- Déplacer le pointeur de la souris avec le clavier

Ce chapitre dévoile quelques finesses bien pratiques qui vous feront gagner de précieuses minutes dans une utilisation courante de Windows.

Faciliter l'accès aux documents souvent utilisés

La plupart des applications Windows mémorisent le nom des quatre derniers fichiers utilisés dans le menu **Fichier**. Pour accéder de nouveau à l'un d'entre eux, il suffit de dérouler le menu **Fichier** et de sélectionner son nom dans la liste.

Si cela ne suffit pas, vous pouvez faire appel au menu **Documents**, qui mémorise les quinze derniers documents ouverts et donne un accès direct au dossier Mes Documents (voir Figure 13.1).

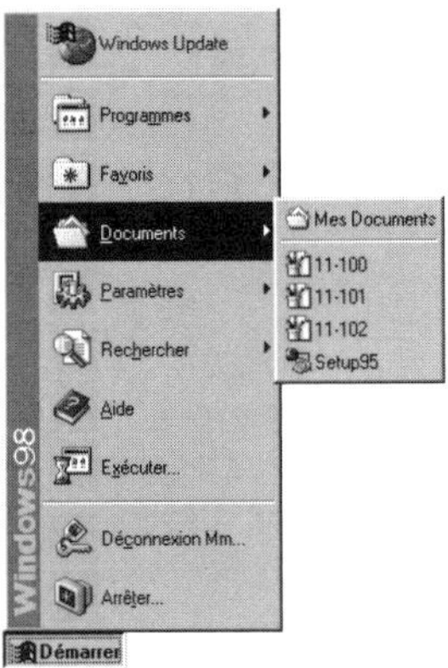

Figure 13.1 : Utilisation du menu Documents pour faciliter l'accès aux quinze derniers documents ouverts.

Si cela ne suffit toujours pas, vous pouvez créer des raccourcis vers des documents sur le Bureau. Ouvrez le Poste de travail ou l'Explorateur, et déplacez-vous dans l'arborescence du disque pour afficher les documents concernés. Sélectionnez-les et faites-les glisser sur le Bureau en maintenant le bouton droit de la souris enfoncé. Au relâchement du bouton, sélectionnez **Créer un ou plusieurs raccourci(s) ici**. Il suffit maintenant de double-cliquer sur une des icônes de raccourci pour ouvrir l'application correspondante et parvenir au document.

Windows 98 fournit une dernière solution très élégante : les multiples barres d'outils. Cliquez du bouton droit sur une partie inoccupée de la barre des tâches et sélectionnez **Barres d'outils/Nouvelle barre d'outils** dans le menu contextuel. Cette action provoque l'affichage de la boîte de dialogue **Nouvelle barre d'outils** (voir Figure 13.2).

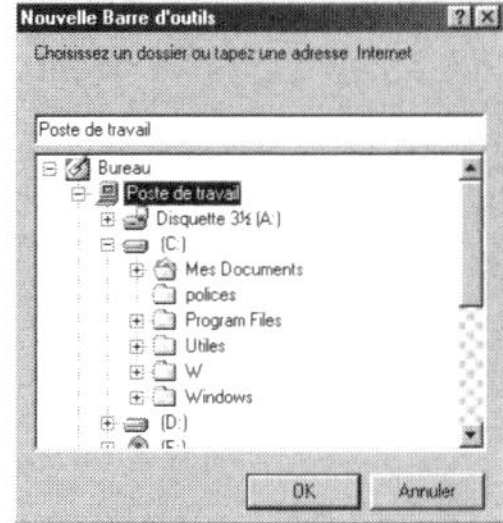

Figure 13.2 : Définition d'une nouvelle barre d'outils.

Sélectionnez un dossier dans vos mémoires de masse pour faciliter l'accès à ses documents. Tous les fichiers de ces dossiers sont maintenant accessibles dans la barre des tâches de Windows (voir Figure 13.3).

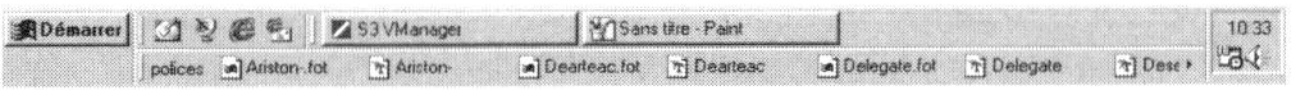

Figure 13.3 : Dans cet exemple, le dossier Polices a été ajouté à la barre des tâches.

Compléter le menu Démarrer

Le menu **Démarrer** contient par défaut neuf ou dix entrées (voir Figure 13.4).

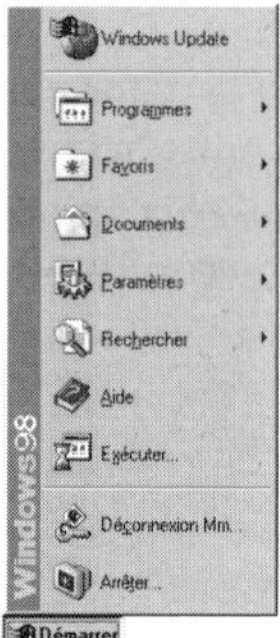

Figure 13.4 : Apparence par défaut du menu Démarrer.

A l'aide d'une technique simple, vous pouvez compléter ce menu pour accéder directement aux applications que vous utilisez le plus souvent.

Cliquez du bouton droit sur **Démarrer** et sélectionnez **Ouvrir**. Lancez le Poste de travail ou l'Explorateur, et déplacez-vous dans l'arborescence du disque pour localiser l'application que vous désirez placer dans le menu **Démarrer**. En maintenant gauche de la souris enfoncé, faites glisser l'icône de l'Explorateur ou du Poste de travail vers la fenêtre **Menu Démarrer** (voir Figure 13.5).

Désormais, l'application peut directement être lancée à partir du menu **Démarrer**.

Afficher/supprimer la fenêtre de bienvenue

Lorsque vous lancez Windows, une fenêtre de bienvenue donne accès à des informations qui expliquent le fonctionnement de base de votre interface graphique (voir Figure 13.6).

Si, au bout d'un certain temps d'utilisation, vous pensez tout connaître de ces finesses, fermez la fenêtre de bienvenue. Une boîte de dialogue vous demande si la page d'accueil doit être affichée lors du prochain démarrage de Windows 98. Tant que vous ne connaîtrez

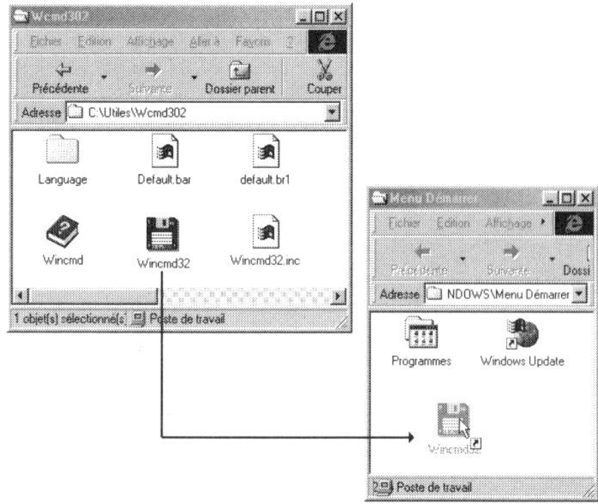

Figure 13.5 : Ajout d'une entrée au menu Démarrer.

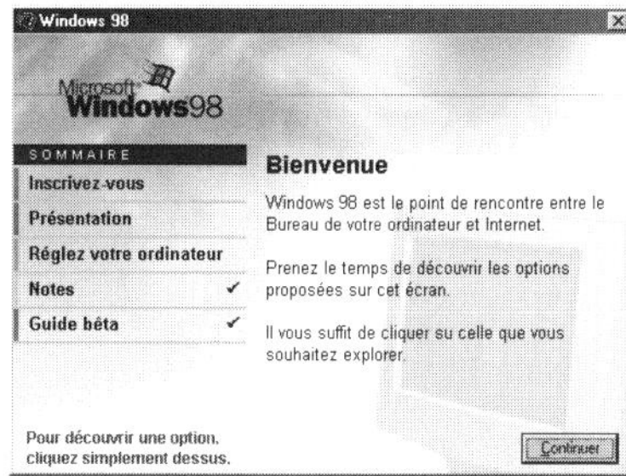

Figure 13.6 : La fenêtre de bienvenue de Windows.

pas le fonctionnement de base de Windows 98, je vous conseille de valider l'affichage de la page d'accueil à chaque session de Windows. N'ayez crainte : si vous répondez par la négative, vous aurez toujours la possibilité d'accéder à la page d'accueil de Windows 98. Deux méthodes vous sont offertes.

Première méthode :

1. Cliquez sur **Démarrer**.
2. Sélectionnez l'entrée **Exécuter** dans le menu.

3. Entrez le mot **welcome** dans la boîte de dialogue **Exécuter**, et validez (voir Figure 13.7).

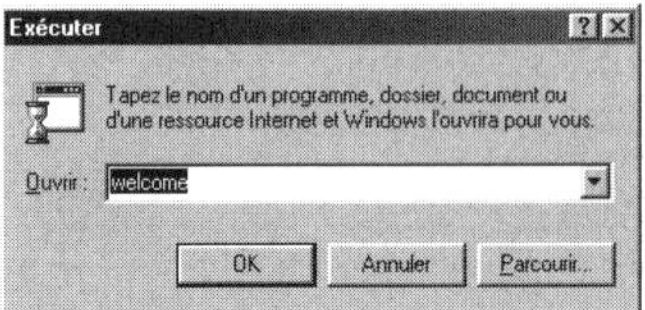

Figure 13.7 : Accès à la page d'accueil de Windows 98.

Seconde méthode :

1. Cliquez sur Démarrer.
2. Sélectionnez Programmes, Accessoires, Outils système et Page d'accueil Windows.

Capturer écrans et fenêtres

Il est parfois utile d'effectuer des captures d'écran dans le but d'illustrer un document. Pour cela, utilisez :

- la touche ***Impr écran*** du clavier pour capturer la totalité de l'écran ;
- le raccourci ***Alt-Impr écran*** pour limiter la capture à la fenêtre active.

L'image ou la portion d'image capturée est placée dans le Presse-papiers de Windows. Vous pourrez ensuite la récupérer dans une application graphique comme Paint.

A titre d'information, toutes les illustrations de cet ouvrage ont été capturées en utilisant ce procédé.

Démarrer automatiquement une application au lancement de Windows

Si vous travaillez souvent avec les mêmes applications, vous pouvez demander à Windows de les charger automatiquement à chaque nouvelle session.

Cliquez du bouton droit sur **Démarrer** et sélectionnez **Ouvrir**. Double-cliquez sur le dossier **Programmes**, puis sur le dossier **Démarrage**. Les raccourcis des applications lancées au démarrage de Windows apparaissent dans ce dossier (voir Figure 13.8).

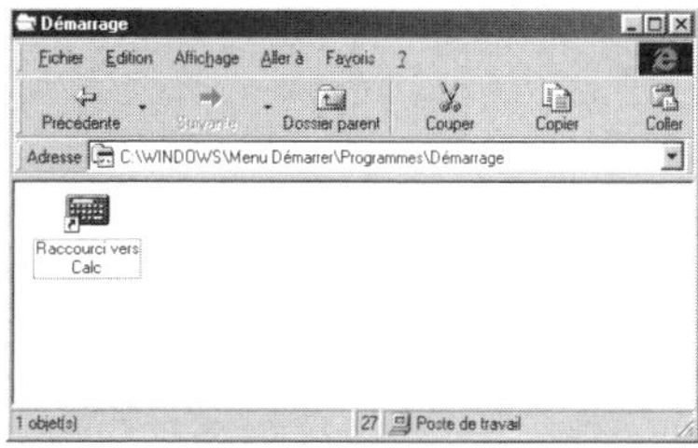

Figure 13.8 : Dans cet exemple, une seule application (la Calculatrice) est lancée au démarrage de Windows.

Pour ajouter de nouveaux raccourcis dans le dossier **Démarrage**, il suffit de faire glisser les icônes des applications correspondantes depuis l'Explorateur ou le Poste de travail, en maintenant le bouton droit de la souris enfoncé. Sélectionnez **Créer un ou plusieurs raccourci(s) ici** au relâchement.

L'état des applications lancées par ce procédé (replié, maximisé ou fenêtre normale) est déterminé dans la fenêtre Démarrage.

Cliquez du bouton droit sur une des icônes de raccourci, puis sélectionnez **Propriétés** dans le menu contextuel. Sous l'onglet **Raccourci**, la liste modifiable **Exécuter** détermine l'état de l'application lors de son ouverture (voir Figure 13.9).

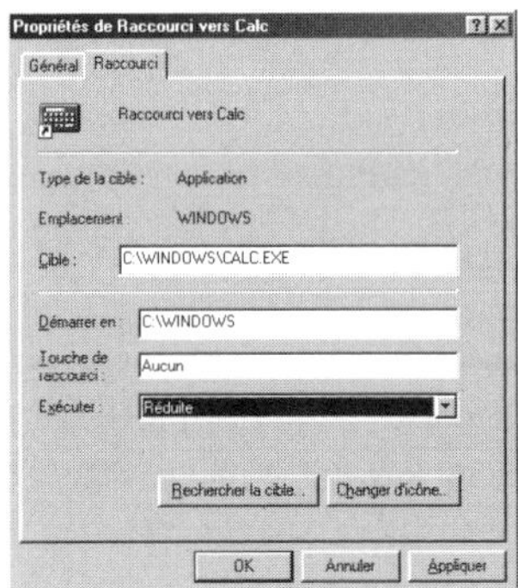

Figure 13.9 : Définition de l'état d'une application lors de son lancement.

Visualiser rapidement un document

Avec Windows 98, il est possible de visualiser un document sans posséder l'application dans laquelle il a été créé.

Lancez l'Explorateur ou le Poste de travail. Cliquez du bouton droit sur le document à visualiser, et sélectionnez **Aperçu rapide** dans le menu contextuel. Le document est ouvert dans la fenêtre Aperçu rapide (voir Figure 13.10).

La première icône de la barre d'outils permet d'ouvrir le document pour le modifier. Cette icône n'est accessible que dans le cas où l'application correspondante est disponible.

Les deux icônes suivantes permettent respectivement d'augmenter et de réduire la taille des caractères affichés. Une autre méthode consiste à lancer la commande **Police** du menu **Affichage**. Vous pouvez alors choisir la police et la taille des caractères.

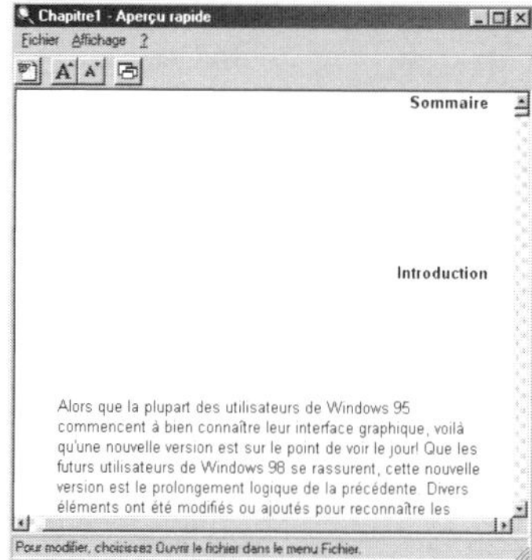

Figure 13.10 : Aperçu rapide d'un document.

Si la commande Aperçu rapide n'est pas disponible dans le menu contextuel, cela signifie qu'il n'est pas possible d'avoir un aperçu de ce type de fichier, ou bien que la fonction d'aperçu rapide n'est pas installée. Dans le dernier cas, procédez comme suit. Ouvrez le Panneau de configuration (commande Paramètres/Panneau de configuration dans le menu Démarrer) et double-cliquez sur l'icône Ajout/Suppression de programmes. Sélectionnez l'onglet Installation de Windows, cliquez sur le composant Accessoires, cochez la case de l'accessoire Aperçu rapide, et validez.

La liste des documents récemment utilisés

Windows 98 mémorise le nom des quinze derniers documents utilisés dans le menu **Documents**. Pour accéder à l'un d'eux, cliquez sur **Démarrer**, sélectionnez **Documents**, puis cliquez sur l'une des entrées de la liste (voir Figure 13.11).

Si vous souhaitez effacer toutes les entrées du menu **Démarrer** pour y voir plus clair, voici comment procéder. Cliquez sur **Démarrer** et sélectionnez **Paramètres**, puis **Barre des tâches et menu Démarrer**. Cliquez sur l'onglet **Programmes du menu Démarrer**. Dans le groupe d'options **Menu Documents**, cliquez sur **Effacer**. Toutes les entrées du menu **Document** sont effacées (voir Figure 13.12).

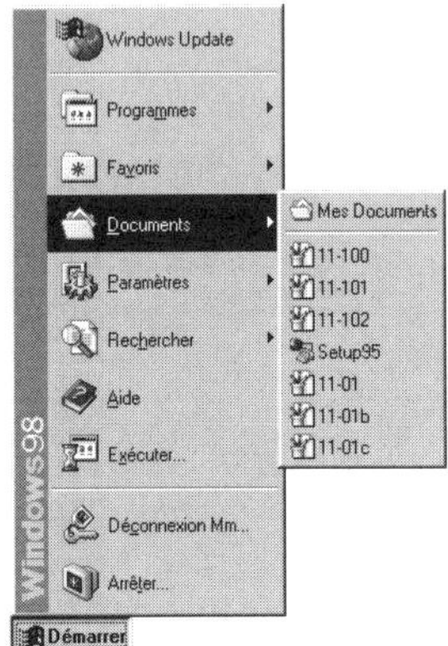

Figure 13.11 : Les quinze derniers documents utilisés.

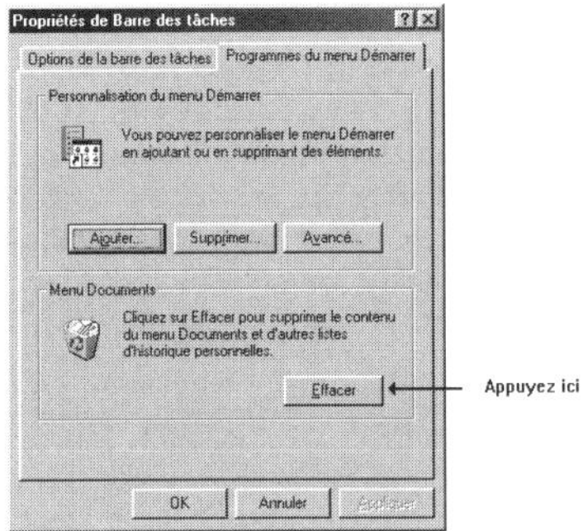

Figure 13.12 : Effacement du menu Documents dans la boîte de dialogue Propriétés pour Barre des tâches.

Seules les applications 32 bits (écrites spécifiquement pour Windows 95 et 98) mettent à jour le menu Documents. Ne vous étonnez donc pas si vos anciennes applications 16 bits n'ont aucune action sur ce menu.

Raccourcis clavier et applications

Tous les raccourcis des applications Windows 98 peuvent être associés à une combinaison de touches à base de ***Ctrl***, ***Alt*** et ***Maj***. Pour définir un nouveau raccourci clavier, procédez comme suit :

1. Dans l'Explorateur ou le Poste de travail, cliquez du bouton droit sur l'icône d'un raccourci et sélectionnez **Propriétés** dans le menu contextuel.
2. Cliquez sur l'onglet **Raccourci**.
3. Définissez le raccourci clavier dans la zone de texte **Touche de raccourci**, en cliquant simultanément sur les touches correspondantes (voir Figure 13.13).

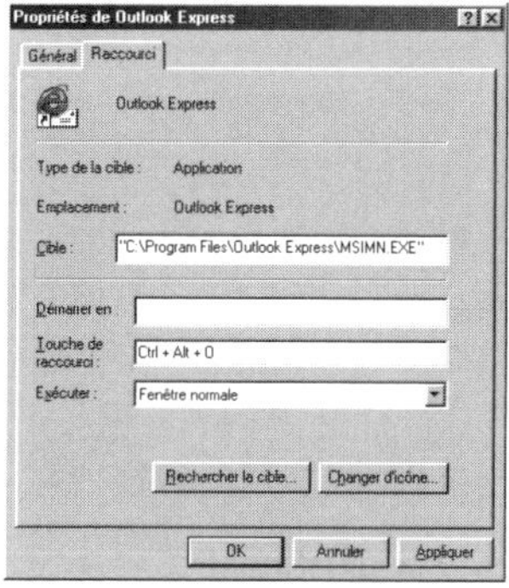

Figure 13.13 : Affectation du raccourci clavier Alt-Ctrl-O à l'application Outlook Express.

Deux applications ne peuvent pas utiliser le même raccourci clavier. Lorsqu'un raccourci clavier permettant de lancer une application entre en conflit avec un raccourci clavier interne à une application, le premier est ignoré au profit du second.

Utiliser le Bureau comme presse-papiers

Tout comme dans la version précédente, Windows 98 possède un (et un seul !) Presse-papiers. Comment faire pour stocker temporairement plusieurs documents ? La technique consiste à utiliser un glisser-déplacer entre une application et le Bureau de Windows. La portion de document ainsi déplacée (aussi appelée **bribe**) reste disponible sur le Bureau, sous la forme d'un raccourci (voir Figure 13.14).

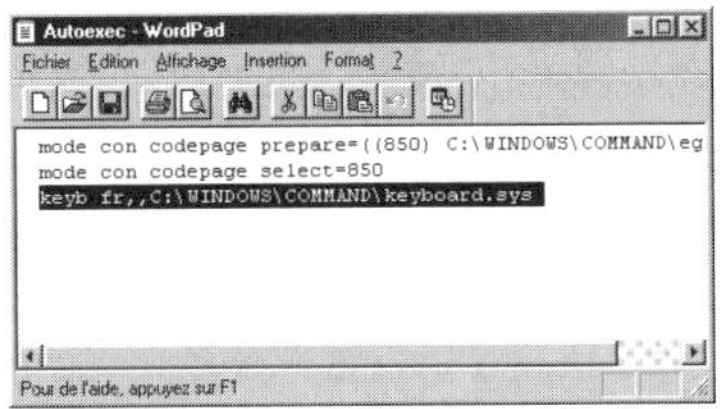

Figure 13.14 : Copie d'un bloc de texte WordPad sur le Bureau.

Pour placer une image sur le Bureau, vous devrez utiliser une autre technique :

1. Lancez la commande **Enregistrer sous** du menu **Fichier** de l'application.
2. Sélectionnez **Bureau** dans la liste modifiable **Dans**, puis cliquez sur **Enregistrer**.

Une icône représentant l'image est placée sur le Bureau. Elle pourra être insérée dans une application quelconque en utilisant un autre glisser-déplacer vers cette application (voir Figure 13.15).

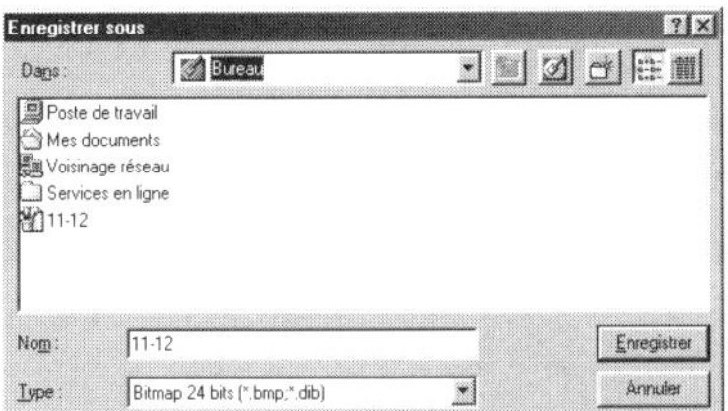

Figure 13.15 : Définition d'une icône représentant une image sur le Bureau de Windows.

Visualisation graphique d'un dossier à partir de MS-DOS

Si vous êtes amené à travailler dans une session MS-DOS, sachez qu'il est possible d'obtenir une visualisation graphique des dossiers et fichiers contenus dans le dossier courant.

Pour cela, il suffit de taper l'une des deux commandes **start** suivantes :

start .	Pour visualiser le dossier courant.
start ..	Pour visualiser le dossier parent du dossier courant.

La Figure 13.16 donne un aperçu du résultat obtenu.

Lancer une application Windows depuis MS-DOS

Il est très simple de lancer une application Windows à partir de la ligne de commande MS-DOS. Il suffit en effet de taper le nom de l'application, suivi, si nécessaire, d'un ou de plusieurs paramètres. Par exemple, pour lancer l'application WORD en demandant l'ouverture du fichier c:\perso\job.doc, tapez la commande suivante :

```
winword c:\perso\job.doc
```

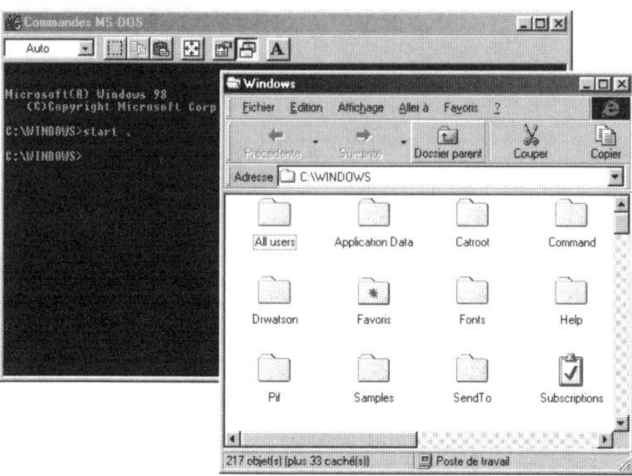

Figure 13.16 : Utilisation de la commande start pour visualiser le contenu du dossier Windows.

Le tableau ci-après donne le nom de quelques-uns des accessoires et applications d'utilisation courante fournis avec Windows. Pour lancer l'un d'entre eux, il suffit de taper le nom du programme sur la ligne de commande MS-DOS.

Application	Nom du programme
Bloc-notes	notepad.exe
Calculatrice	calc.exe
Lecteur CD	cdplayer.exe
Magnétophone	sndrec32.exe
Nettoyage de disque	cleanmgr.exe
Numéroteur téléphonique	dialer.exe
Paint	pbrush.exe
Panneau de configuration	control.exe

Application	Nom du programme
ScanDisk	scandskw.exe
WordPad	write.exe

Il est aussi possible d'utiliser un fichier batch pour lancer plusieurs applications Windows, conditionnellement ou non. A titre d'exemple, le fichier batch dont le contenu est affiché dans la Figure 13.17 lance les applications WordPad, Paint et Panneau de configuration.

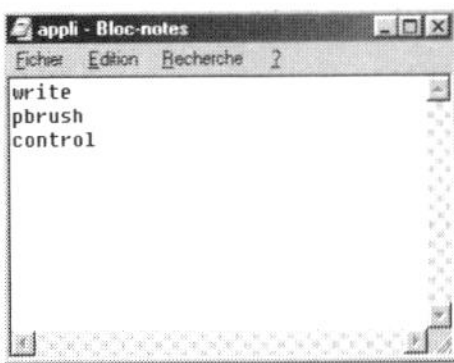

Figure 13.17 : Utilisation d'un fichier batch pour lancer plusieurs applications Windows.

Sachez enfin que la commande **start** permet de lancer un programme ou d'ouvrir un document dans l'application qui est associée à son extension. Par exemple, la commande ci-après ouvre le fichier **lis_moi.txt** dans le Bloc-notes :

```
start c:\windows\lis_moi.txt
```

Faciliter la duplication des disquettes

Si vous dupliquez souvent des disquettes, voici une finesse qui vous fera gagner de précieuses minutes. Utilisez le Bloc-notes pour définir le fichier batch (**copierA.bat**) de la Figure 13.18.

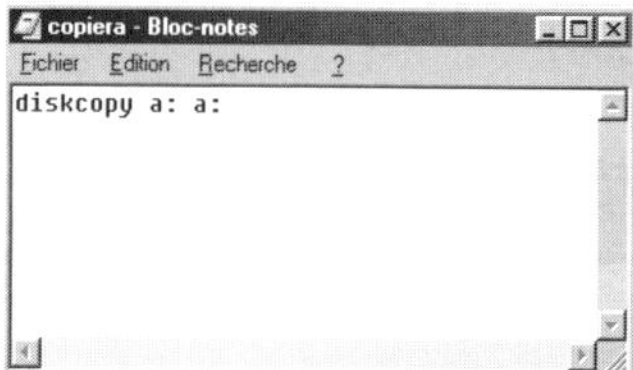

Figure 13.18 : Ce fichier batch va faciliter la copie de disquettes.

Enregistrez ce fichier sur le Bureau de Windows. Pour dupliquer une disquette, il suffira désormais de double-cliquer sur l'icône du fichier **copierA.bat**.

Conserver une trace papier de la configuration système

Pour imprimer les caractéristiques système de votre ordinateur, procédez comme suit :

1. Affichez le Panneau de configuration en lançant la commande **Paramètres/Panneau de configuration** du menu **Démarrer**.
2. Double-cliquez sur l'icône **Système**.
3. Sélectionnez l'onglet **Gestionnaire de périphériques**.
4. Cliquez sur l'entrée **Ordinateur**, puis sur **Imprimer**.

Le listing ci-après représente un extrait du fichier de configuration imprimé par ce processus sur un ordinateur Pentium 200 MMX :

```
***** INFORMATIONS SUR LE SYSTEME *****

Version Windows : 4.10.1650
Nom de l'ordinateur: Inconnu
Type de bus système: ISA
Nom du BIOS: American Megatrends
Date du BIOS: 07/15/95
Version du BIOS: DMI Ver-2.0, Aug 24, 1995
Type de machine: IBM PC/AT
```

```
Fabricant du processeur: GenuineIntel
Type de processeur: Pentium(r) Processor
Coprocesseur arithmétique: Présent
Propriétaire enregistré: mm
Organisation enregistrée: lk

***** INFORMATIONS SUR L'IRQ *****
Résumé de l'utilisation IRQ
00- Horloge système
01- Clavier standard 101/102 touches ou Microsoft
Natural
02- Contrôleur d'interruptions programmable
03- Port de communication (COM2)
04- Port de communication (COMl)
06- Contrôleur de lecteur de disquette standard
etc..

***** INFORMATIONS SUR LES PORTS E/S *****
Résumé de l'utilisation des ports E/S :
000Oh-000Fh-Contrôleur d'accès direct en mémoire
0020h-0021h-Contrôleur d'interruptions programmable
0040h-0043h-Horloge système
0060h-0060h-Clavier standard 101/102 touches ou
Microsoft Natural
006lh-0061h-Haut-parleur système
etc..

*** INFORMATIONS SUR L'UTILISATION MEMOIRE HAUTE ***
Résumé de l'utilisation  mémoire :
00000000h-0009FFFFh-Carte d'extension pour BIOS
Plug and Play
000A0000h-000AFFFFh-S3 Trio64V2(DX/GX)
000B0000h-000BFFFFh-S3 Trio64V2(DX/GX)
000C0000h-000C7FFFh-S3 Trio64V2(DX/GX)
000DC000h-000DFFFFh-Carte hôte Adaptec
AHA-150X/1510/152X/AIC-6X60 SCSI
000E0000h-000FFFFFh-Carte d'extension pour BIOS
Plug and Play
etc.
```

```
***** INFORMATIONS SUR L'UTILISATION DMA *****

Résumé de l'utilisation du canal DMA :
02 - Contrôleur de lecteur de disquette standard
04 - Contrôleur d'accès direct en mémoire

***** INFORMATIONS SUR LA MEMOIRE *****

640 Ko de mémoire conventionnelle totale
32260 Ko de mémoire étendue totale

***** INFO LECTEUR DISQUE *****

A:Lecteur de disquette, 3,5" 1.44 Mo
80 Cylindres    2 Têtes
512 Octets/Secteur18 Secteurs/Piste

C:Disque dur515288 Ko Totaux 274296 Ko Libres
512 Cylindres    32Têtes
512 Octets/Secteur63 Secteurs/Piste
etc..
```

Conservez précieusement ce listing. Il pourra vous servir si vous êtes amené à réinstaller Windows, ou si le paramétrage d'un périphérique a été modifié par inadvertance.

Conversion des groupes de programmes de Windows 3.x

Windows 98 permet de convertir très simplement les groupes de programmes qui étaient utilisés dans les versions 16 bits de Windows (3.1 et 3.11) en entrées dans le menu **Démarrer**. Deux méthodes sont possibles :

- Double-cliquez sur un fichier de groupe (extension **GRP**) à l'aide du Poste de travail, de l'Explorateur de fichiers ou d'un autre programme dédié à la gestion des fichiers.

- Lancez le programme GRPCONV avec le paramètre /m. Pour ce faire, cliquez sur Démarrer, sélectionnez la commande Exécuter, et tapez GRPCONV /m dans la zone de texte Ouvrir (voir Figure 13.19).

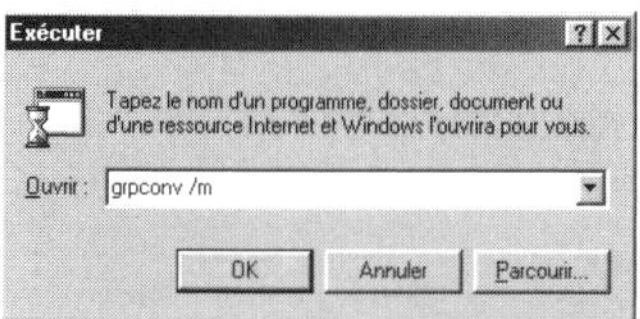

Figure 13.19 : Lancement du programme de conversion de groupes de programmes.

Cette action déclenche l'affichage d'une boîte de dialogue dans laquelle il suffit de sélectionner les groupes à convertir (voir Figure 13.20).

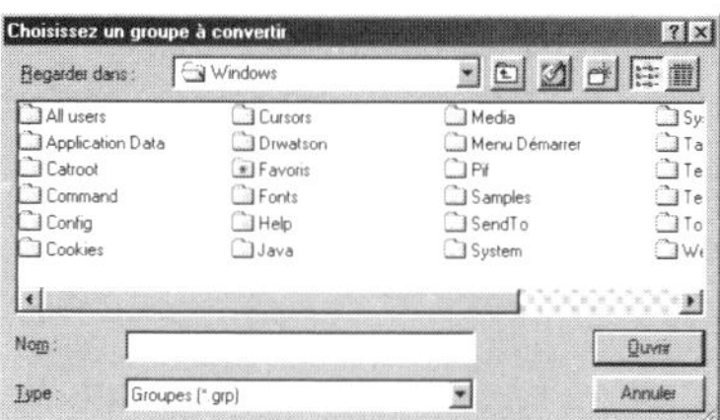

Figure 13.20 : Sélection des groupes de programmes à convertir.

De l'aide dans les boîtes de dialogue

Une case contenant un point d'interrogation est affichée dans la partie supérieure droite de la plupart des boîtes de dialogue Windows 98. En cliquant sur cette case puis sur un des éléments de la boîte de dialogue, vous obtiendrez un commentaire qui précisera la fonction de l'élément désigné (voir Figure 13.21).

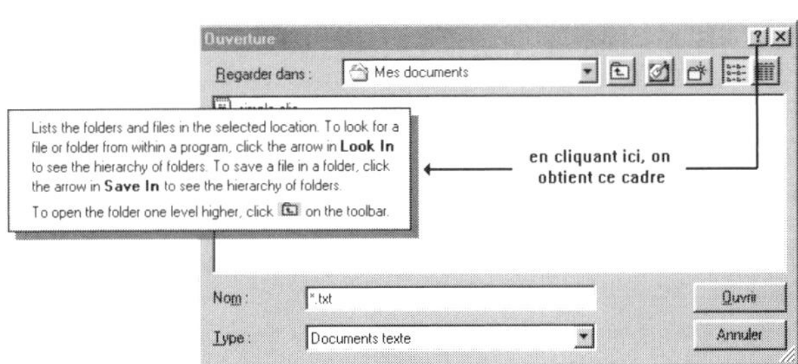

Figure 13.21 : Un exemple d'utilisation de l'aide dans une boîte de dialogue.

Noms MS-DOS et noms longs

Comment connaître le nom MS-DOS associé à un nom long de dossier ou de fichier ? Il suffit tout simplement de cliquer du bouton droit sur le dossier/fichier et de sélectionner la commande **Propriétés** dans le menu contextuel (voir Figure 13.22).

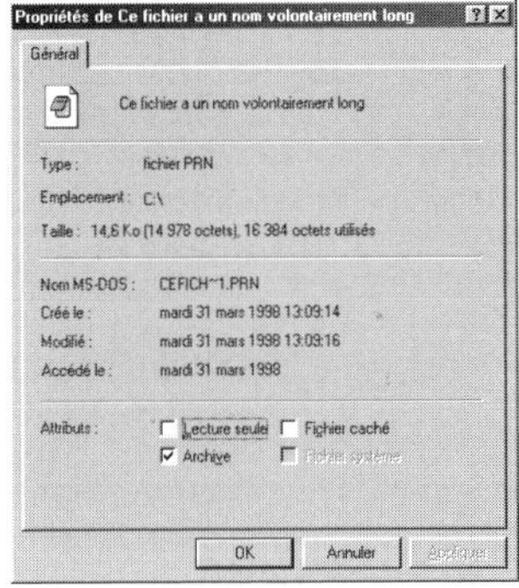

Figure 13.22 : La boîte de dialogue Propriétés affiche le nom MS-DOS de l'élément sélectionné.

Annuler le déplacement d'un fichier

Si vous venez juste de déplacer un fichier ou de modifier son nom dans le Poste de travail ou l'Explorateur, il est encore temps d'annuler l'opération. Vous pouvez, au choix :

- lancer la commande **Annuler** du menu **Edition** ;
- utiliser le raccourci clavier ***Ctrl-Z*** ;
- cliquer sur l'icône **Annuler** dans la barre d'outils.

Quelques raccourcis clavier bien pratiques

Le tableau ci-après répertorie quelques raccourcis clavier qui seront bien utiles à tous ceux qui n'ont pas de temps à perdre :

Effet recherché	Raccourci clavier
Désactivation de l'autoplay	Touche ***Maj*** enfoncée pendant l'introduction du CD-ROM
Copie de dossiers/fichiers	Touche ***Ctrl*** enfoncée pendant le déplacement
Création d'un raccourci	Touches ***Ctrl*** et ***Maj*** enfoncées pendant le déplacement
Suppression d'un dossier/fichier sans passer par la Corbeille	Maj-Suppr
Boîte de dialogue Rechercher	***F3*** lorsque le Bureau a le focus
Rafraîchir le contenu du Poste de travail ou de l'Explorateur	***F5***
Modifier le nom d'un dossier/fichier	***F2***
Sélectionner tous les dossiers/fichiers dans le Poste de travail ou l'Explorateur	***Ctrl-A***
Afficher les propriétés d'un dossier/fichier	***Alt-Entrée*** ou ***Alt-double-clic***

Pour désactiver systématiquement l'autoplay du CD-ROM, procédez comme suit :

1. Affichez le Panneau de configuration (commande **Paramètres/Panneau de configuration** dans le menu **Démarrer**).
2. Double-cliquez sur l'icône **Système**.
3. Sélectionnez l'onglet **Gestionnaire de périphériques**.
4. Développez l'entrée **CD-ROM**.
5. Cliquez du bouton droit sur l'icône qui représente votre lecteur de CD-ROM, et sélectionnez **Propriétés** dans le menu contextuel.
6. Cliquez sur l'onglet **Paramètres** et décochez la case **Notification d'insertion automatique** (voir Figure 13.23).

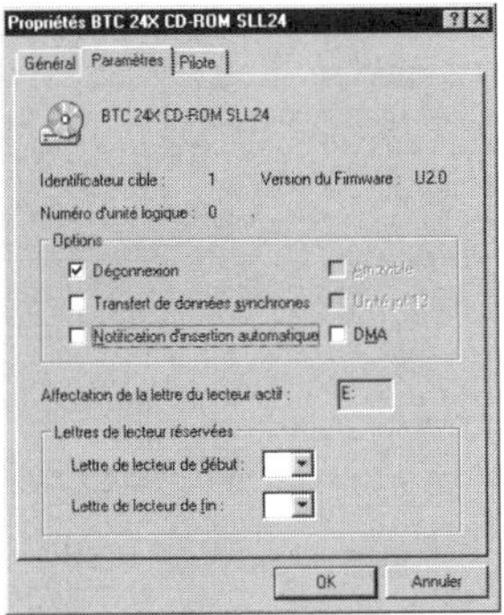

Figure 13.23 : Il suffit de décocher la case Notification d'insertion automatique pour désactiver l'autoplay.

Si vous utilisez un clavier Windows Natural Keyboard

Si votre clavier est du type **Windows Natural Keyboard**, trois touches supplémentaires permettent d'accéder directement à des

fonctions propres à Windows. Le tableau ci-après donne un aperçu de ce que vous pourrez faire avec un tel clavier :

Effet recherché	Raccourci
Sélection cyclique des cases affichées dans la barre des tâches	*Windows-Tab*
Recherche d'un fichier	*Windows-F*
Recherche d'un ordinateur sur le réseau	*Ctrl-Windows-F*
Aide de Windows	*Windows-F1*
Fenêtre de la commande Exécuter	*Windows-R*
Clic sur Démarrer	*Windows*
Propriétés système	*Windows-Pause*
Explorateur de fichiers	*Windows-E*
Minimisation/Restauration de toutes les fenêtres	*Windows-D*
Annulation de la minimisation de toutes les fenêtres	*Maj-Windows-M*

Déplacer le pointeur de la souris avec le clavier

Si la souris n'est vraiment pas votre tasse de thé, vous pouvez utiliser les touches fléchées du clavier pour déplacer le pointeur. Voici comment procéder :

1. Ouvrez le Panneau de configuration (commande **Paramètres/Panneau de configuration** dans le menu **Démarrer**).
2. Double-cliquez sur l'icône **Options d'accessibilité** (*).
3. Sélectionnez l'onglet **Souris**.
4. Cochez la case **Utiliser touches souris**.

5. Cliquez sur **Paramètres** pour régler les paramètres relatifs aux touches souris. Vous pouvez, entre autres, choisir la vitesse de déplacement du pointeur et définir un raccourci pour activer/désactiver les touches souris (voir Figure 13.24).

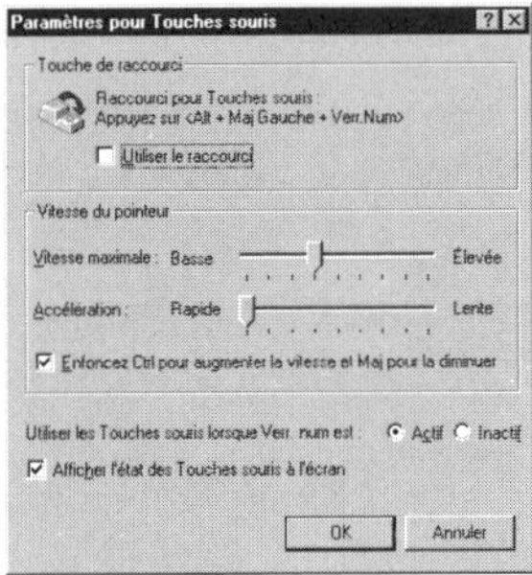

Figure 13.24 : Le paramétrage des touches souris.

Si vous conservez le paramétrage par défaut, vous utiliserez les touches suivantes :

- toutes les touches du pavé numérique (***Verr Num*** actif) pour diriger le pointeur ;
- la touche ***Ctrl*** pour accélérer les déplacements du pointeur ;
- les touches /, * et – du pavé numérique pour (respectivement) sélectionner gauche, les deux boutons ou droit ;
- la touche + du pavé numérique pour cliquer sur les boutons sélectionnés.

Si l'icône **Options d'accessibilité** n'est pas affichée dans le Panneau de configuration, cela signifie que cette application n'est pas installée. Ouvrez le Panneau de configuration en sélectionnant **Paramètres**, **Panneau de configuration** dans le menu **Démarrer**. Double-cliquez sur l'icône **Ajout/Suppression de programmes** et sélectionnez l'onglet **Installation de Windows**. Cochez la case du composant **Accessibilité** et validez. Les options d'accessibilité seront accessibles après redémarrage de l'ordinateur.

Compléter le menu Envoyer vers

Lorsque vous cliquez du bouton droit sur un fichier ou un dossier dans le Poste de travail ou l'Explorateur de fichiers, un menu contextuel apparaît. Dans ce menu, la commande **Envoyer vers** permet de copier les fichiers/dossiers sélectionnés vers une destination privilégié ; par défaut, le lecteur de disquettes, le dossier **Mes documents** et le Bureau de Windows. Mais vous pouvez ajouter de nouvelles entrées dans la commande **Envoyer vers**. Voici comment procéder :

1. Cliquez sur **Démarrer** et sélectionnez **Exécuter**.
2. Tapez `sendto` dans la zone de texte **Ouvrir**, et cliquez sur **OK**. Cette action provoque l'affichage du dossier **sendto** dans lequel apparaissent les destinataires de la commande **Envoyer vers** (voir Figure 13.25).

Figure 13.25 : Le dossier SendTo contient les destinataires de la commande Envoyer vers.

3. Il suffit maintenant de faire glisser les disques/dossiers destinataires, du Poste de travail ou de l'Explorateur vers le fichier **SentTo** pour qu'ils apparaissent dans la commande **Envoyer vers**.

Index

N

O

P

Q

R

W

X

Achevé d'imprimer le 15 juin 1998
sur les presses de l'imprimerie «La Source d'Or»
63200 Marsat
Dépôt légal : 2ème trimestre 1998
Imprimeur n° 7461